新时期小城镇规划建设管理指南丛书

小城镇建设政策法规指南

许斌成　主编

天津大学出版社
TIANJIN UNIVERSITY PRESS

图书在版编目(CIP)数据

小城镇建设政策法规指南/许斌成主编.—天津：
天津大学出版社,2014.10
(新时期小城镇规划建设管理指南丛书)
ISBN 978-7-5618-5216-3

Ⅰ.①小…　Ⅱ.①许…　Ⅲ.①小城镇－城市建设－法
规－指南　Ⅳ.①D922.297-62

中国版本图书馆 CIP 数据核字(2014)第 248618 号

出版发行	天津大学出版社
出 版 人	杨欢
地　　址	天津市卫津路 92 号天津大学内(邮编:300072)
电　　话	发行部:022-27403647
网　　址	publish.tju.edu.cn
印　　刷	北京紫瑞利印刷有限公司
经　　销	全国各地新华书店
开　　本	140mm×203mm
印　　张	13.5
字　　数	339 千
版　　次	2015 年 1 月第 1 版
印　　次	2015 年 1 月第 1 次
定　　价	35.00 元

小城镇建设政策法规指南
编委会

主　　编：许斌成

副主编：周　爽

编　　委：张　娜　　孟秋菊　　梁金钊　　刘伟娜

　　　　　张微笑　　张蓬蓬　　吴　薇　　相夏楠

　　　　　桓发义　　聂广军　　李　丹　　胡爱玲

内 容 提 要

本书根据《国家新型城镇化规划（2014—2020 年)》及中央城镇化工作会议精神，系统阐述了新时期小城镇建设的相关政策法规。全书主要内容包括概述，小城镇规划建设管理政策法规，小城镇建设用地政策法规，小城镇房地产管理政策法规，小城镇户籍改革政策，小城镇经济、社会管理政策法规，小城镇文化建设政策法规，小城镇教育管理政策法规，生态小城镇与环卫政策等。

本书内容丰富、涉及面广，而且集系统性、先进性、实用性于一体，既可供从事小城镇规划、建设、管理的相关技术人员以及建制镇与乡镇领导干部学习工作时参考使用，也可作为高等院校相关专业师生的学习参考资料。

前　言

　　城镇是国民经济的主要载体，城镇化道路是决定我国经济社会能否健康、持续、稳定发展的一项重要内容。发展小城镇是推进我国城镇化建设的重要途径，是带动农村经济和社会发展的一大战略，对于从根本上解决我国长期存在的一些深层次矛盾和问题，促进经济社会全面发展，将产生长远而又深刻的积极影响。

　　我国现在已进入全面建成小康社会的决定性阶段，正处于经济转型升级、加快推进社会主义现代化的重要时期，也处于城镇化深入发展的关键时期，必须深刻认识城镇化对经济社会发展的重大意义，牢牢把握城镇化蕴含的巨大机遇，准确研判城镇化发展的新趋势新特点，妥善应对城镇化面临的风险挑战。

　　改革开放以来，伴随着工业化进程加速，我国城镇化经历了一个起点低、速度快的发展过程。1978—2013 年，城镇常住人口从1.7 亿人增加到 7.3 亿人，城镇化率从 17.9% 提升到 53.7%，年均提高 1.02 个百分点；城市数量从 193 个增加到 658 个，建制镇数量从 2 173 个增加到 20 113 个。京津冀、长江三角洲、珠江三角洲三大城市群，以 2.8% 的国土面积集聚了 18% 的人口，创造了 36% 的国内生产总值，成为带动我国经济快速增长和参与国际经济合作与竞争的主要平台。城市水、电、路、气、信息网络等基础设施显著改善，教育、医疗、文化体育、社会保障等公共服务水平明显提高，人均住宅、公园绿地面积大幅增加。城镇化的快速推进，吸纳了大量农村劳动力转移就业，提高了城乡生产要素配置效率，推动了国民经济持续快速发展，带来了社会结构深刻变革，促进了城乡居民生活水平全面提升，取得的成就举世瞩目。

根据世界城镇化发展普遍规律，我国仍处于城镇化率 30％～70％的快速发展区间，但延续过去传统粗放的城镇化模式，会带来产业升级缓慢、资源环境恶化、社会矛盾增多等诸多风险，可能落入"中等收入陷阱"，进而影响现代化进程。随着内外部环境和条件的深刻变化，城镇化必须进入以提升质量为主的转型发展新阶段。另外，由于我国城镇化是在人口多、资源相对短缺、生态环境比较脆弱、城乡区域发展不平衡的背景下推进的，这决定了我国必须从社会主义初级阶段这个最大实际出发，遵循城镇化发展规律，走中国特色新型城镇化道路。

　　面对小城镇规划建设工作所面临的新形势，如何使城镇化水平和质量稳步提升、城镇化格局更加优化、城市发展模式更加科学合理、城镇化体制机制更加完善，已成为当前小城镇建设过程中所面临的重要课题。为此，我们特组织相关专家学者以《国家新型城镇化规划（2014—2020 年）》、《中共中央关于全面深化改革若干重大问题的决定》、中央城镇化工作会议精神、《中华人民共和国国民经济和社会发展第十二个五年规划纲要》和《全国主体功能区规划》为主要依据，编写了"新时期小城镇规划建设管理指南丛书"。

　　本套丛书的编写紧紧围绕全面提高城镇化质量，加快转变城镇化发展方式，以人的城镇化为核心，有序推进农业转移人口市民化，努力体现小城镇建设"以人为本，公平共享""四化同步，统筹城乡""优化布局，集约高效""生态文明，绿色低碳""文化传承，彰显特色""市场主导，政府引导""统筹规划，分类指导"等原则，促进经济转型升级和社会和谐进步。本套丛书从小城镇建设政策法规、发展与规划、基础设施规划、住区规划与住宅设计、街道与广场设计、水资源利用与保护、园林景观设计、实用施工技术、生态建设与环境保护设计、建筑节能设计、给水厂设计与运行管理、污水处理厂设计与运行管理等方面对小城镇规划建设管理进行了全面系统的论述，内容丰富，资料翔实，集理论与实践于一体，具有很强的实用价值。

　　本套丛书涉及专业面较广，限于编者学识，书中难免存在纰漏及不当之处，敬请相关专家及广大读者指正，以便修订时完善。

目　录

第一章 概　述

推进城镇化是我国迈进 21 世纪的一项重大战略任务,而"十二五"时期是我国城镇化发展和全面建设小康社会的一个关键时期。发挥小城镇在城镇化和城乡统筹发展中的重要作用,把小城镇大战略真正落到实处,推进我国城镇化在"十二五"期间健康有序发展,都迫切需要关注现阶段小城镇建设与发展中存在的主要问题,并探究问题背后的原因,找出解决问题的良方。

第一节　我国的城镇化发展战略

一、城镇化的内涵与特征

(一)城镇化的内涵

所谓城镇化,就是农乡格局进一步提高综合配套设施,个体人员各司其职,提高现代进程,使农村人口不断向城镇转移,第二、三产业不断向城镇聚集,从而使城镇数量增加、规模扩大的一种历史过程。

从城镇化的内涵来看,城镇化的主要表现为:随着一个国家或地区社会生产力的发展、科学技术的进步以及产业结构的调整,其农村人口居住地点向城镇的迁移和农村劳动力从事职业向城镇二、三产业的转移。城镇化的过程也是各个国家在实现工业化、现代化过程中所经历社会变迁的一种反映。

城镇化是一个历史范畴,同时,它也是一个发展中的概念。中共第十五届五中全会通过的《关于制定国民经济和社会发展第十个五年计划的建议》正式采用了"城镇化"一词。这是我国首次在最高官方文件中使用"城镇化"。

(二)我国城镇化的基本特征

在城镇化问题上,由于我国社会主义初级阶段的国情和生产力发展的状况,推进我国城镇化,必然与西方发达国家具有不同的特征。

中国城镇化的基本特征是中国城市发展方针的直接反映,因而表现出强烈的阶段性和波动性,即在不同时期,中国城镇化特征具有一定的差异性。但纵观新中国成立以来的城镇化发展过程,可以总结出以下几个基本特点:

1. 国家计划控制的影响大

(1)中国城镇的建立和发展基本上是由政府支配的,政府是经济发展的决策机构和工业化的发动者,从而形成了政治中心与经济中心两位一体的城镇网络。在某些时期,城市发展的政治指向甚至优先于城市发展的经济指向。在变消费性城市为生产性城市的长期指导方针下,各级政府的投资重点一般均放置在所在城市或其周围地区,其结果是各级行政中心也就自然成为所在地区的最大经济中心,中央直辖市、省会城市、县城所在地的发展都是如此。这种城镇网络的优点是能够集中有限的资本、人力和各生产要素,发展若干亟须发展的产业,形成便于统一管理的城市体系;其缺点是容易形成政府对企业的过多行政干涉,挫伤企业的积极性,降低企业的经济效益。

(2)利用政府的主体地位强有力地限制农村人口向城镇的过度流入,从而使城镇发展限定在一个可控范围之内,这样虽然避免了类似其他发展中国家的城市失业大军和城市贫民区的形成,但却在一定意义上造成了城乡壁垒,强化了城市居民所具有的世袭性特权,限制了乡村青年的发展。

(3)政府还可以通过强有力的方式从农业中获取工业化和城镇化所必需的原始资本积累,即通过工农产品的"剪刀差"进行隐性积累,用来发展工业和城镇。同时通过资本投入的调控和户籍政策的变动,实现政府不同阶段的发展目标,加速或减缓城镇化发展过程。

2. 城镇化进程的波动性

根据城镇人口的变化特点,可将中国城镇化阶段大体分为如下几个阶段。

(1)恢复和起步时期(1949—1957年)。这一时期是中国城镇化发展较快时期,城镇人口从1949年的5 765万人增长到1954年的9 949万人,年平均增长率达7%,是总人口年平均增长率2.2%的3倍多。这一时期可再细分为恢复时期和起步时期两个阶段。

1)恢复时期(1949—1952年)。该时期城市经济迅速恢复,安排了大量失业人口,从农村迁入城市的人口较多,1951—1953年间年均人口净迁入率为33.1‰,城镇人口年增长率为7.5%。

2)起步时期(1953—1957年)。这也是中国的第一个五年计划时期。为满足工业建设项目的需要,"一五"期间从乡村进入城镇的人口达1 500万之多,加上城镇人口的自然增长,至1957年,城镇人口增加了2 400万,年均增长7.0%左右,成为城镇人口发展最快的时期之一。

(2)超高速城镇化阶段(1958—1960年)。这一时期强调赶英超美,提出了以钢为纲。全民大办工业的总路线,致使出现了爆发性的工业化过程和超高速城镇化过程,3年间新设城市33座,城镇人口年平均增长率达到9.5%。

(3)停滞时期(1961—1976年)。这一时期又可细分为经济调整时期和"文化大革命"时期两个阶段。

1)经济调整时期(1961—1965年)。这一时期,由于盲目"大跃进",至1961年时中国出现了经济发展的大滑坡,中央政府不得不大力调整工业结构,通过提高设市设镇标准而大量精简城市人口。其结果,城市数由1961年的208座下降到1965年的171座,同时期内的城镇化率也由24.7%下降到18.0%,出现了城镇化的大回落。

2)"文化大革命"时期(1966—1976年)。这一时期,中国出现强烈的政治动荡,经济濒临崩溃的边缘,出现了第二次城镇化的大回落,其显著特征是大量的知识青年上山下乡,大量的城市干部被下放到农村。在工业建设方面,过分强调国防意识,导致"三线"企业的布局过于分散,阻滞了基建投资对城镇建设的促进作用,造成城镇迁出人口大于迁入人口。这一时期城镇人口的增长完全由城镇人口的自然增长所致。

（4）城镇化增长阶段（1977—1983年）。这一时期，随着改革开放政策的实施，国家开始重新重视城镇的发展，并适时适度地在1979年前后实施了一系列新的政策，如允许知青回城、允许下放干部返城等，从而使城镇人口机械增长、特别是大城市的人口机械增长加快，出现了城镇化水平的整体提高。

（5）城镇化高速增长阶段（1984—1995年）。1984年，中央政府颁布了新的户籍管理政策，允许农民自带口粮进镇务工经商和进镇落户，同时又修正了1960年以来的市镇建制标准，从而使全国城镇数量迅猛上升。1984年，全国设市城市数为300个；到1994年底，设市城市数即增加到622个，平均每年增加32个。按第四次人口普查口径，城镇化水平也由1984年的23.01％上升至1993年的28.14％。

（6）城镇化较快发展阶段（1996年后）。1996年后，随着社会经济的不断发展，城镇化也进入一个崭新的发展阶段。到2007年，城镇化水平已经超过国际上一般的30％快速发展的临界值。随后，乡镇企业的迅速发展，成为城镇化进程中的主要动力。乡镇企业具有共同使用能源、交通、信息、市场及其他公共设施的客观需求，同时它在专业化协作方面也有相对集中的需要，因而乡镇企业伴随其发展而不断向集镇集中，促进了乡镇基础设施和社会服务事业向城市的方向发展，加快了小城镇发展的步伐，从而促进了城镇化水平的提高。

3. 城镇化发展缓慢

中国的工业化过程是从发展重工业开始的。由于重工业技术构成较高，所需资本投入量大，所以一定数量的资本对工业劳动力的吸纳力就相对较低，这就使城镇化的发展逐渐滞后于工业化。改革开放以来，中国乡镇工业化的分散进行，又使中国的乡村城镇化进一步滞后于工业化。并且，中国的城镇化是以工业为核心的，因此，各级城市第三产业的发展都相当薄弱，从而大大降低了城镇第三产业对农村剩余人口的吸纳力和消化力，减慢了城镇化的应有发展步伐。

4. 城市构成独特

中国城市规模结构中的大城市人口增长较快，而小城市的人口增长较慢，与世界其他一些国家形成鲜明对照。据各国最新的普查资料计算,全球 10 万～25 万人口的小城市,人口年平均增长率为 2.9％,而同期全球城市总人口的年增长率却只有 2.76％。相反,中国在 1957—1984 年间,小城市的人口年平均增长率仅为 1.84％,是平均城市人口增长率 2.08％的 0.88 倍。随着 1984 年中国经济体制改革由农村转向城市以及 1992 年开始的"县改市"高潮,中国的城市化进程和城市人口增长进入一个快速和全新的阶段。十多年来,我国小城市获得了较快发展,但主要是由于行政区划变化使然,表现为明显的城市个数增加,而实际上考虑到长期暂住人口趋于分布在大城市中,小城市的人口增长速度仍旧要慢于大、中城市。1998 年,小城市的人口增长速度开始回落,并于 2003 年第一次出现了负增长。从 2004 年(年初)到 2012 年(年末),这十年间,我国城镇人口占总人口比例不断攀升,从 2004 年的 40.53％到现今的 52.57％,城镇人口比例共上升 12.04 个百分点,在 2011 年,城镇人口比例更是首次突破 50％。

中国城市构成的独特还表现在功能上过分单一化,即不论城市大小,均程度不同地偏集于工业,这是长期实行先工业化而后城镇化的自然结果。近年来,随着城市房地产业和其他第三产业的发展,这种趋势正在发生变化,但由于工业体系的改造相当艰难,城市功能单一化的格局在未来较长时期内仍会继续存在。

5. 二元城镇化结构

中国在城镇化与农村城镇化并举的前提下,强调和突出了中国式农村城镇化的发展,从而形成了中国独特的二元城镇化结构。一方面,由中央和各级政府发动的自上而下的城镇化过程是在强调工业化的基础上形成的,因而设市城市的技术构成一般都比较高,且城市的地域规模、人口规模和产业规模发展都较为有序。另一方面,由乡村剩余劳动力自发转移而形成的自下而上的农村城镇化过程,却是在资金不足、人才匮乏和技术构成较低的情况下起步的,因此表现为明显的小规模、分散化特征,城镇的基础设施较差,城乡差异不大,劳动力转移更多地表现为职业上的转变,而不是空间上的转变。

(三)新型城镇化释义

所谓新型城镇化,是指坚持以人为本,以新型工业化为动力,以统筹兼顾为原则,推动城市现代化、城市集群化、城市生态化、农村城镇化,全面提升城镇化质量和水平,走科学发展、集约高效、功能完善、环境友好、社会和谐、个性鲜明、城乡一体、大中小城市和小城镇协调发展的城镇化建设路子。新型城镇化的"新"就是要由过去片面注重追求城市规模扩大、空间扩张,改变为以提升城市的文化、公共服务等内涵为中心,真正使我们的城镇成为具有较高品质的适宜人居之所。城镇化的核心是农村人口转移到城镇,完成农民到市民的转变,而不是建高楼、建广场。农村人口转移不出来,不仅农业的规模效益出不来,扩大内需也无法实现。

住房和城乡建设部副部长仇保兴谈新型城镇化时,指出:

(1)传统的城镇化,是城市优先发展的城镇化,而新型城镇化讲求城乡互补、协调发展。

(2)城乡一体化发展,绝对不能搞成"一样化"发展,不能把农村都变为城市,而是要走城乡协调发展的道路。

(3)推进新型城镇化,不能盲目克隆国外建筑,而是要传承自身的文脉,重塑自身的特色。没有自己的文脉,形不成自己的特色,自身优势就发挥不出来,就会千城一面。

新型城镇化的本质是用科学发展观来统领城镇化建设。

2012年12月15日至16日在北京举行的中央经济工作会议上提出了2013年经济工作的主要任务,即积极稳妥推进城镇化,着力提高城镇化质量。城镇化是我国现代化建设的历史任务,也是扩大内需的最大潜力所在,要围绕提高城镇化质量,因势利导、趋利避害,积极引导城镇化健康发展。要构建科学合理的城市格局,大中小城市和小城镇、城市群要科学布局,与区域经济发展和产业布局紧密衔接,与资源环境承载能力相适应。要把有序推进农业转移人口市民化作为重要任务抓实抓好。要把生态文明理念和原则全面融入城镇化全过程,走集约、智能、绿色、低碳的新型城镇化道路。

二、我国城镇化的战略地位

农村小城镇是我国城镇体系中层次最低、数量最大的群体,起着连接城市经济和农村经济的桥梁作用,推进城镇化对我国全面建设小康社会具有重大的战略意义。

(1)推进城镇化是我国城镇化的重要组成部分,我国将来城镇化发展的道路,可能选择的方案将是走总体的城镇化与城镇化共同推进的道路。没有农村的城镇化,整体的城镇化将难以实现。

(2)推进城镇化是农村工业化的重要条件,通过推进城镇化,使目前分割的部分企业积聚在小城镇,实现生产要素的合理流动和资源的最佳配置,以利于促进乡镇企业上规模、上档次,并通过改变经济增长方式走上可持续发展的农村工业化道路。

(3)推进城镇化有利于加快农业现代化的进程,现代化是我国发展的根本要求,国家通过实现城镇化,促进乡镇企业发展,有效地转移农村过剩的劳动力,并且可以使土地从分散的承包经营有步骤地向集中的、机械化的规模经营转变,并为农村的职业教育、科技推广应用创造条件,促进农村现代化的进程。

(4)推进城镇化,可以集中相当多的文化、教育、科技、卫生、体育、信息和服务事业,也包括文化娱乐健身活动,这对于提高农民人口生活质量,丰富农民精神文化生活,促进乡村精神文明建设,起到巨大的推动作用,使广大农民真正享受到改革发展的成果,推动农村小康社会的全面实现。

三、我国城镇化进程中存在的问题及成因

自从十八大之后,建设新型城镇化已经成为多方共识,这主要是认识到中国过去城镇化道路的不足。

1. 我国城镇化进程中存在的主要问题

(1)规模小,起点低,区位优势和产业化优势不够突出。据江苏省农调队的调查显示,江苏省的小城镇建成区人口平均不足 5 000 人,其中有 66 个城镇建成区的人口还不足 1 000 人,这种城镇规模小,布局分散,必然造成建设质量不高,功能不全,从而对城镇化的长远发展形成制约。

(2)宏观规划布局薄弱,主要存在的问题表现在:

1)重视城镇规划而轻视小城镇经济发展的规划。

2)重视数量而轻视城镇体系布局。

3)一些地方政府观念落后,思想僵化,甚至沿用小农村经济或计划经济的方式来规划小城镇的产业和市场。

4)城镇化的产业结构不合理,横向联系薄弱,第一、二、三产业结构比例不协调,甚至在第三产业构成中,仍以传统服务加工业为主,许多地区小城镇结构趋同,没有区域优势,横向联系薄弱,人才、信息、金融、技术的交流缺乏畅通的渠道。

5)分类指导无力,一些地方政府缺乏对城镇化工作的分类指导,导致有些小城镇利用区域优势迅速向大中城市发展,而有的小城镇则因各种各样的原因逐步走向衰弱,更多的小城镇则在城镇化过程中,出现了种种功能的分化。

2. 我国城镇化问题的成因

(1)农村工业化、城镇化传统模式的惯性影响。具体体现在以下几个方面:

1)受完全依赖政府的计划经济模式的影响较深,造成城乡分割。

2)短缺经济的运行环境和整个社会消费需求层次不高的现实,决定了乡镇企业乃至小城镇集中布局的效益不突出。

3)处于经济转型的初期,发展乡镇企业也存在政策不同的问题,也有人才资源严重匮乏的原因。

(2)政府推动型和市场推动型的两种模式各自独立作用的结果。在发展和完善社会主义市场经济的过程中,坚持政府主导下的市场推动型的城镇化模式还没形成,这是导致我国城镇化发展现存问题的重要原因。

(3)以宏观因素为重点的一系列制度性因素的作用。比如,在建设用地方面,由县(市)土地管理部门代表政策统一行使"规划、重用、开发、管理和出让"权,从而垄断了小城镇建设用地的一级市场。又比如,现行财政体制下,从纵向看,省以下各级政府尽可能地上收财权、下放事权;从横向看,政府部门之间财权与事权严重不对称,这种宏观财政体制不改革,推进城镇化可持续发展是比较困难的。

四、我国城镇化的实现途径

1. 解放思想,更新观念,科学发展是城镇化的思想基础

推进城镇化最重要的是党和政府各级领导干部坚持以科学发展观为统领,解放思想,统一认识。

(1)始终坚持发展是富民兴镇的第一要务,积极引导广大农民运用资本、知识、经验、技术发展生产力,引导支持他们进城镇务工、经商办企业。

(2)结合地区优势大胆招商引资,推动公有制经济为主体的多种所有制经济共同发展。

(3)尊重农民的主人翁地位,有条件的城镇尽可能实行城镇户口通用制,采用户口通用制有利于做到进城务工人员在身份上的一视同仁。

(4)一切坚持以有利于城镇生产力的发展,有利于城镇人民生活水平的提高,有利于城镇在区域经济体系中经济实力的不断增加来检验、考核各级政府的工作绩效。

2. 科学规划、宏观控制是推进城镇化的保证

(1)提高规划的科学性,做到统筹兼顾,从长计议,重点发展资源优势突出,联结城乡纽带性强,拉动农村经济增长的中心乡镇,并且突出特色,确定规模,注重实效,走环保型、人文型、节约型的城镇化道路。

(2)要注意规划的超前性、协调性。各级、各地政府必须以国家利益和人民利益高于一切为准则要求自己,以最大限度地使物质文明、精神文明、政治文明、乡村文明有机结合,克服急功近利的不良现象,做到量力而行,分批、分步实施,推进城镇化健康、稳步、和谐、可持续发展。

(3)要切实加强规划的指导性、可操作性。各地政府在城镇规划中一定要坚持以国家建设规划为指导,以农村现代化为发展目标,建立一整套关于城镇化发展的规划制度、管理制度、审查制度,保证规划的正确实施。

3. 因地制宜,合理布局,突出特色是推进城镇化的根本举措

(1)根据城镇化的定位来布局,在欠发达地区城镇化要以发展小城镇为重点,在较发达地区则应是发展中小城市与发展重点镇并重,在东部发达地区和大中城市郊区要发挥大中城市对小城镇发展的带动作用。

(2)适应区位优势来布局,在大城市周围按照产业结构和人口分布适当发展一批卫星城镇。

(3)适应产业发展需求布局,在一个城镇里一定要注意该城镇在国际国内经济发展中的位置,功能要严格区分,如工业区、商业区、住宅区、行政区等各方面的设置,有条件可用绿地、自然景观隔离。

4. 合理利用、节约土地资源是城镇化的重要环节

深化农村经济发展相关的制度改革和土地资源的有效保护制度,已成为城镇化过程中值得注意的重要环节,具体措施如下:

(1)加快制定多元化的小城镇土地市场体系。

(2)采取优惠政策鼓励将小城镇区域改造,盘活土地存量有机结合起来,使区域改造中的富余土地直接进入市场。

(3)鼓励发达地区的企业或个人利用资金、技术优势到小城镇开发地区进行土地整理和复垦工作,通过这些措施促进农村人口向城市合理有序地流动,为农村经济规模化、机械化发展创造有利的条件。

5. 优化市场的运行环境是推进城镇化的关键

道路交通、信息技术、金融信贷、广播通信等市场要求是市场得以运行的重要条件,推进城镇化,就必须加快完善和形成以政府为主导市场的运行机制,在政府主导作用下,国家有计划地拿出一定的财政资金,或利用信贷杠杆,支持小城镇发展需要的基础设施建设,鼓励支持企业、个人及社会的闲置资金,参与到城镇化建设中来,另外,国家也要通过法律、法规制度的保证,使国家、企业、个人的利益在城镇化过程中得到保护,从而优化市场的运行环境,推进城镇化经济发展。

6. 加强精神文明建设培育创新型人才是城镇发展的智力支持

社会主义城镇化建设是物质文明、精神文明、社会文明相互协调发展的伟大事业,加强以社会主义为核心,以科学发展观为统领的精神文明建设是城镇化建设的灵魂和方向,必须通过物质文明建设、精

神文明建设、政治文明建设、乡村文明建设的统一协调,大力引进人才,培育新型农民,通过人才素质的提高,给城镇化建设提供有力的智力支持,这是城镇化发展的原动力。

第十二届全国人大常委会第三次会议上,国家发改委主任徐绍史作了国务院《关于城镇化建设工作情况的报告》。报告中称,我国将全面放开小城镇和小城市落户限制,有序放开中等城市落户限制,逐步放宽大城市落户条件,合理设定特大城市落户条件,逐步把符合条件的农业转移人口转为城镇居民。这是我国第一次明确提出各类城市具体的城镇化路径。报告中还详细分析了促进城镇化健康发展的四大战略重点。

第一,有序推进农业转移人口市民化。按照因地制宜、分步推进,存量优先、带动增量的原则,以农业转移人口为重点,兼顾异地就业城镇人口,统筹推进户籍制度改革和基本公共服务均等化。加快推进基本公共服务均等化,努力实现义务教育、就业服务、社会保障、基本医疗、保障性住房等覆盖城镇常住人口。

第二,优化城镇化布局和形态。优化提升东部地区城市群,培育发展中西部地区城市群,用综合交通网络和信息化网络把大中小城市和小城镇连接起来,促进各类城市功能互补、协调发展。在发挥中心城市辐射带动作用基础上,强化中小城市和小城镇的产业功能、服务功能和居住功能,把有条件的东部地区中心镇、中西部地区县城和重要边境口岸逐步发展成为中小城市。

第三,提高城市可持续发展能力。加快转变城市发展方式,优化城市空间结构,统筹中心城区改造和新城新区建设,有效预防和治理"城市病"。加快产业转型升级,强化城市产业支撑,营造良好创业、创新环境,增强城市经济活力和竞争力。完善城镇基础设施和公共服务设施,提升社会服务和居住服务水平,增强城市承载能力。推进创新城市、绿色城市、智慧城市和人文城市建设,全面提升城市内在品质。完善城市治理结构,创新城市管理方式,提升城市社会管理水平。

第四,推动城乡发展一体化。坚持工业反哺农业、城市支持农村和多予少取放活方针,着力在城乡规划、基础设施、公共服务等方面推进一体化。完善城乡发展一体化体制机制,促进城乡要素自由流动、平等交换和公共资源均衡配置。牢牢守住 18 亿亩耕地红线,确保国家粮食安全。加快推进农业现代化,建设农民幸福生活的美好家园。

五、城镇化进程中的留守儿童问题及对策

农村留守儿童问题是我国城镇化进程中面临的新挑战。2012 年 9 月,教育部公布义务教育随迁子女超 1 260 万,义务教育阶段留守儿童 2 200 万。

1. 留守儿童的概念与特殊性

"农村留守儿童"是指由于父母双方或一方外出打工而被留在农村的家乡并且需要其他亲人或委托他人照顾的处于义务教育阶段的儿童。

与其他国家相比,我国农村留守儿童是在工业化、城镇化过程中与农民工流动相伴生的一个群体,具有一定的特殊性,需要引起高度重视。

(1)不同于西方先进工业化国家的历史进程,我国在工业化、城镇化过程中产生了农村留守儿童现象。欧洲虽也曾出现人口大量地从农村向城市迁移的类似现象,但父母与未成年子女的长期分离现象并不常见。受户籍制度限制,我国农民工在城镇化过程中的人口流转并不同于一般意义上流迁人口地域、职业转换的路径。农村劳动力在进入城市的过程中,不仅要实现地域转移、职业转换,还要实现身份变换。在这种特殊的模式下,我国的城镇化实质上是一种半城镇化,已经进城的农民工实际上并没有市民化。农民工及其子女没有获取市民身份,城市公立学校没有对农民工子女完全敞开大门,而且农民工子女即使入了学也必须回原籍地参加中考或高考。在这些因素影响下,目前随父母进城的农民工子女只占总数的 20%～30%,还有 70%～80%的农民工子女留在老家,成为留守儿童。因而,制度的阻隔使我国的人口流动表现出与其他国家不同的历程,进而衍生出农村留守儿童问题。

(2)与其他同样存在留守儿童问题的国家相比,我国的留守儿童

问题也具有特殊性。综观其他国家,日本的留守子女问题也比较突出,但是两国具体情况仍有明显不同,具体表现在:

1)从产生背景来看,我国的留守儿童是在工业化、城镇化进程中产生的,与农民工的流动有直接关系。而日本留守子女则是在后工业化时期的现代社会中出现的,是由于存在大量的"单身赴任"现象,与终身雇佣制下职工在企业内部频繁调动有直接关系。

2)从具体原因来看,我国留守儿童的产生主要是由于制度上的阻隔以及农民工经济承受能力等方面的障碍。在经济条件上,农民工收入低,无力带子女进城。在工作性质上,农民工流动性大,就业不稳定,无法为进城子女提供稳定的学习和生活环境。而日本"单身赴任"产生留守子女问题则主要是从子女更好地学习生活考虑的。研究表明,子女随迁转学影响学习、现有住房问题、老人难离故土的情节以及妻子的工作问题是造成留下家属而单身赴异地工作的主要原因。

3)从地域分布来看,我国留守儿童最集中的地区是农村,农村留守儿童问题是我国留守儿童问题的重中之重。据统计,农村留守儿童占全部留守儿童的86.5%。而日本作为一个后工业化国家,则不存在这种现象。

2. 我国农村留守儿童面临的突出问题

儿童时期是人身心发育、知识积累的关键时期,家庭、学校和社会发挥着极其重要的作用。当前,由于家庭的不完整、父母在家庭功能中缺位,农村学校教育管理的不健全以及农村基层组织功能的弱化使得农村留守儿童的健康成长受到严重影响,突出表现为以下四个方面:

(1)学习滞后。对于那些父母均外出的儿童,监护人是临时的或者是隔代的,"重养不重教"的现象十分普遍。调查表明,74.96%和84.2%的留守儿童祖辈只有小学及以下文化程度,没有能力给予留守儿童学习上的辅导。在家务、农活繁重时,他们还需要孩子的帮助,有的地方甚至出现留守儿童要经常或者不时地照顾祖父母或其他监护人的"逆向监护"现象。同时,留守儿童的学习往往缺乏自觉性,逃学和辍学的很多,学习成绩排在中下等的比例较大。江西对五千余名留守儿童的调查结果显示,68.0%的留守儿童平时在学习上是有困难

的,学习成绩在班级中"名列前茅"的只占到 8.1%;"一般及以下"的
占 54.5%。

(2)心理失衡。研究表明,与父母分离时间不同的留守儿童的心
理状况存在显著差异,与父母分离时间越长,留守儿童的心理健康水
平越低,各种心理问题更突出。由于缺乏倾诉的对象和家人的引导,
留守儿童对外界的认识容易产生偏差,心理压力较大,性格发展不健
全,存在着明显的缺陷,表现为内心封闭、情感冷漠、行为孤僻、缺乏爱
心,还有的表现为胆小、自卑感严重或者任性、叛逆心理特别强等。调
查发现,留守儿童普遍感觉孤独无助,心理压力大;37%的留守儿童经
常不想跟任何人说话;30%的留守儿童经常感到孤独。这种心理上的
失衡严重影响了他们的社会化过程。

(3)行为失范。留守儿童正处于身心快速发展的时期,对外界充
满了好奇和新鲜感。由于缺乏父母的亲情关爱和指导教育以及社会
支持,在缺乏必要的道德约束的情况下,留守儿童容易在道德观念、道
德行为方面受到一些负面影响。这就导致了部分留守儿童缺乏道德
感,沾染上不良的习惯,犯罪的比例较高。最高人民法院的资料显示,
自 2000 年以来,中国各级法院判决生效的未成年人犯罪人数平均每
年上升 13%左右,其中"留守儿童"违法犯罪问题已经成为中国未成年
人违法犯罪中一个不容忽视的现象。

(4)安全堪忧。目前,由于缺乏家庭、学校和社区的有效监管,留
守儿童的人身安全缺少保障,往往容易成为被侵害的对象。据有关部
门调查,被拐卖儿童中,流动儿童居第一位,留守儿童居第二位。同
时,遭遇突发事件时留守儿童应变和自救能力较差,只有 56%的临时
监护人会经常关注并采取措施预防留守儿童意外伤害的发生,而相当
一部分的监护人只是有时会注意或者根本不关注,使得相当一部分留
守儿童缺乏应对突发事件的意识和能力,留守儿童伤亡事故时有发生。

3. 化解留守儿童问题的对策

(1)成立自立组织。解决留守儿童问题的根本在于引导他们建立
健康、乐观的心理状态,锻炼独立、自主的生活能力,从而促进他们自
然、顺利成长。据调查,这些儿童中有个别孩子很懂事,能正确看待自

己的处境,认为父母不在身边,更应理解父母的难处,更应让父母减少担心,于是觉得,在家里累点、苦点也很自然。因此,应成立自立组织,班级成立"独立儿童小组",学校成立"独立儿童"委员会,要选用其中具有独立能力的孩子担当成员,从而扩大他们的影响,发挥他们的辐射作用,让他们在老师、学校的引导下自己管理自己,从而保障自我锻炼。这样,既可增加心理倾诉渠道,增进伙伴之间的友情,又可找到"家"的感觉,同时自己的组织便于随时请教,随时求助。

(2)建立专门档案。据调查,现在的留守儿童除了极个别经济十分困难外,最缺的不是财物,而是情感。因此,不论是一个班级,还是一所学校应把留守儿童作为教育的重点,在教育活动中,多关心他们的生活,多帮助他们解决实际困难,多站在他们的角度看待他们。但从现有状况来看,很多学校对留守儿童的关注不够,有的甚至漠视了这一严重的社会问题。因此,班级和学校必须建立留守儿童专门档案,要跟踪他们的成长过程,从而保障对他们生活上的必需求助,对心理上的及时疏导。

(3)定期召开会议。留守儿童问题应该是当今教育的新问题,也是当今教育面临的难点问题,而且学生所占比例大,涉及问题多。因此,不管是学校还是班级,每期都要定期召开专题会议研究留守儿童问题,要形成会议制度,要通过会议形成解决留守儿童问题的决议和制度。从而保证班级、学校在决策上的"政策"支持,突出"以生为本"的教育重心,实现全体学生的全面发展的教育宗旨。

(4)设立咨询机构。留守儿童的问题并不全是共性问题,不同儿童往往其问题有着本质的不同,如果从组织的角度,以集体的活动形式去解决个性问题实际上是不现实的。因而,针对留守儿童的个别问题和个性问题,学校还要设立相应的咨询机构,一是便于作个别心理疏导;二是便于为遇事拿不定主意的孩子出谋划策;三是保证了专门途径,如:设立"学生请教处"(或者"独立儿童办公室"),成立"独立儿童热线",确定接待时间(如课外活动),委派热心且懂心理的老师负责接待。

(5)师生互结对子。据调查统计,留守儿童、单亲、孤儿一共为18.3%,班额以60人计算,每班不超过11名。因此,要保证对这些留守儿童的关怀真正落实,应通过师生一对一的互结对子,实施帮扶。现在的中学,一般都是按 20∶1 的比例配备的教师,而且大多数学校都超过了这个比例,因而,据此计算,实际上每位教师结对的留守儿童都不会超过 3 名。也就是说,这种做法是既实际又能保证每位留守儿童得到帮助关怀的最后防线。

六、城镇化进程中的留守老人问题及对策

据统计,我国目前每年大约有 1 800 万来自农村地区的人口进入城市,越来越多的年轻人背井离乡到城市打拼,子女不在身边的留守老人正成为日益庞大的一个特殊群体。目前,全国大约有 2 300 万农村留守老人,这支规模庞大的队伍在安全、教育、情感、心理等方面的问题日益突出,值得全社会的广泛关注。

1. 留守老人的概念

所谓农村留守老人是指身边没有子女和他人照料的老人,其中包括无子女的老人、与子女分开居住的老人和子女在外工作、外出打工的老人。

2. 农村留守老人存在的问题

随着子女纷纷外出务工,农村留守老人群体的不断扩大,带来的一系列社会问题不容忽视,主要表现在:

(1)经济收入低,生活质量差。目前除部分享受低保的老年人得到扶助外,绝大部分农村老年人没有养老保障。农村留守老人的经济来源主要依靠自己劳动所得和子女贴补。随着孝道观念的不断淡化及子女在外务工谋生压力加大,子女贴补缺乏稳定性,农村老人的经济收入更是少得可怜,由于无稳定的经济来源,个别连三餐基本的油、盐、柴都无法保证。

(2)生活缺少照料,安全隐患多。由于子女不在身边,日常生活的一些小事,诸如理发、换电灯泡等都成为难题。特别是老人身体不好,需要子女陪同上医院看病治疗时,子女不在身边,老人更是觉得孤苦无靠,感到很失落。有的老人生病了,连饭都做不了。此外,老年人发病往往具有突然性,家中无人或抢救不及时,可能会错过治疗时机,导

致严重后果。随着年事渐高,一些农村老人记忆力下降,有的行动不便或身有残疾,一些日常生活行为都有可能留下安全隐患,甚至导致悲剧。

(3)对隔代教育造成心理负担重。如果单从照顾孙辈的生活起居方面而言,只是增加老人的生活压力,增加劳动强度。但对小孩教育方面心理负担更重,主要因为农村老年人大多数识字不多,无法辅导小孩的学习,担心学习成绩差。其次目前农村交通、通信得到迅速改善,电视、网吧到处有,孩子在外的时间长,担心发生一些意想不到的事情。老年人总觉得管理小孩力不从心。

(4)精神缺少慰藉。农村老人过惯了苦日子,对物质生活往往无过高的奢求,因此来自子女的精神慰藉是老人身心健康必不可少的主要来源之一。由于子女不在身边,农村老人大多过着“出门一孤影,进门一盏灯”的寂寞生活,这很容易使他们感到孤独。特别是独居老人感到有心里话没处述说,有时间没事打发,很可能出现抑郁症状,觉得生活没有意思,严重的会产生自杀的念头。另外,农村精神文化生活比较单调,老人大多是“蹲墙根、找树荫、聊聊天”,在家庭外边也难以找到精神寄托。

3. 解决农村留守老人问题的建议与对策

留守老人的难题若得不到解决,将会影响到他们的晚年生活与身体健康,在外打工的子女也难以安心。要真正破解留守老人面临的问题,需要政府、社会各界给予更多的关怀和支持。农村有农村的优势,政府可以在发展农业生产上找出路,加大对农村的财力与科技投入,让更多有知识、有文化、有技术的劳动力留在农村,进行农业开发,使他们在农村有钱可赚,既不影响致富,也能照应老人。

解决留守老人问题的对策和建议包括:

(1)发挥主观能动性,做积极参与社会的主人。农村留守老人自身要注意调节好心态,增强心理上的自立程度;生活上,锻炼自己的自立能力;并且注意锻炼身体,养成良好的生活习惯。寻找精神寄托的方式有许多,如和邻居聊聊天,下下棋;参加村里的公益事业活动,帮助村里做些力所能及的工作,把自己融入社会之中。

(2)强化尊老、爱老、养老、敬老的宣传教育。在农村社会化养老机制尚未形成之前,传统式家庭化养老仍是农村养老的唯一形式。尊老爱老是中华民族的传统美德,要加强农村年轻人的孝道教育。架起亲情时时沟通的桥梁,在外子女要经常与自己父母保持联系,按时给老人寄钱送物。家中大事多征求父母意见,即使没有事也要经常与老人通通话,加强彼此之间的沟通与联系。

(3)逐步建立农村老年人志愿者服务队。为留守老人提供诸如理发、环境卫生清理、房屋修缮等日常服务,可由民政或共青团、妇联等部门组织牵头,尽可能在各乡镇都成立农村老年人志愿者服务队,建立一支常年服务的队伍,以缓解留守老人存在的困难。

(4)完善农村医疗保险制度。农村留守老人大多数身体虚弱,小病不断,门诊费用大。按照目前农村医疗保险规定,只有住院才能报销,且报销比例较低。因此要在逐步提高住院费报销比例的同时,对60岁以上的农村参保老人门诊费给出报销标准,以减轻这部分弱势群体的医疗费用。

(5)逐步建立农村养老制度,为农村留守老人提供生活保障。首先是扩大农村最低生活保障范围,把符合条件的农村老人全部纳入最低生活保障范围,从经济上保证老年人达到基本生活水平。其次是鼓励企业、个体老板捐资设立老年人基金,对需要帮助的老人给予扶持。

(6)兴办农村养老福利事业,走家庭化养老与社会化养老相结合之路。有条件的地方,可由乡、村组织牵头,通过招商引资、当地能人投资等多渠道的办法兴办养老院、托老所等,建立一个温暖的大家庭。如成立农村老年人休闲活动中心、老年人互助协会等,让老年人重新找到归属感。在老年人组织内部,可实施老年人互助机制,低龄老人为高龄老人义务服务。并逐步将农村老年人福利事业引向市场,对于年龄较大的留守老人,可以考虑由其子女出部分钱,搬进托老所,进行社会化养老,促进诸如个别留守老人无人管等问题的解决。

第二节　有中国特色的城镇化法律体系

我国城镇化在快速发展的同时,存在理念、路径与方法难以为继的深层次矛盾和问题,从法律层面必须解决以下六方面问题:一是城镇化的法律界定问题;二是城镇化发展土地取得与利用的法律问题;三是城镇化发展"两型"(资源节约、环境友好)社会建设的法律问题;四是城镇化发展进程中农民权益、农业、农村发展的"三农"法律问题;五是城镇化发展中社会管理创新的法律问题;六是城镇化发展中城乡统筹、"三化"协调发展的法律问题。

面对城镇化发展过程中的一系列法律问题,需要建设城镇化法律体系。

一、中国特色的城镇化法律体系的概念

从广义说,城镇化法律体系被国家法律体系和农业农村法律体系所涵盖。这是因为:其一,城镇化发展及其法治,涉及国家法律体系全覆盖的"五大建设",即经济、政治、文化、社会以及生态文明建设的法律规范,涉及国家法律体系中宪法、民商法、行政法、经济法、社会法、刑法和程序法七个法律部门的法律规范。其二,城镇化的核心在农业转移为非农业,农业人口转移为城镇居民的非农业人口,全面涉及现行农业农村法律体系中《中华人民共和国农业法》(2012 年修正)、《中华人民共和国土地管理法》、《中华人民共和国农村土地承包法》等基本法、主干法和相关法律规范。

从狭义说,城镇化法律体系是城镇化发展实践推动修改现行法律法规和创制城镇化发展的专项法律法规而组成动态、开放和发展的法律规范总和。

所谓中国特色的城镇化法律体系,就是指由中国特色的现行的城镇化适用法律,以及专为城镇化修订和创制新的法律法规形成的有机联系的整体。

二、城镇化发展改革推进与法制建设

城镇化发展的改革实践是孕育城镇化法律的基础,城镇化法律是城镇化改革实践经验的科学总结。要使城镇化真正成为新时期经济新增长极和新动力,必须加快改革破解城镇化发展滞后的难题,破除

制约城镇化发展的制度和政策障碍,废止现行法律中不适应城镇化发展的条款,修订现行法律和创制新的推进城镇化的法律。

修改现行法律和创制新的推进城镇化的法律法规,必须从以下四个重要领域和关键环节深化改革。

(1)改革调整好城镇化与工业化、农业现代化的关系,增强城镇化人口承载能力。"十二五"规划明确提出,城镇化、工业化与农业现代化的"三化"的同步推进,以及推动三次产业"协同发展",与之相适应,在"三化"协调发展中农业人口适度规模地、合理有序地转移为城市居民。目前就增强城镇人口承载能力而论,必须调整好与工业化的关系,促使更多公共资源投入城镇发展。应改革创新干部考核机制,将城镇化率以及城镇公共基础设施和公共服务情况作为重要考核指标,改革地方领导干部过于注重发展工业项目的激励机制。鼓励各级政府公共资源投入向基础设施建设、公共服务体系构建等方面倾斜,以增强城镇的人口承载能力。

(2)改革排斥农业人口转移为城镇居民的城乡二元体制,破除阻碍城镇人口集聚的制度障碍,建立农业人口自由流动集聚城镇的体制机制。"十二五"规划提出稳步推进农业人口转为城镇居民,这是城镇化发展的关键和核心问题。而要稳步推进农业人口转为城镇居民,从根本上要改革城乡二元户籍制度,改革户籍制度的本质是要改革依附在户籍制度上的保障福利制度,逐步推进城乡基本公共服务均等化。应建立全国统一开放的人口管理机制,构建有利于人口流动、可转移接续的社会保障体系,真正使1.5亿农民工实现身份转换。中小城市和镇应加快户籍制度改革步伐,放开农民工进城落户的政策条件;大城市允许有固定住所、稳定职业、稳定收入来源的农民工转为市民。同时,废除针对农民工的歧视性体制安排,在建立和完善农民工社会保障、社会救助等制度的基础上,逐步推进城乡居民在社会保障和基本公共服务方面的均等化和一体化。

(3)改革土地制度,维护好、实现好、发展好农民土地权益,为农业转移人口主动融入为城镇居民提供法律保障。"十二五"规划明确提出农业转移人口转为城镇居民,要"充分尊重农民在进城或留乡问题上的自主权,切实保护农民承包地、宅基地等合法权益"。同时,"十二五"规划还明确提出了深化土地制度改革的近期四项目标:一是完善城乡平等的要素交换关系,促进"土地增值收益"和农村存款主要用于农业生产;二是严格规范城乡建设用地增减挂钩,调整优化城乡用地结构和布局,逐步建立城乡统一的建设用地市场;三是严格界定公益性和经营性建设用地,改革征地制度,缩小征地范围,提高征地补偿标准;四是完善农村集体经营性建设用地流转和宅基地管理机制。

实现上述土地制度改革近期目标,发展好农民土地权益,必然涉及进一步规范各级政府在土地交易中的行为,限制地方政府的"土地财政"的以地生财权;赋予农民土地交易市场的法律主体地位和土地增值收益权;支撑中介组织发育、加强监督管理,维护土地市场的公开、公平和公正性;完善土地承包经营权流转、抵押法;探索承包经营权抵押方法;改革农村宅基地制度等一系列创新性规定,修改现行的土地管理法与相关法规。

(4)改革不利于推进城镇化的城镇发展形态(模式),促进人口集聚城镇。"十二五"规划针对现有"以大管小"和"分散式"发展的城镇化形态(模式),明确提出"按照统筹规划、合理布局、完善功能、以大带小的原则,遵循城市发展客观规律,以大城市为依托,以中小城市为重点,逐步形成辐射作用大的城市群,促进大、中、小城市和小城镇协调发展"。这一创新型的城镇化形态(模式),拓宽了城镇化集聚人口的空间,提升了城镇人口的承载能力。

三、城镇化发展的法治与法律体系建设

"十二五"规划提出要全面落实"依法治国"的基本方略,完善中国特色社会主义法律体系,建设"法治国家"。毋庸置疑,城镇化健康发展必须纳入法制化轨道,建设法治城镇。中国特色社会主义法律体系是依法治国方略的基石,同样,城镇化法律体系是法治城镇的基础依据和首要条件。

(一)依法治城镇与城镇化法律体系

根据"十二五"规划的立法要求,城镇立法的重点在于加强加快城

镇化涉及转变经济发展方式、改善民生和发展社会事业以及政府自身建设方面的相关立法。要立法制定全国城镇化发展规划；立法调整大、中、小城市与小城镇协调发展关系；立法调整城镇化与工业化、农业现代化"三化"协调发展关系，努力走出一条"三化"协调发展、"两型"社会融合推进的中国特色的城镇化道路。

(二)完善城镇化法律体系的有效途径

1. 对涉及城镇化现行法律的修改完善

现阶段，完善城镇化法律体系应重点围绕户籍制度、土地制度、住房制度、财政制度、投融资制度、行政区划管理制度六个方面进行。如城镇化发展涉及改革现行征用农村集体土地制度，保护农民土地财产和增值收益权，提高被征地农民生活水平，并能保障长远生计。要保护农民承包地、宅基地、非农建设用地合法权益。为此亟须对现行的《中华人民共和国土地管理法》(2004年修正)进行修改。对现行主要法规修订后，还要制定配套性的法律法规，如与修订的《中华人民共和国土地管理法》(2004年修正)配套，必须制定相应的法律法规。又如城镇化用地，必须在依法确保生命线——18亿亩耕地红线(年不低于1万亿斤粮食安全供给)前提下，制定城镇化主要靠盘活存量和差别提供增量的集约节约用地的政策法律。

2. 城镇化发展实践需求制定新的法律

根据我国国家机构体系与立法体系设定，国家基本法律应由全国人民代表大会制定和修改，其他法律由全国人大常务委员会制定和修改。创制我国城镇化发展的第一部法律规范性文件是由全国人大第四次会议通过的《关于国民经济和社会发展第十二个五年规划纲要》，《关于国民经济和社会发展第十二个五年规划纲要》第五篇——"优化格局，促进区域协调发展和城镇化健康发展"，明确"中国特色城镇化道路"的法律地位与作用，提升城镇化质量和水平的重大政策导向。国务院和省、自治区、直辖市人代会及其常务委员会分别制定城镇发展的行政法规规章和地方性法规。继"十二五"促进城镇化发展的规范性文件后，针对我国目前城镇化不可持续的法律问题，城镇化专项立法的城乡户籍制度、城镇集约节约用地、农民工(城镇化建设主体)权益保护、城中村改造、城镇金融信贷、城镇文化建设、城镇社会管理,以及涉及城乡的建设用地市场、人力资源市场等项相继提上立法议事日程。

第三节　小城镇管理

一、小城镇管理原则

中共中央、国务院《关于促进小城镇健康发展的若干意见》(中发[2000]11号),明确了小城镇管理的原则。主要内容是:

发展小城镇既要积极,又要稳妥。要尊重规律、循序渐进,因地制宜、科学规划,深化改革、创新机制,统筹兼顾、协调发展。各地要从实际出发,根据当地经济发展条件、区位特点和资源条件,搞好小城镇的规划和布局,优先发展已经具有一定规模、基础条件较好的小城镇,防止不切实际,盲目攀比。

二、小城镇管理政策指导和协调

1. 制定促进小城镇健康发展的具体政策措施

(1)要把小城镇建设成为规模适度、经济繁荣、布局合理、设施配套、功能健全、环境整洁、具有较强辐射能力的农村区域性经济文化中心,其中少数具备条件的小城镇发展成为辐射和带动能力更强的小城市。

(2)搞好小城镇规划建设管理。做好县域城镇体系规划的组织编制工作,并据此搞好小城镇规划的编制和调整完善工作。

(3)要突出重点,积极推进中心镇的建设,对具有区位优势、产业优势和规模优势的中心镇,优先发展,并给予必要的政策倾斜。

(4)要严格执行土地利用总体规划,做到县域城镇体系规划和建制镇、村镇建设规划与土地利用总体规划相衔接,建制镇和村镇规划的建设用地规模要严格控制在土地利用总体规划确定的范围内。

(5)小城镇建设用地必须立足于挖掘存量建设用地潜力,用地指标主要通过农村居民点向中心村和集镇集中、乡镇企业向工业小区集中和村庄整理等途径解决,做到在小城镇建设中镇域或县域范围内建设用地总量不增加。

(6)充分运用市场机制配置小城镇建设用地,小城镇国有建设用地除法律规定可以划拨方式提供外,都应以出让等有偿使用方式供地,加强集体建设用地管理,切实保障农民的合法权益。此外,对改革小城镇户籍管理制度也提出了具体意见。

2. 继续开展小城镇试点、示范工作

在对已开展的示范项目建设情况进行总结的基础上,进一步明确示范工作的思路、重点和政策措施,继续开展小城镇经济综合开发示范镇项目的建设工作。

三、中央关于小城镇管理的相关方针政策

镇乡村规划是小城镇和新农村建设中落实中央相关方针政策的重要环节。近些年中央提出的相关方针政策主要包括以下方面。

(1)发展小城镇,是带动农村经济和社会发展的一个大战略。

(2)发展小城镇,必须遵循尊重规律、循序渐进,因地制宜、科学规划,深化改革、创新机制,统筹兼顾、协调发展的原则。

(3)发展小城镇的目标。力争将一部分基础较好的小城镇建设成为规模适度、规划科学、功能健全、环境整洁、具有较强辐射能力的农村区域性经济文化中心,其中少数具备条件的小城镇要发展成为带动能力更强的小城市,使全国城镇化水平有一个明显的提高。

(4)现阶段小城镇发展的重点是县城和少数有基础、有潜力的建制镇。

(5)发展小城镇,要贯彻既要积极又要稳妥的方针,循序渐进,防止一哄而起。

(6)大力发展乡镇企业,繁荣小城镇经济,吸纳农村剩余劳动力,乡镇企业要合理布局,逐步向小城镇和工业小区集中。

(7)编制小城镇规划,要注重经济、社会和环境的全面发展,合理确定人口规模与用地规模,既要坚持建设标准,又要防止贪大求洋和乱铺摊子。

（8）编制小城镇规划，要严格执行有关法律、法规，切实做好与土地利用总体规划以及交通网络、环境保护、社会发展等各方面的衔接和协调。

（9）编制小城镇规划，要做到集约用地和保护耕地，要通过改造旧镇区、积极开展迁村并点，土地整理，开发利用基地和废弃地，解决小城镇建设用地，防止乱占耕地。

（10）要重视完善小城镇的基础设施建设，国家和地方各级政府要在基础设施、公用设施和公益事业建设上给予支持。

（11）小城镇建设要各具特色，切忌千篇一律，要注意保护文物古迹和文化自然景观。

中共十七届三中全会提出"统筹工业化、城镇化、农业现代化建设，加快建立健全以工促农、以城带乡的长效机制"，"形成城镇化和新农村建设互促共建机制"，进一步为中小城镇发展指明方向。

同时，2010 年中共中央"一号文件"提出，推进城镇化发展的制度创新。积极稳妥地推进城镇化，提高城镇规划水平和发展质量，当前，要把加强中小城市和小城镇发展作为重点。

2011 年 3 月通过的我国"十二五规划"积极稳妥推进城镇化一章，特别提出优化城镇化布局和形态，加强城镇化管理，不断提升城镇化的质量和水平。按照统筹规划、合理布局、完善功能、以大带小的原则，遵循城市发展客观规律，以大城市为依托，以中小城市为重点，逐步形成辐射作用大的城市群，促进大中小城市和小城镇协调发展。

2013 年 11 月 12 日中国共产党第十八届中央委员会第三次全体会议通过中共中央《关于全面深化改革若干重大问题的决定》，提出"全面放开建制镇和小城市落户限制，有序开放中等城市落户限制，合理确定大城市落户条件，严格控制特大城市人口"。从这样的描述来看，城镇化建设的重点与此前市场预期一致，主要是中小城市。而城镇化也不仅仅是简单的进城居住，而是生活方式的全面城镇化，涉及城市建设、公共服务、医疗保障等。户籍制度的改革将令这一进程加速。

第二章 小城镇规划建设管理政策法规

第一节 小城镇规划建设管理政策与
体制、机制改革

一、小城镇规划建设管理要求

(一)国务院《关于加强城乡规划监督管理的通知》

为进一步强化城乡规划对城乡建设的引导和调控作用,健全城乡规划建设的监督管理制度,促进城乡建设健康有序发展,国务院下发了国务院《关于加强城乡规划监督管理的通知》(国发[2002]13号),该通知中有关小城镇规划建设管理工作提出的相关要求如下:

1. 端正城乡建设指导思想,明确城乡建设和发展重点

发展小城镇,首先要做好规划,要从现有布局为基础,重点发展县城和规模较大的建制镇,防止遍地开花。地方各级人民政府要积极支持与小城镇发展密切相关的区域基础设施建设,为小城镇发展创造良好的区域条件和投资环境。

2. 大力加强对城市规划的综合调控

城乡规划是政府指导、调控城乡建设和发展的基本手段。各类专门性规划必须服从城乡规划的统一要求,体现城乡规划的基本原则。

要发挥规划对资源,特别是对水资源、土地资源的配置作用。注意对环境和生态的保护。

3. 严格控制建设项目的建设规模与占地规模

城市规划区内的建设项目,都必须严格执行《中华人民共和国城市规划法》。各项建设的用地必须控制在国家批准的用地标准和年度土地利用计划的范围内。凡不符合上述要求的近期建设规划,必须重新修订。城市建设项目报计划部门审批前,必须首先由规划部门就项目选址提出审查意见;没有规划部门的《建设工程规划许可证》,有关商业银行不得提供建设资金贷款。

4. 严格执行城乡规划和风景名胜区规划编制和调整程序

地方各级人民政府必须加强对各类规划制定的组织和领导,按照政务公开、民主决策的原则,履行组织编制城乡规划和风景名胜区规划的职能。规划方案应通过媒体广泛征求专家和群众意见。规划审批前,必须组织论证,审批城乡规划,必须严格执行有关法律、法规规定的程序。

总体规划和详细规划,必须明确规定强制性内容。任何单位和个人不得擅自调整已经批准的城市总体规划和详细规划的强制性内容。确需调整的,必须先对原规划的实施情况进行总结,就调整的必要性进行论证,并提出专题报告,经上级政府认定后,方可编制调整方案,调整后的总体规划和详细规划,必须按照规定的程序重新审批。调整规划的非强制性内容,应当由规划编制单位对规划的实施情况进行总结,提出调整的技术依据,并报规划原审批机关备案。

各地要高度重视历史文化名城保护工作,抓紧编制保护规划,划定历史文化保护区界线,明确保护规则,并纳入城市总体规划。历史文化保护区,要依据总体规划确定的保护原则制定控制性详细规划。城市建设必须与历史文化名城的整体风貌相协调。在历史文化保护区范围内严禁随意拆建,不得破坏原有的风貌和环境,各项建设必须充分论证,并报历史文化名城审批机关备案。

风景名胜资源是不可再生的国家资源,严禁以任何名义和方式出让或变相出让风景名胜区资源及其土地,也不得在风景名胜区内设立各类开发区、度假区等。要按照"严格保护、统一管理、合理开发、永续利用"的原则,认真组织编制风景名胜区规划,并严格按规划实施。规划未经批准的,一律不得进行各类项目建设。在各级风景名胜地区内应严格限制各类建筑物、构筑物。确需建设保护性基础设施的,必须依据风景名胜区规划编制专门的建设方案,组织论证,进行环境影响评价,并严格依据法定程序审批。要正确处理风景名胜资源保护与开发利用的关系,切实解决当前存在的破坏性开发建设等问题。

5. 健全机构,加强培训,明确责任

各级人民政府要健全城乡管理机构,把城乡规划编制和管理经费纳入公共财政预算,切实予以保证,设区城市的市辖区原则上不设区级规划管理机构,如确有必要,可由市级规划部门在市辖区设置派出机构。

要加强城乡规划知识培训工作,重点是教育广大干部特别是领导干部要增强城市规划意识,依法行政。

城乡规划工作是各级人民政府的重要职责。市长、县长要对城乡规划实施负行政领导责任。各地区、各部门都要维护城乡规划的严肃性,严格执行已经批准的城乡规划和风景名胜区规划。对于地方人民政府及有关行政主管部门违反规定调整规划、违反规划批准使用土地和项目建设的行政行为,除应予以纠正外,还应按照干部管理权限和有关规定对直接责任人给予行政处分。对于造成严重损失和不良影响的,除追究直接责任人责任外,还应追究有关领导的责任,必要时可给予负有责任的主管领导撤职以下行政处分;触犯刑律的,依法移交司法机关查处。城乡规划行政主管部门工作人员受到降职以上处分者和触犯刑律者,不得再从事城乡规划行政管理工作,其中已取得城市规划执业资格者,取消其注册城市规划师执业资格。对因地方人民政府有关部门违法行政行为而给建设单位(业主)和个人造成损失的,地方人民政府要依法承担赔偿责任。

对建设单位、个人未取得建设用地规划许可证、建设工程规划许可证进行用地和项目建设,以及擅自改变规划用地性质、建设项目或扩大建设规模,城市规划行政主管部门要采取措施坚决制止,并依法给予处罚;触犯刑律的,依法移交司法机关查处。

6. 加强城乡规划管理监督检查

要加强和完善城乡规划的法制建设,建立和完善城乡规划管理监督制度,形成完善的行政检查、行政纠正和行政责任追究机制,强化对城乡规划实施情况的督察工作。

地方各级人民政府都要采取切实有效的措施,充实监督检查力量,强化城乡规划行政主管部门的监督检查职能,支持规划管理部门依法行政。要建立规划公示制度,经法定程序批准的总体规划和详细规划要依法向社会公布。城市人民政府应当每年向同级人民代表大会或其常务委员会报告城乡规划实施情况。要加强社会监督和舆论监督,建立违法案件举报制度,充分发挥舆论宣传工具的作用,增强全民的参与意识和监督意识。

(二)《关于贯彻落实〈国务院关于加强城乡规划监督管理的通知〉的通知》

《关于贯彻落实〈国务院关于加强城乡规划监督管理的通知〉的通知》中对小城镇规划建设管理的要求有如下几个方面。

1. 抓紧编制和调整近期建设规划

近期建设规划是实施城市总体规划的近期安排,是近期建设项目安排的依据。

近期建设规划应注意与土地利用总体规划相衔接,严格控制占地规模,不得占用基本农田。各项建设用地必须控制在国家批准的用地标准和年度土地利用计划的范围内,严禁安排国家明令禁止项目的用地。自 2003 年 7 月 1 日起,凡未按要求编制和调整近期建设规划的,停止新申请建设项目的选址,项目不符合近期建设规划要求的,城乡规划部门不得核发选址意见书,计划部门不得批准建设项目建议书,国土资源行政主管部门不得受理建设用地申请。

2. 明确城乡规划强制性内容

强制性内容涉及区域协调发展、资源利用、环境保护、风景名胜资源保护、自然与文化遗产保护、公众利益和公共安全等方面,是正确处理好城市可持续发展的重要保证。城镇体系规划、城市总体规划已经批准的,要补充完善强制性内容。新编制的规划,特别是详细规划和近期建设规划,必须明确强制性内容。规划确定的强制性内容要向社会公布。

城市总体规划中的强制性内容包括:铁路、港口、机场等基础设施的位置;城市建设用地范围和用地布局;城市绿地系统、河湖水系,城市水厂规模和布局及水源保护区范围,城市污水处理厂规模和布局,城市的高压线走廊、微波通道和收发信区保护范围,城市主、次干道的道路走向和宽度,公共交通枢纽和大型社会停车场用地布局,科技、文化、教育、卫生等公共服务设施的布局,历史文化名城格局与风貌保护、建筑高度等控制指标,历史文化保护区和文物保护单位以及重要的地下文物埋藏区的具体位置、界线和保护准则,城市防洪标准、防洪堤走向,防震疏散、救援通道和场地,消防站布局,重要人防设施布局,地质灾害防护等。

详细规划中的强制性内容包括:规划地段各个地块的土地使用性质、建设量控制指标、允许建设高度、绿地范围,停车设施、公共服务设施和基础设施的具体位置,历史文化保护区内及涉及文物保护单位附近建、构筑物控制指标,基础设施和公共服务设施建设的具体要求。

规划的强制性内容不得随意调整,变更规划的强制性内容,组织论证,必须就调整的必要性提出专题报告,进行公示,经上级政府认定后方可组织和调整方案,重新按规定程序审批。调整方案批准后应报上级城乡规划部门备案。

3. 严格建设项目选址与用地的审批程序

各类重大建设项目,必须符合土地利用总体规划、省域城镇体系规划和城市总体规划。

依据省域城镇体系规划对区域重大基础设施和区域性重大项目选址,由项目所在地的市、县人民政府城乡规划部门提出审查意见,报省、自治区、直辖市及计划单列市人民政府城乡规划部门核发建设项目选址意见书,其中国家批准的项目应报住建部备案。涉及世界文化遗产、文物保护单位和地下文物埋藏区的项目,经相应的文物行政主管部门会审同意。对于不符合规划要求的,住建部要予以纠正。在项目可行性报告中,必须附有城乡规划部门核发的选址意见书。计划部门批准建设项目,建设地址必须符合选址意见书。不得以政府文件、会议纪要等形式取代选址程序。

各地区、各部门要严格执行《中华人民共和国土地管理法》(2004

年修正)规定的建设项目用地预审制度。建设项目可行性研究阶段，建设单位应当依法向有关政府国土资源行政主管部门提出建设项目用地预审申请。凡未依法进行建设项目用地预审或未通过预审的，有关部门不得批准建设项目可行性研究报告，国土资源行政主管部门不得受理用地申请。

4. 认真做好历史文化名城保护工作

历史文化保护区保护规划应当明确保护原则，规定保护区内建、构筑物的高度、地下深度、体量、外观形象等控制指标，制定保护和整治措施。

各地要按照文化遗产保护优先的原则，切实做好城市文化遗产的保护工作。历史文化保护区保护规划一经批准，应当报同级人民代表大会常务委员会备案。在历史文化保护区内建设活动，必须就其必要性进行论证；其中拆除旧建筑和建设新建筑的，应当进行公示，听取公众意见，按程序审批，批准后报历史文化名城批准机关备案。

5. 加强风景名胜区的规划监督管理

风景名胜区规划中要划定核心保护区(包括生态保护区、自然景观保护区和史迹保护区)保护范围，制定专项保护规划，确定保护重点和保护措施。核心保护区内严格禁止与资源保护无关的各种工程建设。风景名胜区规划与当地土地利用总体规划应协调一致。风景名胜区规划未经批准的，一律不得进行工程建设。

严格控制风景名胜区建设项目。要按照经批准的风景名胜区总体规划、建设项目规划和近期建设详细规划要求确定各类设施的选址和规模。符合规划要求的建设项目，要按照规定的批准权限审批。

6. 提高镇规划建设管理水平

做好规划是镇发展的基本条件。镇的规划要符合城镇体系布局，规划建设指标必须符合国家规定，防止套用大城市的规划方法和标准。严禁高能耗、高污染企业向镇转移，各镇不得为国家明确强制退出和限制建设的各类企业安排用地。严格规划审批管理制度，重点镇的规划要逐步实行省级备案核准制度。重点镇要着重建设好基础设施,特别是供水、排水和道路,营造良好的人居环境。要高度重视移民建镇的建设。对受资源环境限制和确定退耕还林、退耕还湖需要搬迁的村镇,要认真选择安置地点,不断完善功能,切实改善移民的生活条件,确保农民的利益。要建立和完善规划实施的监督机制。较大公共建设项目必须符合规划,严格建设项目审批程序。乡镇政府投资建设项目应当公示资金来源,严肃查处不切实际的"形象工程"。要严格按规划管理公路两侧的房屋建设,特别是商业服务用房建设。要分类指导不同地区、不同类型镇的建设,抓好试点及示范。要建立健全规划管理机制,配备合格人员。规划编制和管理所需经费按照现行财政体制划分,由地方财政统筹安排。

7. 切实加强城乡接合部规划管理

城乡接合部是指规划确定为建设用地,国有土地和集体所有用地混杂地区以及规划确定为农业用地,在国有建设用地包含之中的地区。要依据土地利用总体规划和城市总体规划编制城乡接合部详细规划和近期建设规划,复核审定各地块的性质和使用条件。着重解决好集体土地使用权随意流转、使用性质任意变更以及管理权限不清、建设混乱等突出问题,尽快改变城乡接合部建设布局混乱,土地利用效率低,基础设施严重短缺,环境恶化的状况。城乡规划部门和国土资源行政主管部门要对城乡接合部规划建设和土地利用实施有效的监督管理,重点查处未经规划许可或违反规划许可条件进行建设的行为。防止以土地流转为名义擅自改变用途。

8. 加强规划集中统一管理

各地要根据国务院《关于加强城乡规划监督管理的通知》规定,健全、规范城乡规划管理机构。设区城市的市辖区原则上不设区级规划管理机构,如确有必要,可由设区的市规划部门在市辖区设置派出机构。城市各类开发区以及大学城、科技园、度假区的规划等必须符合城镇体系规划和城市总体规划,由市城乡规划部门统一管理。市一级规划的行政管理权擅自下放的要立即纠正。省级城乡规划部门要会同有关部门对市、县行使规划管理权限的情况进行检查,对未按要求纠正的要进行督办,并向省级人民政府、住房和城乡建设部和中央有关部门报告。

9. 建立健全规划实施

城乡规划管理应当受同级人大、上级城乡规划部门的监督，以及公众和新闻舆论的监督。城乡规划实施情况每年应当向同级人民代表大会常务委员会报告。下级城乡规划部门应当就城乡规划的实施情况和管理工作，向上级城乡规划部门提出报告。城乡规划部门要将批准的城乡规划、各类建设项目以及重大案件的处理结果及时向社会公布，应当逐步将旧城改造等建设项目规划审批结果向社会公布，批准开发企业建设住宅项目规划必须向社会公布。

对城乡规划监督的重点是：规划强制性内容的执行，调整规划的程序，重大建设项目选址，近期建设规划的制定和实施，历史文化名城保护规划和风景名胜区规划的执行，历史文化保护区和风景名胜区范围内的建设，各类违法建设行为的查处情况。

10. 规范城乡规划管理的行政行为

各级城乡规划部门、城市园林部门的机构设置要适应依法行政、统一管理和强化监督的需要。领导干部应当有相应管理经历，工作人员要具备专业职称、职业条件。要健全各项规章制度，建立严格的岗位责任制，强化对行政行为的监督。规划管理机构不健全、不能有效履行管理和监督职能的，应当尽快整改。要切实保障城乡规划和风景名胜区规划编制和管理的资金，城乡规划部门、城市园林部门要将组织编制和管理的经费，纳入年度财政预算。财政部门应加强对经费使用的监督管理。

各级地方人民政府及其城乡规划部门、城市园林部门要严格执行《中华人民共和国城乡规划法》《中华人民共和国文物保护法》(2013年修正)、《中华人民共和国土地管理法》(2004年修正)及《风景名胜区条例》等法律法规，认真遵守经过审批具有法律效力的各项规划，确保规划依法实施。各级城乡规划部门要提高工作效率，明确建设项目规划审批规则和审批时限，加强建设项目规划审批后的监督管理，及时查处违法建设的行为。要进一步严格规章制度，城乡规划和风景名胜区规划编制、调整、审批的程序、权限、责任和时限，对涉及规划强制性内容执行、建设项目"一书两证"核发、违法建设查处等关键环节,要做出明确具体的规定。要建章立制,强化对行政行为的监督,切实规范和约束城乡规划部门和工作人员的行政行为。

要建立有效的监督制约工作机制,规划的编制与实施管理应当分开。规划的编制和调整,应由具有国家规定的规划设计资质的单位承担,管理部门不再直接编制和调整规划。规划设计单位要严格执行国家规定的标准规范,不得迎合业主不符合标准规范的要求。改变规划管理部门既编制、调整又组织实施规划,纠正规划管理权缺乏监督制约,自由裁量权过大的状况。

11. 建立行政纠正和行政责任追究制度

对城乡规划管理中违反法定程序和技术规范审批规划,违反规划批准建设,违反近期建设规划批准建设,违反省域城镇体系规划和城市总体规划批准重大项目选址、违反法定程序调整规划强制性内容批准建设、违反历史文化名城保护规划、违反风景名胜区规划和违反文物保护规划批准建设等行为,上级城乡规划部门和城市园林部门要及时责成责任部门纠正;对于造成后果的,应当依法追究直接责任人和主管领导的责任;对于造成严重影响和重大损失的,还要追究主要领导的责任。触犯刑律的,要移交司法机关依法查处。

城乡规划部门、城市园林部门对违反城乡规划和风景名胜区规划案件要及时查处,对违法建设不依法查处的,要追究责任。上级部门要对下级部门违法案件的查处情况进行监督,督促其限期处理,并报告结果。对不履行规定审批程序的,默许违法建设行为的,以及对下级部门监管不力的,也要追究相应的责任。

12. 提高人员素质和规划管理水平

各级城乡规划部门、城市园林部门要加强队伍建设,提高队伍素质。要建立健全培训制度,加强职位教育和岗位培训,要不断更新业务知识,切实提高管理水平。

各省、自治区、直辖市也要建立相应的培训制度,城乡规划部门、城市园林部门应当会同有关部门组织好对所辖县级市的市长,以及县长、乡镇长的培训。要大力做好宣传工作,充分发挥电视、广播、报刊等新闻媒体的作用,向社会各界普及规划建设知识,增强全民的参与意识和监督意识。

各地要尽快结合本地的实际情况,研究制定贯彻落实国务院《关于加强城乡规划监督管理的通知》的意见和具体措施,针对存在问题,组织检查和整改。要将贯彻落实的工作分解到各职能部门,提出具体要求,规定时间进度,明确检查计划,要精心组织,保证检查和整改的落实。

二、小城镇规划建设管理体制改革

小城镇管理体制有广义和狭义之分。广义的小城镇管理体制范围很广,包括政治管理、财税金融等经济管理以及科教、文化、卫生等管理体制;狭义的小城镇管理体制则主要是指主导小城镇发展建设的管理部门——小城镇行政管理机构体系。

城乡规划建设管理是城镇人民政府的一项十分重要的政府职能,城乡规划建设管理改革是城镇人民政府管理改革的重要组成部分。

(一)城镇行政管理体制结构变迁与管理职能的转换

1. 新中国成立后我国城镇行政管理体制结构的变迁

新中国成立后,对设市标准和城乡划分作了严格的规定。

1955年,国务院《关于城乡划分标准的规定》和国务院《关于设置市、镇建制的决定》,对城乡界线和城市与集镇界线作了具体划分。规定:“市是属于省、自治区、自治州领导的行政单位。聚居人口10万以上的城镇,可以设置市的建制。聚居人口不足10万的城镇,必须是重要工矿地、省级地方国家机关所在地、规模较大的物资集散地或者边远地区的重要城镇,并确有必要时方可设置市的建制。”

到20世纪80年代,为适应经济建设发展和行政体制改革的需要,建市标准适当放宽,出现了撤县改市、撤县并市、地市合并、以市管县的建市热潮。

目前,我国的城市,在行政上分为省级、副省级、地级、县级4个级次,组成城镇行政系统,与省、县、乡广大农村区域的行政系统一道构成具有中国特色的城乡双轨制地方行政体制。

2. 我国城镇管理体制职能的转换

机构的设立,是为了履行一定的管理职能,因此,机构的设置应该和一定的职能体系、一定的管理模式的要求相适应。在我国城镇的现代化进程中,城镇职能正在发生新的大范围转变,必然要求以新职能进行机构设置的改革优化。

在我国,社会主义生产资料公有制使各城镇政府必须担负起领导和组织有计划的城镇经济的重任,并认真地履行其对经济计划、组织、调整、服务的职能。我国城镇政府上述经济管理职能的履行对推动城镇经济的发展,协调城镇经济与国民经济、城镇经济之间的发展起到了非常积极的作用,体现出社会主义公有制经济的优越性。但是也应看到,我国城镇政府在履行其管理经济的职能时,尚存在十分不合理、不健全的地方,其突出表现就是政企不分。计划经济转轨到市场经济,突出了政府对城市经济发展的宏观综合调控作用,城乡规划是政府经济宏观综合调控的重要手段,为适应当前的社会经济发展形势,围绕建设小康社会、坚持统筹城乡发展、统筹区域发展、统筹经济社会发展、统筹人与自然和谐发展、统筹国内发展和对外开放,落实全面、协调、可持续发展观,强化城乡规划对城镇发展的综合调控,推进大中小城市和小城镇协调发展越来越重要。而在强化政府管理调控经济,减少政府对企业的直接干预的同时,我国城镇职能正在越来越多地关注到对社会文化、公益活动的管理与推进等方面。目前我们所强调的城镇管理职能除了继续规划和服务好经济建设之外,主要包括以下方面职能:

(1)城乡建设的管理职能。

(2)从保证公共安全和保障人民生活方面,促进城市稳定发展的职能。

(3)推进城镇科学、教育、文化等事业发展与建设的职能。

(4)城镇体育与医疗卫生事业的管理职能。

(二)强化规划管理权限的集中统一

目前,小城镇规划建设管理机构名称五花八门,设置混乱,职能不统一,权限不集中,这种管理体制存在一定的弊端,具体表现为:乡镇行政体制改革滞后、财权事权不配套,财政管理体制不完善;小城镇政府的职能界定不够明确,责权不统一,分工不明确,调控能力差;机构设置不合理,缺乏科学规范的行政事业单位设置和管理制度,效率低下,没有形成有效的监督和约束机制;二元制度结构在小城镇政府管理体制上造成制度断裂和不协调。

因此,小城镇规划建设管理体制改革首先要强化规划管理权限的集中统一,强化县(市)城乡规划行政主管机构的权限。按《中华人民共和国城乡规划法》理顺县(市)规划行政管理机构与上级规划行政管理机构关系,纠正随意下放规划管理权限的行为,在规划管理体制上,强调镇一级规划行政管理机构作为县(市)一级城乡规划行政主管部门的派出机构设置和充实的必要性,确保小城镇规划的集中综合调控和协调作用。

(三)创新小城镇行政管理体制

针对小城镇的管理体制和政府职能仍存在政企不分、条块分割、机构臃肿、效率低下等现象,小城镇管理体制改革应建立起能够适应社会主义市场经济发展的运转协调、灵活高效的行政管理体系。把镇政府的主要职能转变到制定发展规划、引导和协调经济发展,依法监督社会事务和组织公共设施建设等方面来。其主要内容为:精简机构,理顺职能,强化服务。

(四)调整小城镇行政区划

调整小城镇行政区划,是我国在特定的体制转轨时期,促进民间中小企业生产要素能够在相对较大的范围内流动,从而促进小城镇的规模化发展的必然选择。

根据国务院《关于行政区划管理的规定》,乡一级行政区划的调整及政府驻地的迁移,省级政府就可以审批,而县一级行政区划的变更需由国务院审批。因此,乡一级行政区划的调整更具有操作性。当前,在江苏、浙江、北京等发达省市的部分地区,已经开始顺应小城镇规模化发展的要求,调整乡域行政区划,从而在全国产生了一定的示范效应。但是,在已经进行的乡域行政区划调整中,一个问题一直没有得到很好解决,这就是缺乏相对科学的标准。因此,需要尽早研究和调整乡域行政区划的原则和方法。

在小城镇规模化发展同时,进一步充实小城镇规划建设管理机构,由于小城镇形成合适规模和管理机构加强,小城镇规划建设管理效率将明显提高。

(五)小城镇规划管理模式改革

小城镇规划管理体制模式改革主要是把规划与测绘业务单位从行政管理机构中分出来,以便规划编制与实施管理分开。规划设计和测绘可归并在一个单位如规划设计测绘院(室),或者各为一个单位。小城镇规划由具有国家规定的规划设计资质的单位承担(包括上述符合资质的规划单位),规划行政管理部门不再直接编制和调整规划,以便加强规划编制、审批和实施管理,建立有效的监督制约工作机制。

同时,为了便于规划实施管理各项工作开展,规划行政管理部门的人员编制,除规划设计专业技术人员外,宜考虑适当比例的工程专业和测绘专业技术人员,确保规划管理工作中的专业人员配套。

三、小城镇规划建设管理机制改革

1. 切实加强对小城镇建设的组织领导,依法加强小城镇建设管理

各级党委、政府要切实加强组织领导,把小城镇建设尤其是中心镇的建设,作为发展农村经济新的增长点,使之纳入经济社会发展的总体规划,列入重要议事日程,切实抓紧抓好。县(市)和镇乡党委及政府对小城镇的规划、建设和管理起主导作用,要充分发挥主观能动性,通过深化改革,贯彻和落实有关政策,加快小城镇建设步伐。要把小城镇建设列入县(市)、镇乡两级党委、政府的任期目标责任制,明确目标任务,制定中心镇建设的具体措施,年终考核评比。地委、行署成立以专员为组长,以地委、行署分管领导为副组长,建委、发改委、民政、工商、公安、土地、财政、税务、交通、农业、乡镇企业、环保、邮电、电力、金融、水利等部门负责人为成员的小城镇建设领导小组,负责全区

小城镇建设的宏观指导和综合协调,领导小组下设办公室,负责日常调度工作。各县(市)也要成立相应的领导小组和工作机制,具体协调解决小城镇建设中出现的各种问题。各有关部门要密切配合、大力支持建设主管部门,共同做好小城镇建设工作。

要坚持建管并举,突出管理的原则,依法搞好小城镇规划建设的管理工作,要继续认真贯彻落实有关小城镇建设的政策法规,严格执行《中华人民共和国城乡规划法》《村庄和集镇规划建设管理条例》等法规的各项规定。要做好宣传教育工作,让广大干部群众知法、学法、懂法、自觉执法,使管理工作逐步法制化、规范化、科学化。

充分发挥县(市)、镇乡在小城镇规划、建设、管理中的职能,用好法律、政策赋予的管理权限,建立起职、责、权、利相一致的管理体制。县(市)、镇乡建设主管部门要依法对小城镇的规划、建设、镇容镇貌、环境卫生、房地产权产籍、建筑市场等进行严格管理。小城镇的建设要严格实行"一书二证"制度。在征用或划拨土地之前,必须有县(市)规划主管部门签发的《项目选址意见书》和《建设用地规划许可证》,方可办理用地有关手续,在工程开工之前,必须由县级规划行政主管部门签发《建设工程规划许可证》,然后办理开工手续,村庄建设要实行《村镇规划选址意见书》制度。各类工程建设项目未经批准,绝不许开工建设,对不按程序办理,擅自进行建设的要坚决查处。

2. 深化改革,建立适合小城镇发展的政策保障机制和创新机制

(1)改革中心镇管理体制。要按照精简、高效的原则,强化小城镇特别是中心镇党委、政府在人事、财政、税收和建设项目审批等方面的管理职能。县(市)直属部门设在中心镇分支机构的主要干部选配调整,要征求镇党委、政府的意见。要加强小城镇建设的管理机构建设,强化小城镇建设、土地、环境等综合管理,健全和完善小城镇建设社会化服务机构。为小城镇建设提供规划设计、定点放线、建筑施工、建材供应、技术咨询、卫生绿化等"一条龙"服务。

(2)改革小城镇户籍管理和社会保障制度。在小城镇逐步建立以居住地划分城镇户口和农村户口的户籍登记制度,实行城乡户口一体化管理。对在小城镇已有合法稳定的收入和固定住所,符合条件的进镇农民可按国家和省有关规定办理城镇户口。户口已转入城镇、自愿交出原有承包地的,不再承担原有义务。凡在小城镇从事第二、三产业等经济活动的进镇人员(包括农村人口),均可办理城镇户口,落户后与原城镇居民享受同等待遇。有条件的小城镇可按城市户籍管理有关规定管理镇区人口,设立居民委员会。要把农村剩余劳动力转移列入经济社会发展计划,加强宏观调控和引导,使之有计划、有组织、合理有序地流动。建立适应小城镇发展要求的住房制度、医疗制度、劳动就业制度、教育制度和社会保障制度,解除进镇农民的后顾之忧。

(3)改革小城镇土地使用制度。

1)小城镇范围内的国有土地除法律规定可以依法划拨的以外,全部实行土地有偿使用。其土地有偿使用的收益除按规定应上缴的以外,全部返还乡镇,用于小城镇基础设施建设和土地开发。

2)对建设用地坚持统一规划、统一征地、统一开发、统一出让、统一管理的"五统一"原则,在政府高度垄断土地一级市场的前提下,放开搞活土地二级市场。建设单位可以通过国有土地使用权出让等有偿使用方式取得土地使用权。在小城镇范围内积极推进招标、拍卖出让国有土地使用权工作,加快建设公开、公平、公正的土地市场步伐。积极稳妥地开展乡镇企业用地有偿使用试点工作,有偿使用收入归土地所有者所有,主要用于土地整理、村庄基础设施建设和公益事业建设。

3)集体建设用地在不改变土地用途、保持集体土地性质不变的前提下,允许土地使用权在本集体经济组织内部流转,并依法办理土地变更登记手续。

4)向本集体经济组织外部转让、出租的,应依法办理征用、出让等有关手续。

5)在经土地管理部门按照有关规定审查批准的前提下,允许农村集体经济组织使用本集体土地兴办集体企业,其他单位和个人也可以土地使用权入股作为联营条件,兴办合资、合作企业。其中涉及占用农用地的,应依法办理农用地转用审批手续。

土地开发和建设用地要符合土地利用总体规划、小城镇建设规划和年度建设用地计划。要处理好建设用地和保护耕地的关系,严格执行建设用地标准,提高土地利用率。要加快空壳村的改造,对村内空闲地要充分合理地利用或复垦造田。

(4)改革小城镇投资体制。要逐步建立以自身筹措为主、国家扶持为辅,企业和个人积极参与的多元化的小城镇建设投资机制。建议将分税制的有关政策直接下放到中心镇,原则上税收不上收,比例不截留。按规定多得的部分,要全部留给镇财政,专款用于中心镇建设。在小城镇收取的城市建设维护税、基础设施配套费、城镇增容费等要收好、管好、用好,特别是小城镇建设维护税和基础设施配套费,必须足额收取,专款用于城镇基础设施建设和市场建设。在小城镇建设的市场设施,实行有偿使用,收取的费用要用于小城镇市场的建设和维护。资金的使用要由建设行政主管部门统筹安排,根据本地情况有重点地支持中心镇的建设。要实行计划、财政、信贷倾斜和扶持政策。地、县(市)两级计划部门每年要安排专项资金,用于中心镇的基础设施建设。金融部门要在信贷安排上对中心镇给予倾斜,对小城镇经营性事业的发展给予扶持,对符合信贷条件的项目优先发放贷款和提供其他金融服务。同时,地、县(市)工业、电业、水利、交通、邮电、工商、金融、环保、农业等部门,要优先在中心镇安排有关建设项目和资金。大力提倡股份合作制,鼓励农民以资入股参与中心镇开发建设。

(5)改革建设方式。对小城镇建设要实行综合开发、配套建设,做到4个集中,即:乡镇工业和私营工业向工业小区集中;居民住宅向住宅小区集中;商贸经营向市场和商贸街(区)集中;医疗、学校等公共服务设施向小城镇集中。一个乡镇原则上只保留一处中学和一处卫生院。同时要搞好以供水、交通、电力、通信为重点的基础设施建设,并把公用基础设施建设推向市场,实行市场化经营,允许单位、个人公平竞争,谁投资谁所有,谁经营谁收益,使小城镇建设健康发展,迅速形成规模效益。

实现农村城镇化至少要具备以下条件:

1)非农产业发展要有较高的水平,以便为进镇农民提供较为稳定的就业岗位。

2)乡镇工业较发达,有较多的利润和税收可投资于城镇软硬设施的建设。

3)进镇农民要有稳定、较高的收入,用于购买城镇商品房和支付其他费用。

4)小城镇规划、设计和建设较好,对农民具有较大的吸引力。要达到上述基本条件需要较大的投资。小城镇建设最大的困难就在于资金短缺。因此,必须深化小城镇建设方式改革,建立小城镇多元化投资体制,形成国家、集体、个人、外资多元投资格局,特别是要重视培育农村投资主体,尽量吸纳民间资金参与小城镇建设和开发。

(6)小城镇进镇人口政策创新。从农民自发进镇到"引农进镇",是被动城镇化向主动城镇化的重要转变。为此,需要在进镇人口政策方面进行创新。

1)放开农村县城和中心镇的户口迁移限制,允许农村人口自由地进入县城和农村中心镇务工经商,不论本地人或外地人,只要在城镇有固定住所、职业和固定的收入来源,都可以转迁落户,并给予本地居民同等的待遇。

2)消除就业制度上的歧视政策,增加进镇农民就业的稳定性,尽可能规避就业风险和经营风险。

3)建立健全进镇农民的社会保障制度,逐步减少"两栖人口"的数量。

4)提高服务质量,优化进镇农民的生活环境。尽量为进镇暂住人口提供简易住房,增强他们的定居意识。

5)抓好进镇农民的职业技能培训,提高其文化素质和文明程度,逐步实现进镇农民心态和行为的市民化,即进镇农民在生产生活观念、社会交往、伦理道德、行为模式等方面的转变。

6)加强小城镇功能开发,增强其人口承载能力。

(7)分类指导、抓好试点示范。不同地区、不同类别小城镇经济社会发展条件与现状差别很大,小城镇规划建设标准、规划导则、政策法规应充分考虑我国国情和小城镇的基本特点,分类指导不同地区、不同类型、不同规模、不同发展阶段不同要求的小城镇规划建设,并抓好各种类型小城镇试点及示范,抓好全国 1 887 个重点镇建设;同时也应充分考虑刚性、非刚性、控制性和指导性标准的分类指导。

3. 加强小城镇特别是县城镇、中心镇和重点镇的规划编制指导和规划建设管理

发展小城镇的重点在县城镇和中心镇。按照国务院办公厅《关于落实中共中央、国务院做好农业和农村工作意见有关政策措施的通知》(国办函[2003]15 号)的要求,住建部会同国家发改委、民政部、国土资源部、农业部、科技部确定了全国 1 887 个重点镇,从政策上给予必要的倾斜和支持。省、自治区城乡规划行政管理部门采取措施,加强对中心镇规划编制的指导,提高中心镇规划的质量。逐步实行重点镇规划省级备案核准制度,切实提高小城镇规划的权威性。

同时要求加强小城镇基础设施建设。从完善小城镇功能出发,突出抓好道路、排水、文化、教育、卫生等基础设施和公共服务设施的建设。改革完善小城镇规划建设管理机制,明确镇主管规划建设领导和行政部门责任,落实管理小城镇规划建设人员。因地制宜从实际出发,禁止安排不切实际的小城镇大广场、超标准办公楼和豪华接待设施等建设项目,积极促进乡镇企业的合理布局,防止城市污染工业向小城镇转移。

4. 规范小城镇规划建设管理行政行为

规范小城镇规划建设管理行政行为,建立健全规划管理监督制约机制和行政责任追究制度,突出管理规范化、法制化、科学化,规范小城镇规划建设管理的行政行为,改变小城镇规划建设管理部门既编制规划、调整规划,又组织实施规划的局面,大力推进规划编制与实施管理分开,管理部门不再直接编制和调整规划。要公开规划审批程序。

按照国务院《关于加强城乡规划监督管理的通知》(国发[2002]13 号)和《关于贯彻落实〈国务院关于加强城乡规划监督管理的通知〉的通知》(建规[2002]204 号)的要求,进一步健全同级人大、上级城乡规划部门以及公众和新闻舆论监督相结合的小城镇规划建设监督制约机制,全面推行政务公开,建立广泛的公众参与机制,接受社会监督,同时受理社会公众对规划建设违法违规案件的举报,聘请特约社

会监督人员,加强社会监督。

县规划行政主管部门要加强小城镇建设项目规划审批后的监督管理,及时查处违法建设的行为,对涉及规划强制性内容执行建设项目"一书两证"核发、违法建设查处等关键环节,要做出明确具体规定。通过建章立制,强化对行政行为的监督,切实规范和约束城乡规划部门和工作人员的行政行为。

建立有效的监督制约工作机制,规划编制与实施管理分开。规划的编制和调整,应由具有国家规定的规划设计资质的单位承担,管理部门不再直接编制和调整规划。规划设计单位要严格执行国家规定的标准规范,不得迎合业主不符合标准规范的要求。改变规划管理部门既编制、调整又组织实施规划、纠正规划管理权缺乏监督制约、自由裁量权过大的状况。

建立规划管理行政责任追究制度。明确规划管理中政府领导、规划管理部门领导和管理人员的责任,做到权力与责任相统一。

5. 提高小城镇规划建设管理队伍素质,提升管理水平和效率

小城镇规划建设管理队伍素质普遍较低,通过建立健全规划管理机制,配备合格人员,引进人才,鼓励高校毕业生到小城镇工作;建立健全培训上岗制度,加强职位教育和岗位培训,不断更新业务知识,切实提高管理业务水平;实行与管理水平、工作效率、效益挂钩的奖励和待遇政策等,提高小城镇规划建设管理队伍素质,稳定和加强小城镇规划建设管理队伍,提升小城镇规划建设管理的水平和效率。

规划编制和管理所需经费,按照现行财政体制划分,由地方财政统筹安排。

同时,充分发挥电视、广播、报刊等新闻媒体的宣传作用,向社会各界普及小城镇规划建设知识,增强全民的规划参与意识和监督意识。

第二节　《中华人民共和国城乡规划法》
的法律适用

城镇化发展是经济社会发展的客观规律,是实现现代化的必由之路和重要标志,是统筹城乡发展、解决"三农"问题的根本途径。科学推进城镇化发展,首要问题在科学制定城镇化发展规划,遵循"先规划后建设"的原则。国家"十二五"规划首次明确提出:坚持走中国特色城镇化道路,科学制定城镇化发展规划,从而创新、丰富和完善了我国现行的城乡规划体系。

城镇化发展规划的制定和实施必须严格遵守国家规划法——《中华人民共和国城乡规划法》与相关法律。《中华人民共和国城乡规划法》是我国城镇化法律体系的基本法,该法已充分借鉴了发达国家城市规划的先进经验,为走中国特色城镇化道路提供了法治保障。凡中央与地方制定城镇化发展规划,必须严格执行《中华人民共和国城乡规划法》中关于规划与规划法、规划编制原则与依据、规划制定与实施、规划修改与督查、规划法律责任与处理等法律规定。

一、城镇化发展与城镇化发展规划的法律设定

"十二五"(2011—2015年)时期是全面建设小康社会的关键时期,是深化改革开放、加快转变经济发展方式的攻坚时期。"十二五"规划第五篇"优化格局,促进区域协调发展"提出了制定"城镇化发展规划"问题。那么什么叫城镇化发展规划呢? 这是政府指导和调控城镇化建设和发展的基本手段,也是政府履行经济调节、市场监督、社会管理和公共服务职责的重要依据。

"十二五"规划对城镇化发展规划的地位与作用进行如下界定:坚持走中国特色城镇化道路,科学制定城镇化发展规划,促进城镇化健康发展。这个界定有三层含义:一是我国正式第一次提出城镇化发展规划的新概念,从而创新地完善了我国现行的规划体系;二是城镇化规划的目标为坚持走中国特色城镇化道路;三是城镇化发展规划先于城镇化发展,作为政府基本手段服从于促进城镇化健康发展的目的。

制定和实施城镇化发展规划要全面遵守国家规划法《中华人民共和国城乡规划法》。在此法颁布的七年前,即2000年中共中央国务院《关于促进小城镇健康发展的若干意见》中关于城镇规划问题,明确提出制定规划必须"严格执行有关法律法规","规划调整要按有关法定

程序办理"。

二、《中华人民共和国城乡规划法》的立法目的与内容

2007年10月由第十届全国人民代表大会常务委员会颁布了国家规划法——《中华人民共和国城乡规划法》,2008年1月1日施行。

1.《中华人民共和国城乡规划法》的立法目的

《中华人民共和国城乡规划法》是我国法律体系中归属经济法部门的重要法律。其法律地位与立法目的为:制定和实施城乡规划必须遵守《中华人民共和国城乡规划法》。这是因为该法专门调整和规范制定、实施城乡规划和规划区内进行建设活动的两类行为,借以达到促进城乡经济社会全面协调可持续发展的目的。

2.《中华人民共和国城乡规划法》的内容

《中华人民共和国城乡规划法》主要规定了以下六个方面的内容:

(1)规定了城乡规划的体系。

(2)规定了城乡规划制定的原则、编制主体、规划内容以及审批程序。原则上按各级政府事权,规定编制规划的责任。规划内容要体现特色,保护耕地,总体规划要规定强制性内容。规划编制要发扬民主,采取多种形式征求专家和公众意见,并将意见采纳情况和理由作为城乡规划报送审批的必备材料。

(3)规定了城乡规划实施的原则以及有关规划许可的条件和程序。各级政府有计划、分步骤实施当地总体规划,并制定近期建设规划。规划选址意见书、建设用地规划许可证和建设工程规划许可证的发放,明确了发放建设项目选址意见书的情形和环节,针对不同的建设用地取得方式规定领取建设用地规划许可证的程序。

(4)规定了规划修改条件和程序,严格控制规划修改。

(5)规定了各级人民政府加强对规划实施的层级监督、明确上级规划主管部门对下级规划主管部门违法行为有权采取相应措施。

(6)规定了规划的法律责任与对违法行为的处理。

《中华人民共和国城乡规划法》调整和规范制定和实施城乡规划的功能,彰显"四个确保"的功能价值,即确保加强统筹城乡经济社会

发展的城乡规划管理；确保城乡规划协调城乡空间布局；确保城乡规划的核心，改善人居环境；确保城乡规划促进城乡经济社会全面协调可持续发展。

三、城镇化发展规划制定与实施的法律规定

"十二五"规划对城镇化发展规划的制定旨在尊重中国特色城镇化发展的客观规律，因此，城镇化发展规划的制定必须遵守《中华人民共和国城乡规划法》的规定。

1. 制定与实施城镇化发展规划原则

根据《中华人民共和国城乡规划法》第四条规定，制定和实施城镇化发展规划应当遵循城乡统筹、合理布局、节约土地、集约发展和先规划后建设的原则。根据这一原则，制定和实施城镇化发展规划应符合下列要求，即"改善生态环境，促进资源能源节约和综合利用，保护耕地等自然资源和历史文化遗产，保持地方特色、民族特色和传统风貌，防止污染和其他公害，并符合区域人口发展，国防建设、防灾减灾和公共卫生、公共安全的需要"。

《中华人民共和国城乡规划法》第四条二款又提出，遵循城镇化发展规划制定与实施原则在规划区内进行建设活动，"应当遵守土地管理、自然资源和环境保护等法律法规的规定"。

另外，"十二五"规划第二十章推进城镇化第三节"增强城镇综合承载能力"明确设定编制城市规划 6 条原则："坚持以人为本、节地节能、生态环保、安全实用、突出特色、保护文化和自然遗产的原则，科学编制城市规划，健全城镇建设标准，强化规划约束力。"

《中华人民共和国城乡规划法》和"十二五"规划中关于城镇化发展规划的制定原则虽然侧重点不同，但目标相同，内涵一致，外延互补，对包括编制城镇化（城镇化）发展规划在内的城乡规划，都具有规范和指导作用。

2. 制定与实施城镇化发展规划的依据

根据《中华人民共和国城乡规划法》的规定，城镇化发展规划的制定依据如下：

(1)《中华人民共和国城乡规划法》。《中华人民共和国城乡规划法》总则第二条规定适用范围："制定和实施城乡规划，在规划区内进行建设活动，必须遵守本法。"

(2)国民经济和社会发展规划。《中华人民共和国城乡规划法》总则第五条规定："城市总体规划、镇总体规划及乡规划和村庄规划的编制，应当依据国民经济和社会发展规划。"目前我国规划种类较多，规划关系中的全国和地方各级人大制定的国民经济和社会发展规划为各级政府制定城乡规划的依据。

(3)城镇化发展规划的制定应当与土地利用总体规划相衔接。《中华人民共和国城乡规划法》总则第五条规定："城市总体规划、镇总体规划以及乡规划和村庄规划的编制，与土地利用总体规划相衔接。"

3. 城镇化发展规划的制定主体、类别与程序

《中华人民共和国城乡规划法》对城镇化发展规划的制定主体、类别与程序做了如下规定：

(1)全国城镇体系规划的制定。《中华人民共和国城乡规划法》第十二条规定："国务院城乡规划主管部门会同国务院有关部门组织编制全国城镇体系规划，用于指导省域城镇体系规划、城市总体规划的编制。"

全国城镇体系规划由国务院城乡规划主管部门报国务院审批。

(2)省域城镇体系规划的制定。《中华人民共和国城乡规划法》第十三条规定："省、自治区人民政府组织编制省域城镇体系规划，报国务院审批。"

省域城镇体系规划的内容应当包括：城镇空间布局和规模控制，重大基础设施的布局，为保护生态环境、资源等需要严格控制的区域。

(3)城市总体规划的制定。《中华人民共和国城乡规划法》第十四条规定：城市人民政府组织编制城市总体规划。

直辖市的城市总体规划由直辖市人民政府报国务院审批。省、自治区人民政府报国务院审批，省、自治区人民政府所在地的城市以及国务院确定的城市的总体规划，由省、自治区人民政府审查同意后，报国务院审批。其他城市的总体规划，由城市政府报省、自治区人民政

府审批。

（4）镇总体规划的制定。《中华人民共和国城乡规划法》第十五条规定：县人民政府组织编制县人民政府所在地镇的总体规划，报上一级人民政府审批。其他镇的总体规划，由镇人民政府组织编制，报上一级人民政府审批。

4. 城镇化发展规划实施的法律规定

《中华人民共和国城乡规划法》对怎样实施城镇化发展规划，作了如下五个方面的法律规定：

（1）关于实施城镇化发展规划的总体要求、建设发展原则与近期建设规划的规定。

《中华人民共和国城乡规划法》第二十八条规定：地方各级人民政府应当根据当地经济社会发展水平、量力而行，尊重群众意愿，有计划、分步骤地组织实施城乡规划。

《中华人民共和国城乡规划法》第二十九条规定：城市的建设和发展，应当优先安排基础设施以及公共服务设施的建设，妥善处理新区开发与旧区改建的关系，统筹兼顾进城务工人员生活和周边农村经济发展、村民生产与生活需要。

镇的建设和发展，应当结合农村经济社会发展和产业结构调整，优先安排排水、供电、供气、道路、通信、广播电视等基础设施和学校、卫生院、文化站、幼儿园、福利院等公共服务设施的建设，为周边农村提供服务。

乡、村庄的建设和发展，应当因地制宜、节约用地，发挥村民自治组织的作用，引导村民合理进行建设，改善农村生产、生活条件。

《中华人民共和国城乡规划法》第三十四条规定：城市、县、镇人民政府应当根据城市总体规划、镇总体规划、土地利用总体规划和年度计划以及国民经济社会发展规划，制定近期建设规划，报总体规划审批机关备案。

近期建设规划应当以重要基础设施、公共服务设施和中低收入居民住房建设以及生态环境保护为重点内容，明确近期建设的时序、发展方向和空间布局。近期建设规划的规划期限为五年。

（2）关于城市新区开发建设、旧城区改建原则、风景名胜区保护和城市地下空间开发利用原则的规定。

《中华人民共和国城乡规划法》第三十条规定：城市新区的开发和建设，应当合理确定建设规模和时序、充分利用现有市政基础设施和公共服务设施，严格保护自然资源和生态环境，体现地方特色。

在城市总体规划、镇总体规划确定和建设用地范围以外，不得设立各类开发区和城市新区。

《中华人民共和国城乡规划法》第三十一条规定：旧城区的改建，应当保护历史文化遗产和传统风貌，合理确定拆迁和建设规模，有计划地对危房集中、基础设施落后等地段进行改建。

历史文化名城、各镇各村的保护以及受保护建筑物的维护和使用，应当遵守有关法律、行政法规和国务院的规定。

《中华人民共和国城乡规划法》第三十二条规定：城乡建设和发展，应当依法保护和合理利用风景名胜资源，统筹安排风景名胜区及周边乡镇、村庄的建设。

风景名胜区的规划、建设和管理，应当遵守有关法律、行政法规和国务院的规定。

《中华人民共和国城乡规划法》第三十三条规定：城市地下空间的开发和利用，应当与经济和技术发展水平相适应，遵循统筹安排、综合开发、合理利用的原则，充分考虑防灾减灾、人民防空和通信等需要，并符合城市规划履行规划审批手续。

（3）关于对划拨土地、出让土地的规划管理、禁止擅自改变用途的用地和规划、对国有土地使用权出让合同效力影响的规定。

《中华人民共和国城乡规划法》第三十七条规定：在城市、镇规划区内以划拨方式提供国有土地使用权的建设项目，经有关部门批准、核准、备案后，建设单位应当向城市、县人民政府或乡规划主管部门提出建设用地规划许可申请。由城市、县人民政府城乡规划主管部门依据控制性详细规划核定建设用地的位置、面积、允许建设的范围，核发建设用地规划许可证。

建设单位在取得建设用地规划许可证后，方可向县级以上地方人民政府土地主管部门申请用地,经县级以上人民政府审批后,由土地主管部门划拨土地。

《中华人民共和国城乡规划法》第三十八条规定:在城市、镇规划区内以出让方式提供国有土地使用权的,在国有土地使用权出让前,城市、县人民政府城乡规划主管部门应当依据控制性详细规划,提出出让地块的位置、使用性质、开发强度等规划条件,作为国有土地使用权出让合同的组成部分。未确定规划条件的地块,不得出让国有土地使用权。

以出让方式取得国有土地使用权的建设项目,在签订国有土地使用权出让合同后,建设单位应当持建设项目的批准、核准、备案文件和国有土地使用权出让合同,向城市、县人民政府城乡规划主管部门领取建设用地规划许可证。

城市、县人民政府城乡规划主管部门不得在建设用地规划许可证中擅自改变作为国有土地使用权出让合同组成部分的规划条件。

《中华人民共和国城乡规划法》第三十五条规定:城乡规划确定的铁路、公路、港口、机场、道路、绿地、输配电设施及输电线路走廊、通信设施、广播电视设施、管道设施、河道、水库、水源地、自然保护区、防汛通道、核电站、垃圾填埋场及焚烧厂、污水处理厂和公共服务设施的用地以及其他需要依法保护的用地,禁止擅自改变用途。

《中华人民共和国城乡规划法》第三十九条规定:规划条件未纳入国有土地使用权出让合同的,该国有土地使用权出让合同无效;对未取得建设用地规划许可证的建设单位批准用地的,由县级以上人民政府撤销批准文件;占用土地的,应当及时退回;给当事人造成损失的,应当依法给予赔偿。

(4)关于建设工程规划许可证申请程序,需领取选址意见书的建设工程和对建设工程是否符合规划条件核实的规定。

《中华人民共和国城乡规划法》第四十条规定:在城市、镇规划区内进行建筑物、构筑物、道路、管线和其他工程建设的,建设单位或者个人应当向城市、县人民政府城乡规划主管部门或者省、自治区、直辖市人民政府确定的镇人民政府申请办理建设工程规划许可证。

　　申请办理建设工程规划许可证,应当提交使用土地的有关证明文件、建设工程设计方案等材料。需要建设单位编制修建性详细规划的建设项目,还应当提交修建性详细规划。对符合控制性详细规划和规划条件的,由城市、县人民政府城乡规划主管部门或者省、自治区、直辖市人民政府确定的镇人民政府核发建设工程规划许可证。

　　城市、县人民政府城乡规划主管部门或者省、自治区、直辖市人民政府确定的镇人民政府应当依法将经审定的修建性详细规划、建设工程设计方案的总平面图予以公布。

　　《中华人民共和国城乡规划法》第三十六条规定:按照国家规定需要有关部门批准或者核准的建设项目,以划拨方式提供国有土地使用权的,建设单位在报送有关部门批准或者核准前,应向城乡规划主管部门申请核发选址意见书。

　　前款规定以外的建设项目不需要申请选址意见书。

　　《中华人民共和国城乡规划法》第四十五条规定:县级以上地方人民政府城乡规划主管部门按照国务院规定对建设工程是否符合规划条件予以核实。未经核实或者经核实不符合规划条件的,建设单位不得组织竣工验收。

　　建设单位应当在竣工验收后六个月内向城乡规划主管部门报送有关竣工验收资料。

　　(5)关于临时建设的规划管理和规划条件的变更的规定。

　　《中华人民共和国城乡规划法》第四十四条规定:在城市、镇规划区内进行临时建设的,应当经城市、县人民政府城乡规划主管部门批准。临时建设影响近期建设规划或者控制性详细规划的实施及交通、市容、安全等的,不得批准。

　　临时建设应当在批准的使用期限内自行拆除。

　　临时建设和临时用地规划管理的具体办法,由省、自治区、直辖市人民政府制定。

　　《中华人民共和国城乡规划法》第四十三条规定:建设单位应当按照规划条件进行建设;确需变更的,必须向城市、县人民政府城乡规划主管部门提出申请。变更内容不符合控制性详细规划的,城乡规划主管部门不得批准。城市、县人民政府城乡规划主管部门应当及时将依法变更后的规划条件通报同级土地主管部门并公示。

建设单位应当及时将依法变更后的规划条件报有关人民政府土地主管部门备案。

四、城镇化发展规划修改的法律规定

城镇化发展规划的制定并非是静止、封闭和固定的，而是动态、开放和发展的。城镇化发展规划既是对经济社会发展实践的科学预测，又要根据实践发展变化而科学修改。城镇化发展规划主管部门对规划监督检查是确保规划科学性的必要手段。

《中华人民共和国城乡规划法》对城镇化发展规划修改作如下四个方面的法律规定。

1. 规划评估、修改条件和程序的规定

《中华人民共和国城乡规划法》第四十六条规定：省域城镇体系规划、城市总体规划、镇总体规划的组织编制机关，应当组织有关部门和专家定期对规划实施情况进行评估，并采取论证会、听证会或者其他方式征求公众意见。组织编制机关应当向本级人民代表大会常务委员会、镇人民代表大会和原审批机关提出评估报告并附具征求意见的情况。

《中华人民共和国城乡规划法》第四十七条规定，有下列情形之一的，组织编制机关方可按照规定的权限和程序修改省域城镇体系规划、城市总体规划、镇总体规划：

(1)上级人民政府制定的城乡规划发生变更，提出修改规划要求的。

(2)行政区划调整确需修改规划的。

(3)因国务院批准重大建设工程确需修改规划的。

(4)经评估确需修改规划的。

(5)城乡规划的审批机关认为应当修改规划的其他情形。

修改省域城镇体系规划、城市总体规划、镇总体规划前，组织编制机关应当对原规划的实际情况进行总结，并向原审批机关报告；修改

涉及城市总体规划、镇总体规划强制性内容的,应当先向原审批机关提出专题报告,经同意后,方可编制修改方案。

修改后的省域城镇体系规划、城市总体规划、镇总体规划,应当依照本法第十三条、第十四条、第十五条和第十六条规定的审批程序报批。

2. 控制性详细规划修改的规定

《中华人民共和国城乡规划法》第四十八条规定:修改控制性详细规划的,组织编制机关应当对修改的必要性进行论证,征求规划地段内利害关系人的意见,并向原审批机关提出专题报告,经原审批机关同意后,方可编制修改方案。修改后的控制详细规划,应当依照本法第十九条、第二十条规定的审批程序报批。控制性详细规划修改涉及城市总体规划、镇总体规划的强制性内容的,应当先修改总体规划。修改乡规划、村庄规划的,应当依照本法第二十二条规定的审批程序报批。

3. 近期建设规划修改的规定

《中华人民共和国城乡规划法》第四十九条规定:城市、县、镇人民政府修改近期建设规划的,应当将修改后的近期建设规划报总体规划审批机关备案。

4. 修改规划造成损失补偿的规定

《中华人民共和国城乡规划法》第五十条规定:在选址意见书、建设用地规划许可证、建设工程规划许可证或者乡村建设规划许可证发放后,因依法修改城乡规划给被许可人合法权益造成损失的,应当依法给予补偿。

经依法审定的修改性详细规划、建设工程设计方案的总平面图不得随意修改;确需修改的,城乡规划主管部门应当采取听证会等形式,听取利害关系人的意见;因修改给利害关系人合法权益造成损失的,应当依法给予补偿。

修改规划给当事人造成损失的两种情况:

一是根据原规划发放的选址意见书、建设用地规划许可证、建设工程规划许可证可能因此失效而给当事人造成损失。

二是根据原规划制定的修建性详细规划和建设工程施工总平面图也需相应修改而对有关利害关系人权益造成损害。

五、城镇化发展规划监督检查的法律规定

《中华人民共和国城乡规划法》对城镇化发展规划监督检查作如下两个方面的法律规定。

1. 规划主管部门,地方各级人大对监督检查结果公开的规定

《中华人民共和国城乡规划法》第五十一条规定:县级以上人民政府及其城乡规划主管部门应当加强对城乡规划编制、审批、实施、修改的监督检查。

《中华人民共和国城乡规划法》第五十三条规定,县级以上的人民政府城乡规划主管部门对城乡规划的实施情况进行监督检查,有权采取以下措施:

(1)要求有关单位和人员提供监督各项文件、资料,并进行复制。

(2)要求有关单位和人员就监督各项涉及的问题做出解释和说明,并根据需要进入现场进行勘测。

(3)责令有关单位和人员停止违反有关城乡规划的法律、法规的行为。

城乡规划主管部门的工作人员履行前款规定的监督检查职责,应当出示执法证件。被监督检查的单位和人员应当予以配合,不得妨碍和阻挠依法进行的监督检查活动。

《中华人民共和国城乡规划法》第五十二条规定:地方各级人民政府应当向本级人民代表大会常务委员会或者乡、镇人民代表大会报告城乡规划的实施情况,并接受监督。

《中华人民共和国城乡规划法》第五十四条规定:监督检查情况和处理结果应当依法公开,供公众查阅和监督。

2. 对国家机关工作人员违法行为、行政不作为和违反行政许可处理的规定

《中华人民共和国城乡规划法》第五十五条规定:城乡规划主管部

门在查处违反本法规定的行为时,发现国家机关工作人员依法应当给予行政处分的,应当向其任免机关或者监察机关提出处分建议。

《中华人民共和国城乡规划法》第五十六条规定:依照本法规定应当给予行政处罚,而有关城乡规划主管部门不给予行政处罚的,上级人民政府城乡规划主管部门有权责令其做出行政处罚决定或者建议有关人民政府责令其给予行政处罚。

《中华人民共和国城乡规划法》第五十七条规定:城乡规划主管部门违反本法规定做出行政许可的,上级人民政府城乡规划主管部门有权责令其撤销或者直接撤销该行政许可。因撤销行政许可给当事人合法权益造成损失的,应当依法给予赔偿。

六、城镇化发展规划的法律责任与处理

城镇化发展规划的法律责任是规划法的立法目的与功能价值实现的基础性重要手段和关键性的法律保障。

《中华人民共和国城乡规划法》对规划法律责任与处理作如下六方面的法律规定。

1. 对未按规定制定规划的违法行为的处理

《中华人民共和国城乡规划法》第五十八条规定:对依法应当编制城乡规划而未组织编制,或者未按法定程序编制、审批、修改城乡规划的,由上级人民政府责令改正,通报批评;对有关人民政府负责人和其他直接责任人员依法给予处分。

《中华人民共和国城乡规划法》第五十九条规定:城乡规划组织编制机关委托不具有相应资质等级的单位编制城乡规划的,由上级人民政府责令改正,通报批评;对有关人民政府负责人和其他直接责任人依法给予处分。

2. 对政府和城乡规划主管部门违法行为的处理

《中华人民共和国城乡规划法》第六十条规定,镇人民政府或者县级以上人民政府城乡规划主管部门有下列行为之一的,由本级人民政府、上级人民政府规划主管部门或者监管机关依据职权责令改正,通报批评;对直接负责的主管人员和其他直接负责人员依法给予处分:

（1）未依法组织编制城市的控制性详细规划、县人民政府所在地镇的控制性详细规划的。

（2）超越职权或者对不符合法定条件的申请人核发选址意见书、建设用地规划许可证、建设工程规划许可证、乡村建设规划许可证的。

（3）对符合法定条件的申请人未在法定期限内核发选址意见书、建设用地规划许可证、建设工程规划许可证、乡村建设规划许可证的。

（4）未依法对经审定的修建性详细规划、建设工程设计方案的总平面图予以公布的。

（5）同意修改修建性详细规划、建设工程设计方案的总平面图前未采取听证会等形式听取利害关系人的意见的。

（6）发现未依法取得规划许可或者违反规划许可的规定在规划区内进行建设的行为，而不予查处或者接到举报后不依法处理的。

《中华人民共和国城乡规划法》第六十一条规定：县级以上人民政府有关部门有下列行为之一的，由本级人民政府或者上级人民政府有关部门责令改正，通报批评；对直接负责的主管人员和其他直接责任人员依法给予处分：

（1）对未依法取得选址意见书的建设项目核发建设项目批准文件。

（2）未依法在国有土地使用权出让合同中确定规划条件或者改变国有土地使用权出让合同中依法确定的规划条件的。

（3）对未依法取得建设用地规划许可证的建设单位划拨国有土地使用权的。

3. 对城乡规划编制单位违法行为的处理

《中华人民共和国城乡规划法》第六十二条规定，城乡规划编制单位有下列行为之一的，由所在地城市、县人民政府城乡规划主管部门责令限期改正，处合同约定的规划编制费一倍以上二倍以下的罚款，情节严重的，责令停业整顿，由原发证机关降低资质等级或者吊销资质证书；造成损失的，依法承担赔偿责任：

（1）超越资质等级许可的范围承揽城乡规划编制工作的。

（2）违反国家有关标准编制城乡规划的。

未依法取得资质证书承揽城乡规划编制工作的,由县级以上地方人民政府城乡规划主管部门责令停止违法行为,依照前款规定处以罚款;造成损失的,依法承担赔偿责任。

以欺骗手段取得资质证书承揽城乡规划编制工作的,由原发证机关吊销资质证书,依照本条第一款规定处以罚款;造成损失的,依法承担赔偿责任。

《中华人民共和国城乡规划法》第六十三条规定:城乡规划编制单位取得资质证书后,不再符合相应的资质条件的,由原发证机关责令限期改正;逾期不改正的,降低资质等级或者吊销资质证书。

4. 对建设单位违法行为的处理

《中华人民共和国城乡规划法》第六十四条规定:未取得建设工程规划许可证或者未按照建设工程规划许可证的规定进行建设的,由县级以上地方人民政府城乡规划主管部门责令停止建设;尚可采取改正措施消除对规划实施的影响的,限期改正,处建设工程造价百分之五以上百分之十以下的罚款;无法采取改正措施消除影响的,限期拆除,不能拆除的,没收实物或违法收入,可以并处建设工程造价百分之二十以下罚款。

《中华人民共和国城乡规划法》第六十六条规定,建设单位或者个人有下列行为之一的,由所在地城市、县人民政府城乡规划主管部门责令限期拆除,可以并处临时建设工程造价一倍以下的罚款:

(1)未经批准进行临时建设的。

(2)未按照批准内容进行临时建设的。

(3)临时建筑物、构建物超过批准期限不拆除的。

5. 对违章建筑当事人违法行为的处理

《中华人民共和国城乡规划法》第六十七条规定:建设单位未在建设工程竣工验收后六个月内向城乡规划主管部门报送有关竣工验收资料的,由所在地城市、县人民政府城乡规划主管部门责令限期补报;逾期不补报的,处一万元以上五万元以下的罚款。

《中华人民共和国城乡规划法》第六十八条规定:城乡规划主管部门做出责令停止建设或者限期拆除的决定后,当事人不停止建设或者逾期不拆除的,建设工程所在地县级以上地方人民政府可以责成有关部门采取查封施工现场、强制拆除等措施。

6. 对违法构成犯罪行为的处理

《中华人民共和国城乡规划法》第六十九条规定:违反本规定,构成犯罪的,依法追究刑事责任。

第三节　与《中华人民共和国城乡规划法》配套的法规规章

由于《中华人民共和国城乡规划法》适用必然涉及经济、社会、生态、文化多领域及相应法律部门,与之配套的如《中华人民共和国土地管理法》(2004年修正)《中华人民共和国行政许可法》《中华人民共和国行政处罚法》《中华人民共和国环境影响评价法》等法律法规也比较多。

一、《城市、镇控制性详细规划编制审批办法》

《城市、镇控制性详细规划编制审批办法》是由住房和城乡建设部于2010年12月1日公布的第7号令。其第三十一条规定:

控制性详细规划是城乡规划主管部门做出规划行政许可、实施规划管理的依据。国有土地使用权的划拨、出让应当符合控制性详细规划。

任何单位和个人都应当遵守经依法批准并公布的控制性详细规划,服从规划管理,并有权就涉及其利害关系的建设活动是否符合控制性详细规划的要求向城乡规划主管部门查询。任何单位和个人都有权向城乡规划主管部门或者其他有关部门举报或者控告违反控制性详细规划的行为。

城市、县人民政府城乡规划主管部门组织编制城市、县人民政府所在地镇的控制性详细规划;其他镇的控制性详细规划由镇人民政府组织编制。城市、县人民政府城乡规划主管部门、镇人民政府应当委托具备相应资质等级的规划编制单位承担控制性详细规划的具体编制工作。

编制控制性详细规划,应当综合考虑当地资源条件、环境状况、历史文化遗产、公共安全以及土地权属等因素,满足城市地下空间利用的需要,妥善处理近期与长远、局部与整体、发展与保护的关系。

编制控制性详细规划,应当依据经批准的城市、镇总体规划,遵守国家有关标准和技术规范,采用符合国家有关规定的基础资料。

控制性详细规划应当包括下列基本内容:

(1)土地使用性质及其兼容性等用地功能控制要求。

(2)容积率、建筑高度、建筑密度、绿地率等用地指标。

(3)基础设施、公共服务设施、公共安全设施的用地规模、范围及具体控制要求,地下管线控制要求。

(4)基础设施用地的控制界线(黄线)、各类绿地范围的控制线(绿线)、历史文化街区和历史建筑的保护范围界线(紫线)、地表水体保护和控制的地域界线(蓝线)"四线"及控制要求。

二、《省域城镇体系规划编制审批办法》

《省域城镇体系规划编制审批办法》是由住房和城乡建设部于2010年7月1日公布的第3号令。其第三十三条规定:

省域城镇体系规划是省、自治区人民政府实施城乡规划管理,合理配置省域空间资源,优化城乡空间布局,统筹基础设施和公共设施建设的基本依据,是落实全国城镇体系规划,引导本省、自治区城镇化和城镇发展,指导下层次规划编制的公共政策。

编制省域城镇体系规划,应当以科学发展观为指导,坚持城乡统筹规划,促进区域协调发展;坚持因地制宜,分类指导;坚持走有中国特色的城镇化道路,节约集约利用资源、能源,保护自然人文资源和生态环境。

编制省域城镇体系规划,应当遵守国家有关法律、行政法规,并与有关规划相协调。

经依法批准的省域城镇体系规划应当及时向社会公布,但法律、行政法规规定不得公开的内容除外。

省、自治区人民政府负责组织编制省域城镇体系规划。省、自治区人民政府城乡规划主管部门负责省域城镇体系规划组织编制的具体工作。省、自治区人民政府城乡规划主管部门应当委托具有城乡规划甲级资质证书的单位承担省域城镇体系规划的具体编制工作。

省域城镇体系规划编制工作一般分为编制省域城镇体系规划纲要和编制省域城镇体系规划成果两个阶段。

国务院城乡规划主管部门应当加强对省域城镇体系规划编制工作的指导。

三、《镇(乡)域规划导则(试行)》

《镇(乡)域规划导则(试行)》,由住房和城乡建设部于 2010 年 11月 4 日公布,提出"有条件的镇和乡,应依据本导则编制镇(乡)域规划",明确编制镇(乡)域规划的总则、编制内容、成果要求和规划管理与实施。其中编制内容涵盖:

(1)经济社会发展目标与产业布局。

(2)空间利用布局与管制。

(3)居民点布局。

(4)交通系统。

(5)供水及能源工程。

(6)环境卫生治理。

(7)公共设施。

(8)防灾减灾。

(9)历史文化和特色景观资源保护。

四、《城乡规划编制单位资质管理规定》

《城乡规划编制单位资质管理规定》经住房和城乡建设部第 84 次部常务会议审议通过,2012 年 7 月 2 日中华人民共和国住房和城乡建设部令第 12 号发布,自 2012 年 9 月 1 日起施行。其第三十六条规定如下:

为了加强对城乡规划编制单位的管理,规范城乡规划编制工作,保证城乡规划编制质量,根据《中华人民共和国城乡规划法》《中华人民共和国行政许可法》等法律,制定本规定。

在中华人民共和国境内申请城乡规划编制单位资质,实施对城乡规划编制单位资质监督管理。

城乡规划组织编制机关应当委托具有相应资质等级的单位承担城乡规划的具体编制工作。从事城乡规划编制的单位,应当取得相应等级的资质证书,并在资质等级许可的范围内从事城乡规划编制工作。

国务院城乡规划主管部门负责全国城乡规划编制单位的资质管理工作。县级以上地方人民政府城乡规划主管部门负责本行政区域内城乡规划编制单位的资质管理工作。

城乡规划编制单位资质分为甲级、乙级、丙级。

甲级城乡规划编制单位承担城乡规划编制业务的范围不受限制。

乙级城乡规划编制单位可以在全国承担下列业务:

(1)镇、20万现状人口以下城市总体规划的编制。

(2)镇、登记注册所在地城市和100万现状人口以下城市相关专项规划的编制。

(3)详细规划的编制。

(4)乡、村庄规划的编制。

(5)建设工程项目规划选址的可行性研究。

丙级城乡规划编制单位可以在全国承担下列业务:

(1)镇总体规划(县人民政府所在地镇除外)的编制。

(2)镇、登记注册所在地城市和20万现状人口以下城市的相关专项规划及控制性详细规划的编制。

(3)修建性详细规划的编制。

(4)乡、村庄规划的编制。

(5)中、小型建设工程项目规划选址的可行性研究。

省、自治区、直辖市人民政府城乡规划主管部门可以根据实际情况,设立专门从事乡和村庄规划编制单位的资质,并将资质标准报国务院城乡规划主管部门备案。

　　城乡规划编制单位甲级资质许可,由国务院城乡规划主管部门实施。

　　城乡规划编制单位申请甲级资质的,应当向登记注册所在地省、自治区、直辖市人民政府城乡规划主管部门提出申请。省、自治区、直辖市人民政府城乡规划主管部门应当自受理申请之日起 20 日内初审完毕并将初审意见和申请材料报国务院城乡规划主管部门。

　　国务院城乡规划主管部门应当自受理申请材料之日起 20 日内完成审查,公示审查意见,公示时间为 10 日。城乡规划编制单位对审查结果有异议的,可以进行陈述申辩。

　　城乡规划编制单位乙级、丙级资质许可,由登记注册所在地省、自治区、直辖市人民政府城乡规划主管部门实施。资质许可的实施办法由省、自治区、直辖市人民政府城乡规划主管部门依法确定。

　　省、自治区、直辖市人民政府城乡规划主管部门应当自做出决定之日起 30 日内,将准予资质许可的决定报国务院城乡规划主管部门备案。资质许可机关做出准予资质许可的决定,应当予以公告,公众有权查阅。

　　城乡规划编制单位初次申请,其申请资质等级最高不超过乙级。乙级、丙级城乡规划编制单位取得资质证书满 2 年后,可以申请高一级别的城乡规划编制单位资质。

　　对在资质证书有效期内遵守有关法律、法规、规章、技术标准,信用档案中无不良行为记录,满足资质标准要求的城乡规划编制单位,经资质许可机关同意,有效期延续 5 年。

　　城乡规划编制单位设立的分支机构中,具有独立法人资格的,应当按照本规定申请资质证书。非独立法人的机构,不得以分支机构名义承揽业务。

　　两个以上城乡规划编制单位合作编制城乡规划,资质等级较高的一方应对编制成果质量负责。

　　编制城乡规划以及所提交的规划编制成果,应当符合国家有关城乡规划的法律、法规和规章,符合与城乡规划编制有关的标准、规范。

　　城乡规划编制单位提交的城乡规划编制成果,应当在文件扉页注明单位资质等级和证书编号。

资质许可机关可以依法对城乡规划编制单位进行必要的检查,并有权采取下列措施:

(1)要求被检查单位提供资质证书,有关人员的职称证书、注册证书、学历证书、社会保险证明等,有关城乡规划编制成果及有关质量管理、档案管理、财务管理等企业内部管理制度的文件。

(2)进入被检查单位进行检查,查阅相关资料。

(3)纠正违反有关法律、法规和本规定及有关规范和标准的行为。

资质许可机关依法进行监督检查时,应当将监督检查情况和处理结果予以记录,由监督检查人员签字后归档。

有关单位和个人对依法进行的监督检查应当协助与配合,不得拒绝或者阻挠。监督检查机关应当将监督检查的处理结果向社会公布。

城乡规划编制单位违法从事城乡规划编制活动的,违法行为发生地的县级以上地方人民政府城乡规划主管部门应当依法查处,并将违法事实、处理结果或者处理建议及时告知该城乡规划编制单位的资质许可机关。

城乡规划编制单位应当按照有关规定,向资质许可机关提供真实、准确、完整的信用档案信息。

城乡规划编制单位的信用档案应当包括单位基本情况、业绩、合同履约等情况。被投诉举报和处理、行政处罚等情况应当作为不良行为记入其信用档案。

第三章　小城镇建设用地政策法规

　　发展小城镇要统一规划，集中用地，做到节约用地和保护耕地。小城镇建设规划必须与土地利用总体规划相衔接，建设用地规模不得突破土地利用总体规划确定的范围。

　　严格控制农地转为非农建设用地，通过挖潜，改造旧镇区，积极开展迁村并屯，土地整理，开发利用荒地和废弃地，解决小城镇的建设用地。要采取严格保护耕地的措施，防止乱占耕地。

第一节　小城镇建设用地供应

一、土地供应的概念

　　土地供应是指国土资源行政主管部门依据国家法律法规与政策，将土地提供给建设用地单位使用的过程。

　　供地行为主要涉及是否供地、供地方式、供地数量、供地条件等，其中最主要的是供地方式。

　　供地方式主要包括无偿供应和有偿供应两大类。无偿供应方式主要是指以划拨方式供应，其特点是无偿、无期限、不能流通。有偿供应方式主要包括出让、租赁、作价入股等，其中出让方式是目前我国最主要的有偿供地方式，其特点是有偿、有期限、可流通。

（一）国有建设用地划拨供应

　　国有建设用地划拨供应是指县级以上人民政府依法批准，在土地使用者缴纳补偿、安置等费用后将该幅土地交付其使用，或者将土地使用无偿交给土地使用者使用的行为。依据现行法规和《划拨用地目录》（国土资源部令第9号）规定，下列建设用地可由县级以上人民政府依法批准，划拨土地使用权：

(1)国家机关用地。

(2)军事用地。

(3)城市基础设施用地。

(4)公益事业用地。

(5)国家重点扶持的能源、交通、水利等基础设施用地。

(6)法律、行政法规规定的其他用地。

(二)国有建设用地出让供应

国有建设用地使用权出让是指国家以土地所有者的身份将建设用地使用权在一定年限内让渡给土地使用者,并由土地使用者向国家支付土地使用权出让金的行为。土地使用权出让金是指通过有偿有期限出让方式取得土地使用权的受让者,按照合同规定的期限,一次或分次提前支付的整个使用期间的地租。国有建设用地使用权出让的含义一般包括以下内容:

(1)国有建设用地使用权出让,也称批租或土地一级市场,由国家垄断,任何单位和个人不得出让土地使用权。

(2)经出让取得土地使用权的单位和个人,只有使用权,在使用土地期限内对土地拥有使用、占有、收益、处分权;土地使用权可以进入市场,可以进行转让、出租、抵押等经营活动,但地下埋藏物归国家所有。

(3)土地使用者只有向国家支付了全部土地使用权出让金后才能领取土地使用权证书。

(4)集体土地不经征收(成为国有土地)不得出让。

(5)国有建设用地使用权出让是国家以土地所有者的身份与土地使用者之间关于权利义务的经济关系,具有平等、自愿、有偿、有期限的特点。

1. 出让年限

根据《中华人民共和国城镇国有土地使用权出让和转让暂行条例》的规定,土地使用权出让的最高年限按下列用途确定:

(1)居住用地七十年。

(2)工业用地五十年。

(3)教育、科技、文化、卫生、体育用地五十年。

(4)商业、旅游、娱乐用地四十年。

(5)综合或其他用地五十年。

2. 出让方式

国有建设用地使用权出让方式主要包括:拍卖、招标、挂牌以及双方协议的方式。按国家相关规定,商业、旅游、娱乐、商品住宅和工业用地,必须采取拍卖、招标或者挂牌方式出让。

(三)国有建设用地供应的基本条件

(1)符合规划。

(2)符合国家土地供应政策。

(3)符合建设用地标准和集约利用的要求。

(4)划拨方式供地必须符合法定的划拨用地条件。

(5)新增建设用地符合农用地转用和征收条件。

二、小城镇建设土地供应把握的几个政策问题

1. 小城镇建设用地应把握工程质量关

(1)要对土地整理项目实行公开招投标,在阳光下操作。

(2)要抓好施工设计,规范施工管理。按照标准农田的要求,根据不同地形,结合项目区建设目标和功能,精心设计;并且明确各项目区必须严格按照施工设计进行规划施工,不得轻易更改;如确需变更,必须经县级以上土地整理办公室同意。

(3)要加强工程质量检查与监督。各项目区要选派素质好的干部和威信高、办事公道的村民代表组成工程质量监督小组,采用跟班、旁站、巡视、抽查、取样等形式对施工材料、混凝土浇捣等逐项进行检查,对不符合要求的,责令限期返工,直至合格,坚决杜绝"豆腐渣"工程的出现。对基础和隐蔽部位做到经质监人员验收合格后方可进行下一道工序的施工。对田块是否平整、是否符合施工设计要求,先由各村选派出来年村干部把好这一道关口,这样既利于加强工程质量监督力度又利于今后大田分配到农户。

2. 小城镇建设用地应把握群众上访关

土地整理过程中,各项目区乡镇、办事处、村要召开党员、干部、村民代表大会等会议,统一认识,制定政策,妥善处理乡与乡、村与村、村与队、队与队、队与户的有关政策,一一落实土地丈量、造册登记、增减找补、田块调整(包括插花田的调整)、林果苗木补偿、移坟补助、田块分配、劳力、资金的负担、总郊外的拼盘等具体事项。村委会要认真做好土地整理的后续工作,实行长效管理。

3. 小城镇建设用地应把握财务管理关

项目工程资金来之不易,要做到严格财务管理,以项目定资金,专户存储,专人管理,按照土地整理项目管理规定范围,专款专用,并定期公布资金的筹集、使用情况,接受民主监督与全面审计。工程经费支付,做到先由工程承包人提出书面申请,经工地施工技术员和质量监督人员签字,再由项目区分管领导签字交财务人员拨付。

三、小城镇建设用地的选择

小城镇建设用地应根据地理位置与自然条件、占地数量与质量、现有设施利用、交通条件、建设投资与运营费用、环境质量、社会效益等择优选定。

小城镇建设用地要选择水源充足、水质较好、通风向阳、利于排水、地质条件适宜的地段;避开洪水淹没、风口、滑坡、泥石流、地震断裂带等自然灾害影响地段;避开自然保护区、地下文物埋藏区等;避免小城镇建设用地被铁路、公路、高压输电线路分割。

小城镇建设用地规模应根据人口规模和国家有关标准,结合当地土地资源条件合理确定。坚持节约用地和保护耕地的基本国策,防止盲目攀比、无序扩张、搞不切实际的超前规划、修建形象工程,杜绝浪费土地现象。要立足存量土地挖掘潜力,尽量不占或少占耕地、林地,并在此基础上提出对农田保护区和规划建设控制区的调整与界定。

第二节 小城镇建设用地管理

土地作为一种特殊商品,它不仅是一种不可再生的资源,更是一种资产。从国外成熟的土地市场看,城镇土地开发、基础设施建设所需的大量资金,来源于土地用之于土地,土地收入再投入到城镇土地开发及基础设施建设中,其中经营性用地出让往往采用招标、拍卖方式以贴近市场化手段,获取最大化收益。长期以来,我国对城镇土地大部分实行行政划拨,无偿使用,从而增加了政府投资开发土地的成本。加强小城镇建设用地的管理是小城镇建设的重点工作。

一、小城镇建设用地管理方式

1. 集约利用土地

(1)鼓励更新改造老城区,盘活小城镇的存量建设用地。

(2)集体利用小城镇非农用地指标,并采取优惠的土地、税收、信贷政策,吸引老的乡镇企业向小城镇工业园区集中。

(3)提高新建乡镇企业分散布局的用地成本。

(4)采取优惠的信贷、税收政策,鼓励小城镇异地开发和复垦非耕的资源。如安徽省以"以地换地"模式吸引农村劳动力转移,广东省是以"土地合作制"推行集体土地流转等,以促进土地集约利用。

2. 创新土地供给方式

(1)坚持科学规划、土地有偿使用和严格用途管制,允许集体土地进入小城镇土地市场。

(2)严格划分小城镇土地权属关系,切实做到国家(政府)收税、所有者收租,并降低税、租标准。

(3)对现有小城镇的国有土地使用权实行租赁制,土地使用者按年度向国家支付租金。

(4)对小城镇增加建设用地,分用途实行新的用地政策,纯粹公益事业建设用地,采取低补偿原则,商用建设用地,要允许规划区范围内的集体土地通过转让、出租、抵押、作价入股等方式直接进入土地市场,由市场确定地价。但不能伴随公益事业建设超标准占地,不能改变公益事业占地的土地用途。

(5)要根据级差地租形成的原则,确定参与商用建设用地增值收益分配的主体和分配比例,允许农村集体土地直接进入小城镇用地市场,并不等于土地所有者要占用全部商用建设用地增值收益;要制定商用地增值收益补偿公益事业用地收益补偿办法。

3. 正确处理进城农民与承包地和宅基地的关系

(1)保留进城落户农民的土地承包权利,并鼓励转让承包地使用权。

(2)集中使用农民住宅用地指标,允许进城农民利用原有宅基用地按一定折算标准转换城镇住宅用地;结合自然村合并和新村建设及小城镇商品房开发,逐步对分散的农村居民点进行搬迁改造,退宅还田。

二、加强土地管理促进小城镇健康发展

发展小城镇,是带动农村经济和社会发展的大战略,是推进我国城镇化的重要途径,也是集约用地和保护耕地的有效途径。

但是,在目前小城镇建设中,一些地方存在着布局过于分散、土地利用粗放、违法使用土地、损害农民合法权益等问题。根据国土资源部下发的《关于加强土地管理促进小城镇健康发展的通知》(国土资发[2000]337号)中的规定:在保护耕地和保障农民合法权益的前提下,应妥善解决合理利用城镇建设用地,具体包括:

1. 严格执行土地利用总体规划,促进小城镇建设健康有序发展

各地在小城镇建设中,要认真贯彻"合理布局,科学规划,规模适度,注重实效"的精神,严格执行土地利用总体规划。做到县域城镇体系规划和建制镇、村镇建设规划与土地利用总体规划相衔接,建制镇和村镇规划的建设用地总规模要严格控制在土地利用总体规划确定的范围内。尚未完成县、乡级土地利用总体规划编制的,要加快编制。如果规划确需调整,必须经过法定程序。调整的规划批准后,仍必须按规划管地用地。

对已经完成县、乡级土地利用总体规划的,要优先分配农用地转用计划指标;县域范围内的农用地转用计划指标,要重点向县城和部分基础条件好、发展潜力大的建制镇倾斜。

2. 立足存量,内涵挖潜,促进小城镇建设集约用地

小城镇建设用地必须立足于挖掘存量建设用地潜力。用地指标主要通过农村居民点向中心村和集镇集中、乡镇企业向工业小区集中和村庄整理等途径解决,做到在小城镇建设中镇域或县域范围内建设用地总量不增加。

县、乡级土地利用总体规划和城镇建设规划已经依法批准的试点小城镇,可以给予一定数量的新增建设用地占用耕地的周转指标,用于实施建新拆旧,促进建设用地的集中。周转指标由省级国土资源部门单列,坚持"总量控制,封闭运行,台账管理,统计单列,年度检查,到期归还"。

要鼓励农民进镇购房或按规划集中建房,节约的宅基地指标可用作小城镇发展的建设用地指标。对于集中建房或进镇购房农户的原宅基地复耕或依法转让的,可视同履行占补平衡义务。要从严控制分散建房,严禁以小城镇建设为名建"路边店"。凡是不符合土地利用总体规划的建设项目或已确定撤并的村庄不得再增加新的建设用地。

3. 深化土地使用制度改革,充分运用市场机制配置小城镇建设用地

各地要大力推进土地的有偿使用,集聚小城镇建设资金。小城镇国有建设用地,除法律规定可以划拨方式提供外,都应以出让等有偿使用方式供地。对经营性用地要以公开、公平、公正的市场方式配置,凡可竞价的,要一律以招标、拍卖方式供应。经济欠发达地区也要从本地实际出发,对经营性用地实行有偿使用,积极推广小宗地招标、拍卖出让土地的经验。

要加强集体建设用地管理。对已经列入城市土地利用总体规划确定的建设用地范围内的集体土地,必须纳入城市用地统一管理、统一转用、统一开发、统一供应;对土地利用总体规划确定的城市建设用地范围外的小城镇集体建设用地,也要统一规划、加强管理,严格控制建单门独院住宅,提倡建单元楼。对已合法取得的集体建设用地的调整、改造,要切实保障农民的合法权益。占用农民集体的土地必须真正做到依法补偿,不得人为压低补偿费用。

4. 积极参与小城镇建设试点工作,提供优质服务

各级国土资源管理部门要积极参与小城镇建设试点工作,依法认真履行规划、管理、保护和合理利用国土资源的重要职责。对试点小城镇的建设用地要加强指导,及时研究新情况,解决新问题。要按照法定程序审批小城镇建设用地,做到依法批地、合法用地。要切实加强小城镇的土地登记工作。要加大行政执法监察力度,依法严肃查处各类违法批地、用地行为,为小城镇健康发展创造良好的用地环境。

三、小城镇建设用地管理办法

为加强小城镇建设,促进农村城镇化的进程和社会经济的全面发展,根据《中华人民共和国土地管理法》(2004 年修正)及国家、省、市有关土地管理法律、法规等的规定,将小城镇建设用地管理办法总结如下:

1. 小城镇建设开发用地管理原则

小城镇建设开发用地应当坚持"实事求是、量力而行"的方针和土地统一规划、统一征用、统一开发、统一出让、统一管理的原则,严格用地管理,做到合理、节约、依法用地。

(1)统一规划。小城镇建设用地规划应当符合土地利用总体规划和城镇建设规划,并按照有利于发展经济、有利于方便群众生活的要求,因地制宜,合理布局,发挥优势,形成各具特色的小城镇建设模式。小城镇的总体规划应能指导土地开发,详细规划应能指导土地出让。

(2)统一征地。按照小城镇建设规划,依照法律规定,由国土部门会同镇(乡)政府根据当地经济社会发展的客观需要,分期征地,并依法对被征土地的农民进行补偿和安置。

(3)统一整治开发。按照规划的要求和功能,在国土部门的指导下由镇(乡)政府组织整治开发,进行道路、排水、供电等基础设施建设,创造投资条件,由县级以上人民政府依法出让。

(4)统一出让。小城镇建设用地应实行有偿、有限期出让,对经营性用地应尽量采取招标、拍卖方式进行。土地使用权的出让、转让、出租、抵押等，按国家、省、市有关规定办理。

2. 小城镇建设用地具体管理细则

（1）凡在小城镇投资建设需要征用土地的实行统一规划、政府统征、确定基价、分档批租、统一管理。按照小城镇土地利用总体规划和小城镇建设规划，由小城镇政府或市、县政府统一定价征用，实施基础设施建设，再开发整理后，根据产业性质、投资规模、用地区位、代征道路等因素分类确定地价，优惠出让给企业。

（2）凡在小城镇内投资办企业符合租赁使用土地条件的，新征用地交清了土地征用补偿费后的企业生产项目用地，使用原划拨国有土地使用权的生产经营用地，可对企业用地实行年租制，企业按年度交纳土地租金。

（3）小城镇规划区内投资企业依法取得的出让土地，在使用期限内，拥有使用权、收益权、处分权，可依法转让或抵押。

（4）小城镇外企业兼并小城镇内使用国有土地的企业，其土地一律按划拨方式供给，将原企业土地划拨给新企业使用，用途不变。如需改变用途或收购小城镇内企业使用国有土地时，其地价评估费按标准的30%收取，土地出让金最低按地价10%收取。

（5）凡投资小城镇办高新技术产业、现代化农业、生态环境保护与建设工程项目的，使用存量土地的按标定地价10%收取出让金，新征建设用地的土地出让金按征地总费用的10%收取。

（6）投资一般性工业项目、旅游项目，对小城镇相关产业具有较大促进作用的，使用存量土地的按标定地价20%收取出让金，使用新征建设用地按征地总费用的20%收取。

（7）投资房地产开发与餐饮、娱乐等营利性项目，土地供应方式一般应采取招标拍卖方式。协议出让土地，使用存量土地的，土地出让金按标定地价40%收取，使用新征建设用地的按土地征用总费用的40%收取。

投资各类工业生产项目使用国有土地也可采取租赁入股等方式。

（8）凡收购小城镇破产企业的，土地资产连同其他资产一并计入破产变现资产,土地按出让方式签订出让合同后,土地出让金可首先用于安置职工。

(9)凡各项小城镇建设用地出让后一次性交清出让金的,可按出让金总额的 5% 予以优惠,返还给用地者。

(10)以租赁方式使用小城镇内国有土地的,可根据投资额的多少,免交一定年限的土地租金。投资 500 万元以上免交一年,1 000 万元以上免交两年,3 000 万元以上免交三年。

(11)鼓励小城镇建设改造利用国有存量土地,小城镇内使用国有土地的单位及个人可将使用的国有土地按标定地价作价入股,参与小城镇开发建设,与来小城镇的投资者合作、合资办企业,其土地使用权股份与其他股份享有同等权利。也可先将其土地使用权投入小城镇建设,待土地拍卖招标后,用收取的地价款对其投入小城镇建设的土地予以地价适当补偿。

(12)小城镇建设征占用农村集体土地,土地管理部门应超前服务,积极办理农地转用和用地审批手续。涉及将农用地转为建设用地,应依法分批次办理批准手续。对支付土地出让金有困难的可采取租赁、入股方式使用土地。对租用农村集体土地办企业的,可按建设占地办理用地手续。市县国土管理部门要从规划选址、安置补偿、代办报批、建设环境到竣工验收全面负责。对一切危害小城镇建设正常用地行为和对未批先占、批少占多等违法行为要坚决依法查处。

(13)推行土地置换和新增耕地指标折抵政策,切实解决乡镇企业发展用地。小城镇建设征、占耕地后,需开垦补充耕地保持占补平衡。其补充耕地及占补平衡可在小城镇域内进行,域内无法平衡的可在市域内平衡。造地方案审查及补充耕地验收由市、县国土管理部门负责。

(14)小城镇建设用地征地补偿费依照《中华人民共和国土地管理法》(2004 年修正)第四十七条的规定办理,并按照基准地价进行控制,以降低征地总费用。

(15)允许农村集体经济组织将小城镇规划区内的工业用地出租给投资者兴办企业或自建厂房招商、自建市场或自建商业用房出租经营,其用地按集体建设占地审批。

(16)对小城镇建设用地收取的出让金留县部分,县、镇可按四六分成。留小城镇的出让金,专款用于小城镇基础设施建设,不得挪作他用。

(17)鼓励农村集体经济组织将土地使用权以出资入股等方式参与经济建设,在完善农用地转用手续和耕地占补平衡的基础上,用地项目可按占用方式进行报批。

(18)小城镇建设试点镇可设立国土管理分局,为所在县国土管理局派出机构。

第三节　小城镇建设节约用地

人多地少是我国的基本国情,随着城镇化进程的加快,土地资源越来越紧缺,人与土地、小城镇建设与土地资源保护的矛盾日益突出。据有关方面预测,我国人口在 2030 年将可能达到 16 亿,同时人均耕地将不足 $0.1\ hm^2$,仅为世界人均水平的 3%。因此,在"资源节约型环境友好型"小城镇规划、设计和建设中一定要切实贯彻节约集约用地的方针,做到"积极发展、量力而行、依法用地、保护耕地",真正把我国的小城镇建设成为"资源节约型环境友好型"的小城镇。

一、节约用地的概念

所谓"节约集约"利用土地资源,就是怎样最为有效地利用土地资源,用最低的资源成本投入,最大限度地满足社会经济发展与生态环境建设的需要。"节约"用地是从保护土地资源角度,通过政策措施和技术手段,减少对土地资源造成不可逆的消耗,强调用地的效果。"集约"用地则是从人类经济活动角度,通过增加各种要素投入、优化土地资源结构、合理安排开发时序等措施,提高土地利用的集约化程度强调用地的方式。节约集约用地都基于土地的"有限性",着眼于经济社会发展的"无限性",都是缓解人地、发展与用地矛盾不可或缺的重要手段和途径。

二、节约集约利用土地的必要性

(1)节约集约用地是"资源节约型环境友好型"社会建设综合配套改革实验的重要内容。国务院 2008 年 1 月下发的《关于促进节约集约用地的通知》(2008 年 3 号文件),充分体现了国家对土地资源管理特别是耕地保护的坚强决心,是在解决"农村、农业和农民"问题,特别是解决小城镇建设中发展与保护的关系,对各项建设实行最严格的土地管理制度的纲领性文件。"资源节约型环境友好型"小城镇建设要充分认识节约集约利用土地资源的必要性和紧迫感,增强节约集约用地的责任感,在小城镇的规划、设计、建设和管理各个环节中,以强烈的责任感,切实转变用地观念,科学规划和安排各项建设用地,以取得节约集约用地的最佳效益,努力实现经济社会又好又快的发展。

(2)节约集约用地是固守 1.2 亿 hm^2 耕地红线的根本途径,是一项神圣的历史使命。土地是人类赖以生存和发展的基础,土地问题对广大农村和农民来说是人命关天的大问题。我国虽然拥有 960 万平方公里的国土,和美国的国土面积基本相当,但人口大约为美国的 4.4 倍,而且我国国土中有约 66% 的是丘陵山地,一些地区盲目模仿欧美模式,使用所谓"大手笔"建设小城镇就等于犯罪。根据国土资源部 2006 年度全国土地资源变更调查资料,我国现存耕地面积为 1.218 亿 hm^2,人平均耕地仅为 0.093 hm^2,还不到世界平均水平的 40%。其中北京、上海、天津、浙江、福建和广东 6 省市的人平均耕地还不足 0.06 hm^2,全国有 20 个以上县区人均耕地低于 FAO 联合国粮农组织确定的 0.053 hm^2 的警戒线。

(3)节约集约用地可缓解土地供需中的各种复杂矛盾,是小城镇经济社会又好又快发展的科学举措。我国已进入城镇化快速发展阶段,积极发展小城镇对加快我国城镇化进程意义重大。但由于粗放发展思维的影响,小城镇建设普遍存在着盲目追求占地规模,修宽大马路,建设超标准广场,以及由此引发一些企业和居民建房时的乱占乱建现象。小城镇建设节约集约利用土地,不能一刀切,要利于大力扶持和培植农村特色产业,精打细算规划好基础服务设施用地,把有限的资源、财力和物力用于服务设施建设,为推进农村城镇化,提高居民的生产、生活工作环境质量发挥重要作用,最大限度地让有限的土地资源实现最大的效益,从而缓解土地供需矛盾,达到减少土地投入、避免土地资源浪费的现象发生,提高小城镇建设和发展农业用地的合理布局,提高小城镇的集聚程度。

(4)节约集约用地要强化用地制度管理,是促进农村经济结构调整,转变增长方式的有效手段。经济结构调整和经济增长方式的转变,是"两型"社会建设综合配套改革实验的一项崭新的战略任务,就是要以科学发展观为指导,从根本上把粗放发展时期产生的"高资源耗费,高能源消费,高污染排放,低经济效益"的生产方式,转变为"低资源耗费,低能源消费,低污染排放,高经济效益"的科学增长方式,在这样的转变中,尤其要最大限度地发挥土地资源的效益。土地资源作为人类生产和生存的重要物质基础之一,其利用水平的高低,利用方式的科学合理与否,是小城镇规划设计水平的重要内容之一,也是衡量一个小城镇是否"资源节约"和"环境友好"的重要标志。转变土地利用方式,节约集约用地,仅有科学的规划和设计是不够的,还必须依靠制定政策,建立健全管理规章制度,从组织上加大对土地的管理和约束,促进小城镇经济结构调整,确保农村经济的增长方式的转变。

(5)节约集约用地是"两型"小城镇规划编制的重点内容之一。小城镇建设规划是"两型"小城镇建设、管理和加强农村土地资源管理的重要依据,是实施最严格的土地资源管理制度的基础。当前一个不容忽视的严重问题,就是国土资源部门和城乡建设规划管理部门工作不够协调,土地保护规划与小城镇建设规划的矛盾非常突出。前者从保护土地资源角度,以严格控制使用土地为主,把有计划使用土地作为部门工作的出发点。后者则过于强调城镇规划建设的"前瞻性"或"超前性",强调速度和规模效应,迎合政府或某些领导的"意愿"。例如,一些地方出现的"宽马路"、"大广场"、"大院子"等,在建设布局上的"松"、"散"、"全"等,还有"不批先用"、"少批多用"等,就是最好的例证。实践经验证明,由县(市)政府或主管领导统一协调指挥,国土资源部门和城乡规划建设管理部门必须通力合作,必须坚持国家的方针、政策,结合小城镇建设的近期、中期和长远期发展的实际,把"节约集约"用地作为规划设计的重点内容,各级领导带头尊重规划的法律地位,正确引导土地的科学合理利用,发挥有限土地利用的最大效益。

三、小城镇建设与节约用地的关系

针对不同情况,小城镇建设与节约用地的关系有两个方面,一方面,相对大城市用地而言,小城镇建设多占用了土地;另一方面,相对农村村庄用地而言,小城镇建设又会节约用地。

1. 相对大城市用地而言,小城镇建设会多占用土地

随着城镇化的发展,城镇用地呈现增加的趋势,由此造成耕地数量的减少。根据 1978—1994 年 16 年间全国有关统计资料表明,城镇化水平每增加 1 个百分点,可使耕地减少 41 万 hm^2。在国际上日本和韩国乃至我国的台湾地区在实现城镇化过程中每年耕地面积递减率为 1.2%～1.4%。但发展小城镇相对发展大城市而言,小城镇建设会占用更多的土地。根据《中国城市统计年鉴》(1997 年)资料整理,将 1996 年全国 666 个城市按人口分组,由小城市到超大城市依次是 20 万以下、20 万～50 万、50 万～100 万、100 万～200 万、200 万以上,其人均用地依次为 131.6 m^2、105.3 m^2、99.0 m^2、86.2 m^2、66.2 m^2,说明城市越大,其人均用地越少,小城市(20 万以下)的人均用地是超大城市(200 万以上)的 2 倍。与此同时,按国家建设部门统计资料计算,1996 年我国小城镇人均用地 145.9 m^2,分别为小城市、中等城市、大城市、特大城市和超大城市的 1.1 倍、1.4 倍、1.5 倍、1.7 倍和 2.2 倍。大城市土地资源紧缺,人地关系矛盾突出,房价地价很高,这一特征决定了大城市发展必须提高土地开发强度,增加容积率,同时大的经济实力和技术力量也能建造大量的高层建筑,从而达到降低开发成本增加土地产出率的目的。1998 年,我国城市的平均容积率为 0.34,而上海、北京、重庆、沈阳、深圳、福州等市的容积率达 0.5～0.6,显著高于其他类型的城市,从而节约更多的用地。1998 年,全国 36 个区域中心城市(区域中心城市指一个较大区域范围内具有综合职能的政治、经济、文化中心。除了北京、上海、天津、重庆 4 个直辖市和大连、宁波、

厦门、青岛、深圳计划单列市之外,还包括省会城市和自治区的首府,共 36 个。其数量虽少,因绝大多数都是经济实力雄厚、区域辐射力强的大城市,建成区面积大,它们的用地水平对全国城市人均用地面积具有重要的影响)人均建设用地 83.6 m²,比全国城市同期人均建设用地面积低 20 m²。其中最低的沈阳市为 56.5 m²/人;人均 70 m² 以下的城市还有南京、武汉、重庆、济南、深圳;北京、天津、青岛的人均用地面积也低于 80 m²。此外,上海 1990 年人均用地水平只有 32.1 m²,是当时我国内地人均用地最少的城市。

因此,就人均用地而言,特大城市用地最集约,城市越小,用地越粗放。这是因为人口越密集,经济效益越高,土地的产出率也越高,地价随之上升,导致土地利用的集约化。若单纯从节约用地考虑,不宜过多发展小城镇,应当加速发展大城市。特别是长江三角洲地区和珠江三角洲地区,人口密度密集,无论是大城市,还是小城市周围都是良田沃土,选择把多数城镇人口集中在大城市里,还是分散在广大小城镇里? 从节约用地角度来说,结论是不言而喻的。但是决定我国城市发展和布局方针的因素是多方面的,不能单就人均用地这一因素来确定。由于我国人口众多,特别是农村人口众多,且大城市人口压力已经较大,吸纳农村人口的能力有限,兴建大城市既受多种因素制约,又对解决农村人口城镇化的程度有限。因此,从我国国情出发,中央提出"小城镇,大战略",把发展小城镇作为发展我国城镇化的重要途径。

2. 小城镇建设对节约用地也有积极的正面效应

(1)通过发展建设小城镇,可使小城镇基础建设和生活服务设施用地统一规划安排,避免分散重复建设,节约土地资源。

(2)节约乡镇企业用地。我国大多数乡镇企业是以原来的自然村落为依托发展起来的,具有明显的地域属性,它们零散地分布于农村,占地面积大,经济效益差。通过小城镇的发展可以把乡镇企业集中到小城镇,形成新的工业小区,可以共用基础设施,降低建设成本,改善企业生产的基础条件,这不仅可以改变当前乡镇企业"村村点火,家家冒烟"的分散格局,而且可使乡镇企业废物的统一排放和综合治理得到实现,避免乡镇企业因分散无序造成大面积的环境污染和生态恶化,同时可以腾出在农村中占用的土地,用于农业生产。根据江苏省昆山的调查,乡镇企业相对集中、连片发展后,可以节约5%～10%的用地和10%～15%的基础设施资金。

(3)通过发展建设小城镇,提高农民生活水平,改善农民生活方式和居住方式,由宅院式向多层楼房式发展,大大减少居住用地数量。小城镇的发展使得人均住房建设用地面积大大减少,节约了大量的土地资源。理论与实践证明,居民聚集的规模与人均建设用地的面积成反比,城镇规模越大,人均用地面积越少,单位土地面积的使用价值越高。按居民点的类型分析,村庄人均占地面积最大,依次是集镇、建制镇、县城,设市城市人均建设用地面积最小。如山东省建委的一项调查显示:1 000个村庄的人均建设用地为194.80 m^2,几个小城镇人均建设用地为146.15 m^2。再如,从江苏省人均占地情况来看,村庄比小城镇高出约1/3。通过发展小城镇,吸引农村人口向小城镇集中,迁村并点,可以大量节约住宅用地。以昆山为例,其镇房屋建设开发公司兴建的农民住宅楼平均每户占地5～6厘,只相当于农村建房每户3分宅基地的1/5～1/6。可见,通过发展小城镇吸纳农村人口,对节省农村宅基地,实现土地的集约化有重要意义。

在小城镇发展建设实践中,许多小城镇通过统一规划,实行"三位一体改造",达到了节约土地资源,提高土地利用效益,完善城镇基础建设,提高城镇现代化程度,改善土地资源环境等多重目标。

所谓"三位一体改造",就是在小城镇规划建设中,统一规划布局村和镇,并同乡镇企业改造、自然村庄的合并改造相结合。其具体做法是:第一,在建设与完善镇基础建设的基础上,将各村乡镇企业集中于小城镇周围开辟的"工业小区";第二,在集中乡镇企业的同时,将零散的自然村庄进行合并改造,将村庄集中在新建的"农民新村",并将原宅基地复耕还田,增加耕地面积;第三,重点建设集镇,特别是建制镇,在改造旧镇区的同时,相对集中建设新居区,安置进镇农民,使镇区人口相对集中,加快农村城镇化进程。"三位一体改造"实际上是通过土地整理,实现合理、节约利用土地,加快小城镇建设,促进城镇化发展的目的。

　　这种"三位一体改造"模式在全国各地都有不同形式的存在。如湖北襄阳市襄阳区黄渠河镇依托小城镇建设,在城镇规划区内建设居住小区,将一些村庄整个搬入集镇,黄渠河村 10 组 100 户人家,原占宅基地 16.67 hm²,搬迁到集镇后,新建宅基地仅 4.67 hm²,腾出土地 12 hm²,复耕为农田。芜湖市大桥镇,在城镇规划区内新辟工业小区,采取以地换地的形式,让其他村庄的企业进驻工业小区,腾出了企业原来的用地复耕,既节约了土地,也发挥了企业的集聚效益。

　　所以,由于小城镇人口密度的提高,人均用地较农村少,加上生产和居住较为集中,将会产生聚集效应,有利于合理利用土地,提高土地利用集约水平,节约大量土地资源。同时,小城镇建设有利于小城镇镇区土地及周边农地价格的增值,地价水平的大幅度上升也提高了土地使用者节约用地的积极性。

　　当然,发展小城镇是否节约土地,一方面要搞好规划,在积极发展小城镇的同时,就要严格控制小城镇的人均用地标准,从一开始就要引导小城镇走集约利用的道路,只有这样才有利于合理控制小城镇的总用地规模,达到节约用地的目的;另一方面,还决定于进镇农民的原宅基地和进镇企业原用地是否能复耕或农用。只要处理好有关问题,特别是农村宅基地和房屋的产权问题,考虑农民的利益,解决好进镇农民生活、就业和社会保障等问题,使进镇农民的农村居住点旧宅基地和进镇企业原用地复耕或农用,就可以节约更多的土地。

　　因此,怕失去土地或耕地而不搞城镇化,对经济社会发展肯定是得不偿失的,但不顾我国耕地资源状况去进行城镇化也不符合中国国情。我们要一手节约用地,保护耕地,一手发展城镇化。

四、小城镇建设节约用地的途径

　　在小城镇和村庄规划设计中,应当贯彻合理用地、节约用地的原则。规划工作者必须加强节约用地的意识,将其贯彻到规划的各个阶段的每个环节之中。要根据国家和地方的有关政策、技术标准和规范等规定,在合理用地的前提下,将节约用地的各项措施结合实际情况,因地制宜地灵活运用到各个规划阶段内容的细部。

1. 编制县(市)域城镇体系规划是各县(市)规划建设小城镇工作序列中依据性的重要环节

要拟定符合我国国情和各地实际的城镇化进程和规划目标,逐步发展形成合理的城镇体系,引导各项产业的协调发展和人口的合理分布。小城镇虽属于城市范畴,但绝不是大中城市的简单缩小。小城镇的发展不应是以我为中心"小而全的个体",而应是"承上启下、突出特色、优势互补、协调发展的群体网络"。

在县(市)域城镇体系规划中:

(1)要提出城镇化的战略目标,确定城乡居民点有序发展的总体格局。

(2)依据城镇各自的区位条件、服务范围和各项设施的分布,选定中心镇。

(3)合理确定产业布局和发展规模,避免各自为政、规模不当。

(4)布置基础设施和社会服务设施,防止重复建设,提倡共建共享。

(5)保护基本农田和生态环境,防治污染。

合理确定各个小城镇的性质、规模、各项职能和发展方向,以促进小城镇的有序发展,实现城乡协调可持续发展的目标。避免了规模不当和重复建设,这将是建设用地和资金的最大节约。

2. 切实做好镇域村镇体系规划

科学协调土地规划与城镇规划的关系。合理安排农业用地和建设用地,做到地尽其用,做好用地管理,严格控制建设用地总量,切实保护好基本农田,维护环境生态平衡,以有利于经济、社会、环境的可持续发展。严格依据法规和各自的标准进行规划,相互协调,统筹兼顾,综合平衡,并通过实施用地检验,及时进行调整,阶段滚动修订,不断更新完善。

为支持小城镇建设的试点工作,国土资源部实行如下的政策:对完成了县、乡土地利用总体规划和小城镇建设规划符合土地利用总体规划的试点,给予一定的建设用地周转指标,封闭运转、到期归还。省级国土资源管理部门可在土地利用年度计划外列出部分周转指标,专门在小城镇建设过程中使用。

在镇域村镇体系规划中,要细致调查现状的人口分布、产业结构、资源状况、各项设施。做好规划预测:

(1)农业剩余劳动力的转移、镇域人口的增减与流向。

(2)合理确定村镇体系的层次、镇区的发展规模与村庄的合理迁并,要做好建设用地的还耕,保护生态环境,做好退耕还林、退耕还草、平垸行洪、退田还湖等。

(3)统一安排交通、供水、排水、供电、电讯、环保、防灾等基础设施和教育、文体科技、医疗卫生、商业贸易等公共服务设施,避免求大求全和重复设置。

3. 科学编制镇区总体规划,因地制宜合理布局,避免过多、过早占地

(1)细致调查分析镇区建设用地的现状和存在的问题,比较镇区发展方向的多种可能性,予以优选,合理用地。

(2)依据县(市)域城镇体系规划所定的城镇性质与规模,合理确定镇区近远期的人口规模,严格控制建设用地指标,镇区建设用地布局应与基本农田保护区规划相协调,尽量利用荒地、劣地,少占耕地、菜地、园地和林地。规划建设分期和发展过程的阶段明确,每个阶段的布局紧凑,相对完整,避免拉大架子过早占地。

4. 居住建筑的规划设计

(1)根据人口构成分别计算居住用地,合理选址,注意现状用地的挖潜,结合翻建进行调整改造。

(2)应根据不同类型住户的需求,严格控制宅基用地,合理选定住宅建筑的形式,鼓励减少分户,宜设计为一户多套、一楼多套式住宅。对于非农业户提倡建设水平分户的单元式住宅,提高建筑层数,节约建设用地。

(3)住宅建筑设计中,宜加大进深,减小每户面宽,适当增多每幢住宅建筑的单元数和户数,以利于提高建筑面积毛密度(容积率)和建筑密度。

(4)改进住宅群体的院落组合,宜采用一条巷路服务两侧住宅的组合形式。

(5)搞好旧区的改建与利用,提高居住用地的利用率。改造城镇用地中的"城中村"、"空心村"。迁村并点后的原村基本做到及时复耕或还林、还草,改变双重占地的状况。

(6)提倡住宅与商业服务等公建、无污染不扰民的小型厂房相结合,设计为底商住宅、下宅上厂或下厂上宅等综合性的建筑。

(7)住宅底层或半地下室设计为停车、储藏或其他附属设施等。

(8)工厂的集体宿舍不宜各厂分散建设,避免工厂用地的扩大且不利于工厂的管理和职工的休息。应结合住宅区、公建区成片进行公寓建设,以适应环境优化及人口转化的需求。

5. 公共建筑的规划设计

(1)公共建筑的用地面积指标应严格符合国家标准和地方标准。

(2)提倡公共建筑的多功能组合设计,性质相近的项目建成综合楼,提高建筑层数,统筹安排所属设施场地的综合利用,避免各单位自建小楼、圈小院、附属设施各搞一套的做法。节约用地,减少投资,增大建筑体量。

(3)集贸市场选址合理,避免盲目求大和布点过密,造成"有场无市"的浪费现象。用地的面积应按平集规模确定,非集时应考虑设施和用地的综合利用,并应妥善安排好大集时临时占用场地或部分次要道路的具体措施。

(4)部分商业服务设施,可以采用灵活设点、流动经营等方式,不必占地。

6. 生产建筑的规划设计

(1)挖掘现有生产建筑用地的潜力,适应发展预留的余地应相对集中进行布置。统一解决交通、基础设施以及环境保护等问题。

(2)在生产工艺允许的条件下,提倡设计为多层厂房。

(3)无污染不扰民的生产项目,可与住宅建筑、公共建筑结合进行设计。

(4)相同类型和协作密切的生产项目应邻近布置,利于辅助设施和服务设施的共建共享。

(5)污染严重的生产项目规划远离生活居住用地,并依据污染程度逐次布置其他项目,可以减少防护绿地的面积。

（6）可分散加工的生产项目,镇区可只设发料、验收、销售的业务门市。

各类专业户的生产用地应根据其生产内容、经营特点集中进行安排,不宜分散布置在每户宅基内,以适应发展变化,且避免经营的内容干扰居住。

7. 道路交通与环境绿化的规划设计

（1）理顺道路系统,减少过境交通穿越镇区内部,避免干扰,提高对外交通的效能。

（2）疏导河流,恢复和发挥水系的运输功能,减轻道路运输压力,又能降低运输成本。

（3）道路断面设计符合功能需要、宽度适宜。

（4）根据使用需要设置必要的广场、停车场,减少路面停车,以充分利用路面宽度。避免单一地加宽道路路面作为停车的做法。

（5）结合地形和河湖水系,充分利用不宜建筑的地段作为绿化用地。

总之,在我国当前城镇化的进程中,如何按照"布局合理、设施配套、功能齐全、交通方便、环境优美、各具特色"的目标,建设中又能体现土地、能源、用水、材料综合节约型的小城镇和村庄,这是涉及我国八成左右人口生活与生产的大事,亟待我们各行各业共同进行多方面的探索。

第四节　小城镇征地补偿安置

为贯彻落实国务院《关于深化改革严格土地管理的决定》(国发〔2004〕28号),合理利用土地,保护被征地农民合法权益,维护社会稳定,巩固土地市场治理整顿成果,进一步加强和改进征地补偿安置工作,国土资源部根据法律有关规定和国务院《关于深化改革严格土地管理的决定》精神印发了《关于完善征地补偿安置制度的指导意见》的通知,指出:

一、征地补偿标准

1. 统一年产值标准的制定

省级国土资源部门要会同有关部门制定省域内各县(市)耕地的

最低统一年产值标准,报省级人民政府批准后公布执行。制定统一年产值标准可考虑被征收耕地的类型、质量、农民对土地的投入、农产品价格、农用地等级等因素。

2. 统一年产值倍数的确定

土地补偿费和安置补助费的统一年产值倍数,应按照保证被征地农民原有生活水平不降低的原则,在法律规定范围内确定;按法定的统一年产值倍数计算的征地补偿安置费用,不能使被征地农民保持原有生活水平,不足以支付因征地而导致无地农民社会保障费用的,经省级人民政府批准应当提高倍数;土地补偿费和安置补助费合计按30倍计算,尚不足以使被征地农民保持原有生活水平的,由当地人民政府统筹安排,从国有土地有偿使用收益中划出一定比例给予补贴。经依法批准占用基本农田的,征地补偿按当地人民政府公布的最高补偿标准执行。

3. 征地区片综合地价的制定

有条件的地区,省级国土资源部门可会同有关部门制定省域内各县(市)征地区片综合地价,报省级人民政府批准后公布执行,实行征地补偿。制定区片综合地价应考虑地类、产值、土地区位、农用地等级、人均耕地数量、土地供求关系、当地经济发展水平和城镇居民最低生活保障水平等因素。

4. 土地补偿费的分配

按照土地补偿费主要用于被征地农户的原则,土地补偿费应在农村集体经济组织内部合理分配。具体分配办法由省级人民政府制定。土地被全部征收,同时农村集体经济组织撤销建制的,土地补偿费应全部用于被征地农民生产生活安置。

二、被征地农民安置途径

1. 农业生产安置

征收城市规划区外的农民集体土地,应当通过利用农村集体机动地、承包农户自愿交回的承包地、承包地流转和土地开发整理新增加的耕地等,首先使被征地农民有必要的耕作土地,继续从事农业生产。

2. 重新择业安置

应当积极创造条件,向被征地农民提供免费的劳动技能培训,安排相应的工作岗位。在同等条件下,用地单位应优先吸收被征地农民就业。征收城市规划区内的农民集体土地,应当将因征地而导致无地的农民,纳入城镇就业体系,并建立社会保障制度。

3. 入股分红安置

对有长期稳定收益的项目用地,在农户自愿的前提下,被征地农村集体经济组织经与用地单位协商,可以以征地补偿安置费用入股,或以经批准的建设用地土地使用权作价入股。农村集体经济组织和农户通过合同约定以优先股的方式获取收益。

4. 异地移民安置

本地区确实无法为因征地而导致无地的农民提供基本生产生活条件的,在充分征求被征地农村集体经济组织和农户意见的前提下,可由政府统一组织,实行异地移民安置。

三、征地工作程序

1. 告知征地情况

在征地依法报批前,当地国土资源部门应将拟征地的用途、位置、补偿标准、安置途径等,以书面形式告知被征地农村集体经济组织和农户。在告知后,凡被征地农村集体经济组织和农户在拟征土地上抢栽、抢种、抢建的地上附着物和青苗,征地时一律不予补偿。

2. 确认征地调查结果

当地国土资源部门应对拟征土地的权属、地类、面积以及地上附着物权属、种类、数量等现状进行调查,调查结果应与被征地农村集体经济组织、农户和地上附着物产权人共同确认。

3. 组织征地听证

在征地依法报批前,当地国土资源部门应告知被征地农村集体经济组织和农户,对拟征土地的补偿标准、安置途径有申请听证的权利。

当事人申请听证的,应按照《国土资源听证规定》规定的程序和有关要求组织听证。

四、征地监管

1. 公开征地批准事项

经依法批准征收的土地,除涉及国家保密规定等特殊情况外,国土资源部和省级国土资源部门通过媒体向社会公示征地批准事项。县(市)国土资源部门应按照《征用土地公告办法》规定,在被征地所在的村、组公告征地批准事项。

2. 支付征地补偿安置费用

征地补偿安置方案经市、县人民政府批准后,应按法律规定的时限向被征地农村集体经济组织拨付征地补偿安置费用。当地国土资源部门应配合农业、民政等有关部门对被征地集体经济组织内部征地补偿安置费用的分配和使用情况进行监督。

3. 征地批后监督检查

各级国土资源部门要对依法批准的征收土地方案的实施情况进行监督检查。因征地确实导致被征地农民原有生活水平下降的,当地国土资源部门应积极会同政府有关部门,切实采取有效措施,多渠道解决好被征地农民的生产生活,维护社会稳定。

五、严禁"以租代征"

近年来,按照国务院的统一部署,各地深入开展以清理整顿各类开发区、园区为重点的土地市场治理整顿,有效地遏止了一些地方乱征滥占农民集体土地的势头。但一些地方政府和部门规避法定的农用地转用和土地征收审批及缴纳有关税费,"以租代征",即通过租用农民集体土地进行非农业建设,擅自扩大建设用地规模,不落实耕地占补平衡法定义务,干扰了建设用地管理秩序,影响了国家宏观调控政策的落实和耕地保护目标的实现。为从严从紧控制建设用地总量,坚决制止"以租代征"违法违规用地行为,国土资源部下发了《关于坚

决制止"以租代征"违法违规用地行为的紧急通知》,指出:

1. 严禁"以租代征"擅自将农用地转为建设用地

根据《中华人民共和国土地管理法》(2004 年修正)第六十三条规定,除符合土地利用总体规划并依法取得建设用地的企业,因矿产、兼并等情形致使农民集体所有的土地使用权依法发生转移的外,地方政府、有关部门及单位和个人不得通过受让、租用等方式违法占用农民集体土地用于各类非农业建设。根据有关法律和国务院有关文件精神,国家允许单位和个人以租用、承包等方式使用农民集体土地用于农林开发或参与农民集体所有的"四荒地"治理开发,禁止以征收方式取得农民集体土地进行"果园"、"庄园"等农林开发。

各类开发建设活动需要占用农民集体农用地,都必须符合土地利用总体规划,纳入土地利用年度计划;用于非农业建设的,必须依法按规定办理农业用地转用和土地征收审批手续。用于农林开发的农民集体土地不得擅自改变土地用途,将农用地转为非农业建设用地。

2. 依法严肃查处"以租代征"违法违规用地行为

对擅自通过出让、转让或者出租等方式将农民集体土地用于非农业建设的单位和个人,应依据《中华人民共和国土地管理法》(2004 年修正)第七十六条、第八十一条的规定追究法律责任;非法批准"以租代征"用地项目的国家机关工作人员,依照《中华人民共和国土地管理法》(2004 年修正)第七十八条追究法律责任。涉及违法占用基本农田和耕地的,应依法从重处罚;涉嫌犯罪的,应移送司法机关追究刑事责任。

依法对"以租代征"违法违规用地行为处理后,确需补办用地手续的建设项目,必须附具对违法违规案件和有关责任人的处理意见及落实情况,征地补偿费用、耕地开垦费按违法用地期间最高标准支付和缴纳。有关地方要做好群众工作,依法保护农民集体和农户的合法权益,维护社会稳定。

第四章 小城镇房地产管理政策法规

房地产业是拉动小城镇建设的被动型主导产业。所以,房地产业的发展对小城镇建设,对区域经济的增长,有着重要的作用。小城镇房地产开发是小城镇建设的重要组成部分,它不仅可以为人们的生产生活提供基本的物质保障,还可以带动相关产业部门的发展。

第一节 小城镇房屋拆迁管理

房屋拆迁是国家在征用或回收国有土地的过程中发生的一种社会现象。城市房屋拆迁,是指在城市规划区内国有土地上实施的房屋拆迁,当符合以上条件,并需要对被拆迁人补偿、安置的,适用《国有土地上房屋征收与补偿条例》进行。城市房屋拆迁必须符合城市规划,有利于城市旧区改造和生态环境改善,保护文物古迹。国务院建设行政主管部门对全国城市房屋拆迁工作实施监督管理,县级以上地方人民政府负责管理房屋拆迁工作的部门对本行政区域内的城市房屋拆迁工作实施监督管理。

一、房屋拆迁的法律特征

房屋拆迁由具有拆迁资格的拆迁人对现有房屋及其他地上建筑物进行拆除,并依法对房屋所有权人及房屋使用权人给予经济赔偿的行为。房屋拆迁实际上包括两种情况,一种是城市国有土地上房屋及其他建筑物的拆迁;另一种是在征用土地的过程中发生的对农村居民住宅的拆迁。因后者属于土地征用过程中发生的社会关系,《中华人民共和国土地管理法》(2004 年修正)已作了相应规定,这里的房屋拆迁仅指城市规划区内国有土地上的房屋拆迁。

房屋拆迁是在特定条件下发生的一种法律行为,具有以下几个特征：

1. 房屋拆迁具有强制性

因为拆迁行为发生的前提是城市建设发展的需要，是城市规划实施的要求，它体现的是社会公共利益、国家整体利益和人民长远利益的要求，作为土地使用者的被拆迁人为此做出牺牲是必要的，他们既是某种利益的牺牲者，同时也是城市建设未来的受益者。在城市发展的过程中，这种利益冲突和调整是不可避免的。因此，拆迁行为的发生，不以被拆迁人同意为前提，具有明显的强制性。否则，城市建设和发展就难以进行，城市人民的生产生活条件就难以得到改善。从整体利益和长远利益出发，被批准列入拆迁范围的房屋所有权人和使用权人必须服从城市发展建设的需要。

2. 房屋拆迁必须经过人民政府依法批准

房屋拆迁实质上是对土地资源占有使用关系的重新调整，是资源使用利益的重新分配。它直接关系到被拆迁人的切身利益和他们财产权利的保护。所以，这种具有强制性的行为不能是任意的。从拆迁主体的确定到拆迁行为的实施都必须依法进行。按现行《国有土地上房屋征收与补偿条例》的规定，房屋拆迁必须经过人民政府依法批准后，由具有法定资格的拆迁人来承担，并在房屋拆迁主管部门的管理监督之下进行。未经人民政府依法批准，未取得拆迁权，任何单位和个人都不得进行房屋拆迁。

3. 房屋拆迁的条件是对被拆迁人给予合理的补偿

尽管房屋拆迁的前提是城市建设发展的需要，是社会公共利益和长远利益的要求，但房屋拆迁的直接后果是被拆迁人享有所有权或使用权的房屋被拆除，其价值和使用价值随之消灭。这意味着被拆迁人财产的损失和居住条件的改变。因此，他们在服从需要的同时，应该获得合理的补偿。有关补偿的范围、标准和方式，国家有关法规都做了明确的规定。拆迁人在进行房屋拆迁时，必须依法对被拆迁人所受的损失给予补偿，使他们生产、生活能够正常进行，这是房屋拆迁得以实现的基本前提和条件。

二、房屋拆迁许可制度

所谓房屋拆迁许可制度,即任何单位和个人因自身建设或接受委托实施房屋拆迁行为,都必须持国家法律规定的批准文件、拆迁计划和拆迁方案,向县级以上人民政府房屋拆迁主管部门提出拆迁申请,经其审核批准后,发给房屋拆迁许可证,方可进行房屋拆迁。拆迁许可证是拆迁人享有拆迁权的法律凭证。未依法获得房屋拆迁许可证者,不得实施房屋拆迁行为。

1. 拆迁许可申请

拆迁人在申请拆迁许可证时,应向房屋拆迁主管部门提交以下文件:

(1)建设项目立项批准文件,即国家规划行政主管部门批准的项目建议书或者计划任务书。

(2)国有土地使用的批准文件。

(3)建设用地规划许可证。

(4)拆迁人制作的拆迁计划和拆迁方案。其主要内容包括:拆迁范围,对房屋所有权人和使用权人进行补偿、安置的设想,拆迁补偿费、补助费的预算,拆迁期限及临时周转房的准备情况等。

(5)办理存款业务的金融机构出具的拆迁补偿安置资金证明。

2. 拆迁许可审查

拆迁主管部门对申请人所提供的文件经过认真审查,确认该拆迁申请具有合法性、合理性和可行性后,方可向房屋拆迁申请人核发房屋拆迁许可证。在发放房屋拆迁许可证时,应将房屋拆迁许可证中载明的拆迁人、拆迁范围、拆迁期限等事项,以房屋拆迁公告的形式予以公布。对于不符合法定要求的拆迁申请,根据情况要求拆迁申请人进行补充或修正,或者不核发房屋拆迁许可证。

三、房屋拆迁主管部门的权利和义务

房屋拆迁主管部门依法对房屋拆迁行为享有监督管理权,并在法定范围内履行相应的义务。

(1)拆迁许可证一经发放之后,房屋拆迁主管部门就应及时向拆迁范围内的被拆迁人公告,宣布拆迁决定,及时将拆迁人、拆迁范围、搬迁期限以及其他需要被拆迁人了解的有关情况,告知被拆迁人。通过宣传、解释工作,使被拆迁人了解国家的拆迁法规,明确其所享有的权利和应履行的义务,以便取得被拆迁人的支持和配合,减少拆迁工作的阻力,为拆迁工作的顺利进行创造条件。

(2)房屋拆迁许可证核发后,房屋拆迁主管部门要通知房屋拆迁所在地的公安部门冻结户口,暂停向拆迁范围内迁入居民户口和居民分户。暂停办理的书面通知应当载明暂停期限,暂停期限最长不超过一年;拆迁人需要延长暂停期限,必须经房屋拆迁管理部门批准,延长暂停期限不得超过一年。

(3)在房屋拆迁过程中房屋拆迁主管部门应当对房屋拆迁活动进行检查,并在履行职责时,负有为被检查的当事人保守技术和业务秘密的义务。

(4)房屋拆迁主管部门应建立、健全拆迁档案制度,加强对拆迁档案资料的管理。

(5)房屋拆迁主管部门对房屋拆迁中经协商不能达成补偿、安置协议的,经当事人申请有权进行裁决。被拆迁人是批准拆迁的房屋拆迁主管部门的,由同级人民政府裁决。

以上是房屋拆迁主管部门依法享有的拆迁管理权的主要内容,同时也是其法定的职责和义务。拆迁人和被拆迁人均应服从拆违管理,任何一方不服从管理,做出违法行为都将承担法律责任。

四、房屋拆迁补偿

2011 年 1 月 19 日国务院第 141 次常务会议通过《国有土地上房屋征收与补偿条例》,规定:

(1)做出房屋征收决定的市、县级人民政府对被征收人给予的补偿包括:

1)被征收房屋价值的补偿。

2)因征收房屋造成的搬迁、临时安置的补偿。

3)因征收房屋造成的停产停业损失的补偿。

市、县级人民政府应当制定补助和奖励办法,对被征收人给予补助和奖励。

(2)征收个人住宅,被征收人符合住房保障条件的,做出房屋征收决定的市、县级人民政府应当优先给予住房保障。具体办法由省、自治区、直辖市制定。

(3)对被征收房屋价值的补偿,不得低于房屋征收决定公告之日被征收房屋类似房地产的市场价格。被征收房屋的价值,由具有相应资质的房地产价格评估机构按照房屋征收评估办法评估确定。

对评估确定的被征收房屋价值有异议的,可以向房地产价格评估机构申请复核评估。对复核结果有异议的,可以向房地产价格评估专家委员会申请鉴定。

房屋征收评估办法由国务院住房城乡建设主管部门制定,制定过程中,应当向社会公开征求意见。

(4)房地产价格评估机构由被征收人协商选定;协商不成的,通过多数决定、随机选定等方式确定,具体办法由省、自治区、直辖市制定。

房地产价格评估机构应当独立、客观、公正地开展房屋征收评估工作,任何单位和个人不得干预。

(5)被征收人可以选择货币补偿,也可以选择房屋产权调换。

被征收人选择房屋产权调换的,市、县级人民政府应当提供用于产权调换的房屋,并与被征收人计算、结清被征收房屋价值与用于产权调换房屋价值的差价。

因旧城区改建征收个人住宅,被征收人选择在改建地段进行房屋产权调换的,做出房屋征收决定的市、县级人民政府应当提供改建地段或者就近地段的房屋。

(6)因征收房屋造成搬迁的,房屋征收部门应当向被征收人支付搬迁费;选择房屋产权调换的,产权调换房屋交付前,房屋征收部门应当向被征收人支付临时安置费或者提供周转用房。

(7)对因征收房屋造成停产停业损失的补偿,根据房屋被征收前的效益、停产停业期限等因素确定。具体办法由省、自治区、直辖市制定。

（8）市、县级人民政府及其有关部门应当依法加强对建设活动的监督管理，对违反城乡规划进行建设的，依法予以处理。

市、县级人民政府做出房屋征收决定前，应当组织有关部门依法对征收范围内未经登记的建筑进行调查、认定和处理。对认定为合法建筑和未超过批准期限的临时建筑的，应当给予补偿；对认定为违法建筑和超过批准期限的临时建筑的，不予补偿。

（9）房屋征收部门与被征收人依照本条例的规定，就补偿方式、补偿金额和支付期限、用于产权调换房屋的地点和面积、搬迁费、临时安置费或者周转用房、停产停业损失、搬迁期限、过渡方式和过渡期限等事项，订立补偿协议。

补偿协议订立后，一方当事人不履行补偿协议约定的义务的，另一方当事人可以依法提起诉讼。

（10）房屋征收部门与被征收人在征收补偿方案确定的签约期限内达不成补偿协议，或者被征收房屋所有权人不明确的，由房屋征收部门报请做出房屋征收决定的市、县级人民政府依照本条例的规定，按照征收补偿方案做出补偿决定，并在房屋征收范围内予以公告。

补偿决定应当公平，包括本条例第二十五条第一款规定的有关补偿协议的事项。

被征收人对补偿决定不服的，可以依法申请行政复议，也可以依法提起行政诉讼。

（11）实施房屋征收应当先补偿、后搬迁。

做出房屋征收决定的市、县级人民政府对被征收人给予补偿后，被征收人应当在补偿协议约定或者补偿决定确定的搬迁期限内完成搬迁。任何单位和个人不得采取暴力、威胁或者违反规定中断供水、供热、供气、供电和道路通行等非法方式迫使被征收人搬迁。禁止建设单位参与搬迁活动。

（12）被征收人在法定期限内不申请行政复议或者不提起行政诉讼，在补偿决定规定的期限内又不搬迁的，由做出房屋征收决定的市、县级人民政府依法申请人民法院强制执行。

强制执行申请书应当附具补偿金额和专户存储账号、产权调换房屋和周转用房的地点和面积等材料。

(13)房屋征收部门应当依法建立房屋征收补偿档案,并将分户补偿情况在房屋征收范围内向被征收人公布。

审计机关应当加强对征收补偿费用管理和使用情况的监督,并公布审计结果。

五、房屋拆迁法律责任

根据《国有土地上房屋征收与补偿条例》的规定:

(1)市、县级人民政府及房屋征收部门的工作人员在房屋征收与补偿工作中不履行本条例规定的职责,或者滥用职权、玩忽职守、徇私舞弊的,由上级人民政府或者本级人民政府责令改正,通报批评;造成损失的,依法承担赔偿责任;对直接负责的主管人员和其他直接责任人员,依法给予处分;构成犯罪的,依法追究刑事责任。

(2)采取暴力、威胁或者违反规定中断供水、供热、供气、供电和道路通行等非法方式迫使被征收人搬迁,造成损失的,依法承担赔偿责任;对直接负责的主管人员和其他直接责任人员,构成犯罪的,依法追究刑事责任;尚不构成犯罪的,依法给予处分;构成违反治安管理行为的,依法给予治安管理处罚。

(3)采取暴力、威胁等方法阻碍依法进行的房屋征收与补偿工作,构成犯罪的,依法追究刑事责任;构成违反治安管理行为的,依法给予治安管理处罚。

(4)贪污、挪用、私分、截留、拖欠征收补偿费用的,责令改正,追回有关款项,限期退还违法所得,对有关责任单位通报批评、给予警告。

(5)房地产价格评估机构或者房地产估价师出具虚假或者有重大差错的评估报告的,由发证机关责令限期改正,给予警告,对房地产价格评估机构并处5万元以上20万元以下罚款,对房地产估价师并处1万元以上3万元以下罚款,并记入信用档案;情节严重的,吊销资质证书、注册证书;造成损失的,依法承担赔偿责任;构成犯罪的,依法追究刑事责任。

第二节　小城镇房地产开发管理

改革开放以来,社会飞速发展,人民生活水平不断提高,房地产开发作为房地产业的重要组成部分,也获得了长足的发展,现已成为我国城市建设和商品房生产的主要形式。

房地产开发是根据城市总体规划和社会经济发展计划的需要,在一定的区域内有计划有步骤地进行土地开发和建筑物建设。

一、房地产开发管理立法状况与立法原则

(一)房地产开发管理立法状况

房地产法是调整房地产所有权人之间、房地产所有权人与非所有权人(包括房地产使用人、修建人、管理人等)之间在房地产开发经营、房地产交易(包括房地产转让、房地产抵押和房地产租赁)、房地产权属、房地产管理等过程中发生的各种关系的法律规范的总称。房地产法有广义与狭义之分。广义的房地产法是指对房地产关系进行调整的所有的法律、法规、条例等的总称。它包括宪法、民法、经济法中有关调整房地产的条款以及土地管理法、城市规划法、城市房地产管理法等普通法的规定以及房地产行政法规、部门规章等。狭义的房地产法是指国家立法机关即全国人民代表大会制定的对城市房地产关系做统一调整的基本法律,即《中华人民共和国城市房地产管理法》(2007年修正)。

新中国成立后,我国的房地产开发大体可以分为以下三个阶段:

1. 第一阶段:1949—1978年的房地产法的立法状况

(1)1949年10月1日新中国成立后至1956年国民经济恢复时期。新中国成立初根据《中国人民政治协商会议共同纲领》,国家对属于地主、官僚资本家、反革命、战犯、汉奸及国民党政府的房地产分别采取了接管、没收、征收、征用的政策,中央人民政府1949年颁布了《公房公产统一管理的决定》;1950年的《中华人民共和国土地改革

法》、《土地改革中对华侨土地财产的处理办法》、《城市郊区土地改革条例》、《关于填发土地房产所有证的指导》、《内务部土地政策司对目前城市房产问题的意见》;1951年政务院公布的《城市房地产税暂行条例》、《关于没收战犯、汉奸、官僚资本家及反革命分子财产的指示》;1953年政务院公布的《国家建设征用土地办法》和1955年《农业合作化示范章程》等。

(2)20世纪50年代后半期到"文化大革命"前。1956年《关于目前城市私有房产基本情况及进行社会主义改造的意见》,通过付给房主租金对私房改造,通过对私营企业所占用的土地由国家赎买收归国有的形式,使城市土地成为以公有制为主体,从而从根本上确立了城市房地产的社会主义公有制。1961年对私房改造的政策性文件《关于加速城市私人出租房屋社会主义改造工作的联合通知》、1963年《关于对华侨出租房屋进行社会主义改造问题的报告》;1964年《关于私有出租房屋社会主义改造问题的报告》、《关于对港澳同胞出租房屋进行社会主义改造问题的报告》及1965年《关于私房改造中处理典当房屋问题的意见》等。这些意见、报告、通知等无疑对私房的社会主义改造起了政策性的指导作用。

(3)1966—1976年十年"文化大革命"时期。"文革"期间,由于极左思潮的影响,整个国家的法制建设遭到极大破坏,城市房地产管理也处于极度混乱之中,许多城市私房被非法接管、没收,公房被强占、破坏。在相当长的一段时间里,房地产立法陷于停顿状态,不仅没有建立新的房地产管理制度,原有的管理制度也遭到很大的破坏,严重阻碍了我国房地产市场的形成与发展。"文化大革命"中由于极左思想的影响及政策的混乱,造成了许多房产纠纷,特别是非法挤占没收私人房产情况严重。

这一阶段的房地产法的立法特点包括:第一,这时期房地产立法主要是以部门规章、党的政策的形式出现;第二,确立了城市土地为国家所有,农村土地归集体所有的原则,彻底消灭了土地私有制。土地供给由行政划拨;土地的经济价值不被承认。城市住房实行非商品化;第三,立法数量过少;立法程序混乱,缺乏民主性;立法层次较低,缺乏科学性、规范性。

2. 第二阶段:1979—1994 年的立法状况

(1)复兴时期(1979—1988 年)。党的十一届三中全会以后,经历了几十载沉寂的房地产业开始了复苏,房地产"热"起来了。为使房地产业在生产、流通和消费等各个环节有法可依,国家加强了对房地产领域的法制建设,主要表现在:1982 年国务院颁布《国家建设征用土地条例》、《村镇建房用地管理条例》;1983 年《城市私有房屋管理条例》、《建筑税征收暂行办法》、《城镇个人建造住宅管理办法》;1984 年《城市规划条例》、《关于外国人私有房屋管理的若干规定》;1985 年《村镇建设管理暂行规定》;1986 年《中华人民共和国土地管理法》(2004 年修正)、《房产税暂行条例》、《城市维护建设税暂行条例》;1987 年《关于加强城市建设综合开发公司资质管理工作的通知》。

为了解决"文革"期间挤占、没收私人房屋问题,落实房产的政策主要有:1980 年中央办公厅转发北京市委《关于处理机关部队挤占私房,进一步落实私房政策的通知》;1982 年《关于转发〈进一步抓好落实私房政策工作的意见〉的通知》;1984 年《关于加快落实华侨私房政策的意见》;1985 年《关于城市私有出租房屋社会主义改造遗留问题的处理意见》;1986 年《关于进一步落实〈中央落实政策小组扩大会议纪要〉的补充意见》;1987 年《关于落实华侨私房政策的补充意见》、《关于进一步处理好城镇私房遗留问题的通知》。正式处理国家代管房产是1983 年开始的;1983 年《关于对国民党军政人员出走弃留的代管房产处理意见的通知》;1984 年《关于加快落实华侨私房政策的意见》;1987年《关于落实华侨私房政策的补充意见》;1991 年《关于处理去台人员房产问题的通知》。

(2)大发展时期(1988—1994 年)。1988 年全国人大通过宪法修正案,土地的使用权可以依照法律规定转让,土地有偿、有期限使用制度得以建立,同年全国人大通过修改《中华人民共和国土地管理法》;1989 年《中华人民共和国城市规划法》、《城市危险房屋管理规定》、《城市毗邻房屋管理规定》;1990 年《城市房屋产权产籍管理暂行办法》、《中华人民共和国城镇国有土地使用出和转让暂行条例》、《外商投资

开发经营成片土地暂行管理办法》、《城市房屋拆迁单位管理规定》;
1991年《中华人民共和国城镇国有土地使用权出让和转让暂行条例》、
《城市房屋修缮管理规定》;1992年《商品住宅价格管理暂行办法》、《关
于处理原去台人员房产问题的实施细则》、《公有住宅售后维修养护管
理暂行办法》、《工程建设国家标准管理办法》;1993年《村庄和集镇规
划建设管理条例》、《城市国有土地使用权出让转让规划管理办法》、
《城市国有土地使用权出让转让规划管理办法》;1994年7月《城市新
建住宅小区管理办法》。这一时期的房地产立法在数量和质量上是前
一时期无法比拟的。

　　这一阶段房地产法立法的特点包括:第一,随着经济体制的改革,
房地产的发展受到主管机关的高度重视,制定了大量的房地产法规、
条例、政策,尤其是1986年《中华人民共和国民法通则》、《中华人民共
和国土地管理法》,对与土地所有权、使用权、建设用地、农村建设用地
等房地产关系做出了重要规定;第二,房地产立法地位提高了。过去
我们对于房地产管理习惯于用政策和行政命令的手段,现在这一手段
已被法律、法规所取代。已颁布的法律、法规在调整人们房地产产权、
房地产开发、建设经营等市场活动中所产生的各种法律关系方面已起
了重要的调节作用;第三,房地产法调整的对象和范围不断扩大。房
地产法调整对象从开始时的房地产产权、私房买卖、租赁扩展到现在,
不仅包括原有的调整范围,而且还包括了房地产开发、建设、房地产交
易、抵押以及房地产使用、消费等新的领域;第四,房地产立法数量剧
增,司法解释大量存在,司法部出台了100多个有关房地产方面的司
法解释,部门规章健全。

3. 第三阶段:1994年至今的立法状况

　　(1)《中华人民共和国城市房地产管理法》的起草与颁布。1988年,
原建设部在调查研究的基础上,开始了着手《中华人民共和国城市房
地产法》(简称《房地产法》)的起草工作,1992年起草领导机构和起草
小组成立。1993年2月在北京召开了《房地产法》专家论证会;4月在
全国建设工作会议上,起草小组还听取了与会代表的意见;5月召开有
全国人大、国务院法制局代表参加的第二次专家论证会,并征求国务

院有关部、委的意见；7月原建设部分别向国务院法制局、全国人大财经委汇报了制定《房地产法》的进展情况，并根据汇报后提出的要求对《房地产法》又进行了修改；8月经原建设部常务会议审议形成《房地产法》送审稿。1994年7月5日经第八届全国人大会常委会第八次会议审议通过，并定名为《中华人民共和国城市房地产管理法》，自1995年1月1日起实施。

《中华人民共和国城市房地产管理法》结构严谨，体系完备，由七章七十二条组成，包括总则、房地产开发、房地产交易、房地产权属登记管理、法律责任等。该法的颁布实施，填补了我国房地产法制建设的空白，标志着我国房地产业发展已迈入了法制管理的新时期。

(2)1994年后，我国房地产方面的法律法规日臻完善，建立健全了各种房地产方面的规章制度。主要法律法规有：1994年《城市新建住宅小区管理办法》、《住宅工程初装饰竣工验收办法》、《在中国境内承包工程的外国企业资质管理暂行办法实施细则》、《在中国境内承包工程的外国企业资质管理暂行办法》、《工程建设项目报建管理办法》；1995年通过的《城市房地产开发管理暂行办法》，《城市房屋租赁管理办法》、《建制镇规划建设管理办法》、《建筑装饰装修管理规定》、《工程建设监理规定》，原建设部、公安部第49令《城市居民住宅安全防范设施建设管理规定》，经国家计委、原建设部批准颁布《城市住宅小区物业管理服务收费暂行办法》、《中华人民共和国注册建筑师条例实施细则》、《村镇建筑工匠从业资格管理办法》、《房地产广告发布暂行规定》；1996年《建筑幕墙工程施工企业资质等级标准》、《城市房地产中介服务管理规定》；1997年原建设部关于印发《提高住宅设计质量和加强住宅设计管理的若干意见》的通知、《家庭居室装饰装修管理试行办法》、《中华人民共和国建筑法》(2011年修正)；1998年《城市房地产开发经营管理条例》、《建设项目环境保护管理条例》、《中华人民共和国土地管理法实施条例》；2000年《建设工程质量管理条例》、《建设工程勘察设计管理条例》、《房地产开发企业资质管理规定》、《房产测绘管理办法》、《住房置业担保管理试行办法》；2001年《城市房屋拆迁管理条例》、《商品房销售管理办法》、《原建设部关于修改〈城市商品房预售管理办法〉的决定》；2002 年国务院公布《关于修改〈住房公积金管理条例〉的决定》、《住宅室内装饰装修管理办法》、《商品住宅装修一次到位实施细则》。其后我国又颁布了大量的行政法规、规章，鉴于篇幅有限，不一一列举。

　　这一阶段我国房地产法的立法特点包括：第一，当前大量的房地产法律关系是通过国务院颁布的行政法规，国土资源部、住房和城乡建设部等部委制定的部门规章，以条例、办法、规定、细则等形式出现，立法层次较低。享有立法权的地方人大及其常委会制定的地方性法规较多；第二，我国房地产基本法律《中华人民共和国城市房地产管理法》得以确立，相应法规日臻完善，房地产方面的各种规章制度健全。

（二）房地产开发管理立法的基本原则

　　房地产开发基本原则是指在城市规划区国有土地范围内从事房地产开发并实施房地产开发管理中应依法遵守的基本原则。依据我国法律的规定，我国房地产开发的基本原则主要有：

1. 依法在取得土地使用权的城市规划区国有土地范围内从事房地产开发的原则

　　在我国，通过出让或划拨方式依法取得国有土地使用权是房地产开发的前提条件，房地产开发必须是国有土地。我国另一类型的土地即农村集体所有土地不能直接用于房地产开发，集体土地必须经依法征用转为国有土地后，才能成为房地产开发用地。

2. 房地产开发必须严格执行城市规划的原则

　　城市规划是城市人民政府对建设进行宏观调控和微观管理的重要措施，是城市发展的纲领，也是对城市房地产开发进行合理控制，实现土地资源合理配置的有效手段。科学制定和执行城市规划，是合理利用城市土地，合理安排各项建设，指导城市有序、协调发展的保证。

3. 坚持经济效益、社会效益和环境效益相统一的原则

　　经济效益是房地产所产生的经济利益的大小，是开发企业赖以生存和发展的必要条件。社会效益指房地产开发给社会带来的效果和利益。环境效益是指房地产开发对城市自然环境和人文环境所产生

的积极影响。经济效益、社会效益和环境效益这三者是矛盾统一的辩证关系,既有联系,又有区别,还会产生冲突。这就需要政府站在国家和社会整体利益的高度上,进行综合整合和管理。

4. 坚持全面规划、合理布局、综合开发、配套建设的原则

即综合开发原则。综合开发较之以前的分散建设,具有不可比拟的优越性。综合开发有利于实现城市总体规划,加快改变城市的面貌;有利于城市各项建设的协调发展,促进生产,方便生活,有利于缩短建设周期,提高经济效益和社会效益。

5. 符合国家产业政策、国民经济与社会发展计划的原则

国家产业政策、国民经济与社会发展计划是指导国民经济相关产业发展的基本原则和总的战略方针,房地产业作为第三产业应受国家产业政策、国民经济与社会发展计划的制约。

二、小城镇房地产开发中存在的问题

1. 建筑质量低,建筑形态缺乏特色,开发档次不高

目前大部分小城镇房地产开发采用的几乎都是外延扩展的模式,布局松散,占地面积大,建筑密度低。乡镇企业的厂房间大同小异,居民住宅也多为平房和低矮的楼房。这种雷同的规划和建筑形态上的千篇一律使建筑失去了地方特色和个性,反映不出当地的地域特征、民俗民风、人文传统和历史积淀。小城镇房地产开发的投资主体是单个的乡镇企业和城镇居民,资金实力比较弱,资金分布相对分散,房地产的开发水平比较低。

2. 房地产隐形交易活跃,国有资产大量流失

房地产的隐形交易主要表现在旧城改造、合作建房、以产权换产权、房屋的私下交易等方面。在旧城改造中,部分开发部门没有经过政府的审批,办理土地有偿使用手续,私自将其改造还建后余下的城市商业门面和住宅以市场价格出售和出租给单位或个人,并没有向国家缴纳除开发成本所获收益以外的土地收益;合作建房的交易在发生过程中,不是完全照税收政策的规定形式,而是在其他表面形式如"联营"、"租赁"等掩盖下进行,这些企业不办理固定资产的转移,致使交易的进行只表现在双方协议上,产权未作转移,税款无法征收,土地资产也随之流失。

3. 小城镇房地产布局不合理,生态环境遭到破坏

小城镇土地资源使用效率普遍不高,浪费闲置现象严重:有些小城镇乡镇企业的厂房和居民住宅分散、杂乱,工业区、商业区、生活区混杂在一起,缺乏层次感;有些城镇规划滞后,管理混乱、导致乱批乱占、未批先占、耕地撂荒;许多"小散亏"乡镇企业和"大而全"的机关大院占据了镇中心区的黄金地段;许多小城镇沿过境公路开发房地产,用地结构松散,形成了公路城镇,致使基础设施和公用设施配置困难,投资过高,浪费现象严重等。

4. 物业管理落后

从小城镇管理的现状来看,居民住宅分散、杂乱,即使集中在一个住宅小区内,也普遍存在着户数少、规模小的特点,使得物业管理难以开展;城镇居民的生活水平参差不齐,物业管理费用收缴困难;住房产权多元,既有公房,也有私房,物业管理难以协调;物业管理责任不清,从业人员少,业务水平低,小城镇物业管理基本上处于一种各自为政的无序状态。

三、小城镇房地产开发的制约因素

小城镇房地产开发中存在的这些问题既有机制的原因,又有观念的原因。从总体上看,我国目前经济发展水平普遍不高,使得小城镇的发展还处于起步阶段。具体来说,主要有以下几个原因:

1. 思想观念与相关政策制度的制约

部分干部认识还不到位,没把小城镇建设提高到推进城乡一体化、拉动地方经济、增加农民收入的高度来认识。大部分农民乡土意识较重,不愿走出土地。城镇居民的素质也存在较大差距,在一定程度上影响了小城镇的健康发展。城乡分割的二元经济结构阻碍了生产要素城乡间的自由流动。农村经济的整体实力不强,使得离开农业的农民"离土不离乡"。

2. 规划滞后和建设的盲目性

我国农村城镇化的过程是一种自下而上城镇化的过程,政府的调控对小城镇的发展有着重要作用。但从我国小城镇的发展现状来看,规划严重滞后于小城镇的发展。土地利用规划滞后于小城镇建设规划,从规划的层次上讲,土地利用规划应对城镇规划起指导和约束作用。这种发展模式导致小城镇规模偏小,城镇用地粗放,其直接后果是城镇集聚功能难以完善,基础设施的投资成本过高,设施的修建难于形成规模效益,造成基础设施尤其是环境设施严重不足。小城镇规划的编制也不合理,在编制规划时缺乏科学性、预见性和超前性,使得小城镇发展的空间受到限制;各个项目用地的规划布局不合理,生活区与工业区、商业区等功能区相互混杂。

3. 小城镇房地产市场发育不完善

目前,我国正在经历计划经济体制向市场经济体制的转轨,市场特别是房地产市场的发育还很不成熟,法律法规不健全,管理体制不顺,宏观调控乏力等,房地产隐性交易活跃,削弱了政府的调控能力,在土地供给中也缺乏市场机制和相应的法律规范,从而加剧了房地产业的投机性。由于小城镇房地产市场的竞争较弱,因而还没有形成统一的市场体系和合理的价格标准,房地产价格混乱,人为因素影响大,导致了房地产交易行为不规范,房地产企业的行为缺乏约束。

4. 房地产开发投资能力不足

房地产投资不足且来源分散,这是制约小城镇房地产业发展的重要因素。从投资结构来看,国家集体的投资呈递减趋势,而个人投资所占的份额逐年增加。房地产的投资能力严重不足,特别是支持小城镇建设的中长期贷款不足,过度依靠预算外投资,且资金的运作不规范。这种状况导致了在小城镇建设初期投资不足,基础设施规模过小,而在后期规模扩张后改建的压力增大;预算外投资的主要来源是土地出让金,过度地依靠预算外投资,会导致土地价格的高抬,形成农民进城和投资开发商进入的高门槛;小城镇建设中的非规范的资金运作使得小城镇的发展难以和真正的市场机制接轨,房地产开发资金难以做到滚动开发。

四、小城镇房地产开发程序

开发商自有投资意向开始至项目建设完毕出售或出租并实施全寿命周期的物业管理,大都遵循一个合乎逻辑和开发规律的程序。一般说来,这个程序包括八个步骤,即投资机会寻找、投资机会筛选、可行性研究、获取土地使用权、规划设计与方案报批、签署有关合作协议、施工建设与竣工验收、市场营销与物业管理。当然,房地产开发的阶段划分并不是一成不变的,某些情况下各阶段的工作可能要交替进行。

上述小城镇房地产开发的八个步骤又可以划分为以下四个阶段:

(一)投资机会选择与决策分析阶段

投资机会选择与决策分析,是整个开发过程中最为重要的一个环节,类似于我们通常所说的项目可行性研究。

1. 投资机会选择

所谓投资机会选择,主要包括投资机会寻找和筛选两个步骤。

(1)投资机会寻找。在机会寻找过程中,开发商往往根据自己对某地房地产市场供求关系的认识,寻找投资的可能性,亦即通常所说的"看地"。此时,开发商面对的可能有几十种投资可能性,对每一种可能性都要根据自己的经验和投资能力,快速地在头脑中初步判断其可行性。

(2)投资地筛选。开发商经过自身的投资能力及开发经验分析,将其投资设想落实到一个具体的地块上,进一步分析其客观条件是否具备,通过与土地当前的拥有者或使用者、潜在的租客或买家、自己的合作伙伴以及专业人士接触,提出一个初步的方案,如认为可行,就可以草签购买土地使用权或有关合作的意向书。

2. 投资决策分析

投资决策分析要在尚未签署任何协议之前进行,是一个项目成败的关键,包括市场分析和项目财务评价两部分工作。

(1)市场分析。主要分析市场的供求关系、竞争环境、目标市场及其可支付的价格水平。

(2)财务评价。主要是根据市场分析的结果,就项目的经营收入与费用进行比较分析。

(二)前期工作

前期工作的内容主要包括以下几个方面:

(1)分析拟定开发项目用地的范围与特性、规划允许用途及获益能力的大小。

(2)获取土地使用权。

(3)征地、拆迁、安置、补偿。

(4)规划设计及建设方案的制定。

(5)与城市规划管理部门协商,获得规划部门许可。

(6)施工现场的水、电、路通畅和场地平整。

(7)市政设施接驳的谈判与协议。

(8)安排短期和长期信贷。

(9)对拟建中的项目寻找预租(售)的客户。

(10)对市场状况进行进一步的分析,初步确定目标市场、租金或售价水平。

(11)对开发成本和可能的工程量进行更详细的估算。

(12)对承包商的选择提出建议,也可与部分承包商进行初步洽商。

(13)开发项目保险事宜洽谈。

上述工作完成后,对项目应再进行一次财务评估。因为前期工作需要花费一定时间,而决定开发项目成败的经济特性可能已经发生了变化。所以,明智的开发商一般在其初始投资分析没有得到验证,或修订后的投资分析报告还没有形成一个可行的开发方案之前,通常不会轻举妄动。

当然,通过市场机制以招标、拍卖或协议方式获取土地使用权时,土地的规划使用条件已在有关"公告"、"文件"中列明(如容积率、建筑覆盖率、用途、限高等),但有关的具体设计方案,仍有待规划部门审批。

　　作为一条行业准则,开发商必须时刻抑制自己过高的乐观态度,并且保持一种"健康的怀疑"态度来对待其所获得的专业咨询意见。使自己既不期望过高的租金、售价水平,也不期望过低的开发成本。同时,开发商还必须考虑到某些意外事件可能导致的损失。如果开发商这样做了,即使他可能会失去一些投资机会,但也会避免由于盲目决策带来的投资失误。

　　获取土地使用权后的最后准备工作就是进行详细设计、编制工程量清单、与承包商谈判并签订建设工程施工承包合同。进行这些工作往往要花费很多时间,在准备项目可行性研究(财务评估)报告时必须考虑这个时间因素。

　　最后,在开发方案具体实施以前,还必须制定项目开发过程的监控策略,以确保开发项目工期、成本、质量和利润目标的实现。这里要做的主要工作包括:

　　(1)安排有关现场办公会、项目协调会的会议计划。

　　(2)绘制项目开发进度表,预估现金流。

　　(3)对所有工程图纸是否准备就绪进行检查,如不完备,需要在议定的时间内完成。

(三)建设阶段

　　建设阶段是开发项目建筑工程的施工过程。开发商在此阶段的主要任务转为如何使建筑工程成本支出不突破预算;同时,开发商还要出面处理工程变更问题;解决施工中出现的争议,签付工程进度款;确保工程按预先进度计划实施。

　　由于在建设阶段存在着追加成本或工期拖延的可能性,因此开发商必须密切注意项目建设过程的进展,定期视察现场,定期与派驻工地的监理工程师会晤,以了解整个建设过程的全貌。

(四)租售阶段

　　当项目建设完毕后,开发商除了要办理竣工验收和政府批准入住的手续外,往往要看预计的开发成本是否被突破,实际工期较计划工期是否有拖延。但开发商此时更为关注的是：在原先预测的期间内能否以预计的租金或价格水平为项目找到买家或使用者。在很多情况下，开发商为了分散投资风险，减轻借贷的压力，在项目建设前或建设过程中就通过预租或预售的形式落实了买家或使用者；但在有些情况下，开发商也有可能在项目完工或接近完工时才开始市场营销工作。

对出租或出售两种处置方式而言，一般要根据市场状况、开发商对回收资金的迫切程度和开发项目的类型来选择。对于居住物业，通常以出售为主，而且多为按套出售；对写字楼、酒店、商业用房和工业厂房常是出租、出售并举，但以出租为主。

虽然租售阶段常常处于开发过程的最后阶段，但租售战略是可行性研究的一个重要组成部分。且市场营销人员一开始就作为开发队伍当中的一部分来进行工作，不管营销人员是开发商自己的职员还是在社会上聘请的物业代理。

如果建成的物业用于出租，开发商还必须决定是永久出租还是出租一段时间后将其卖掉。因为这将涉及财务安排上的问题，开发商必须按有关贷款合约在租售阶段全部还清项目贷款。如果开发商将建成的物业用于长期出租，则其角色转变为物业所有者或投资者，在这种情况下，开发商要进行有效的物业管理，以保持物业对租客的吸引力，延长其经济寿命，进而达到理想的租金回报和使物业保值、增值的目的。出租物业作为开发商的固定资产，往往还要与其另外的投资或资产相联系，以便其价值或效用得到更充分地发挥。

五、小城镇房地产开发企业管理

(一)房地产开发企业的设立条件

房地产开发企业是依法设立，具有企业法人资格的经济实体。《城市房地产开发经营管理条例》对房地产企业设立、管理有明确的规定。设立房地产开发企业应符合下列条件：

(1)有符合公司法人登记的名称和组织机构。

(2)有适应房地产开发经营需要的固定的办公用房。

(3)注册资本100万元以上。

(4)有 4 名以上持有资格证书的房地产专业、建筑工程专业的专职技术人员，2 名以上持有资格证书的专职会计人员。

(5)法律、法规规定的其他条件。

(二)房地产开发企业资质等级

为了加强对房地产开发企业管理，规范房地产开发企业行为，原建设部于 2000 年 3 月发布了《房地产开发企业资质管理规定》。国家对房地产开发企业实行资质管理。

房地产开发企业资质按照企业条件为一级、二级、三级、四级四个资质等级。

1. 一级资质

(1)注册资本不低于 5 000 万元。

(2)从事房地产开发经营 5 年以上。

(3)近 3 年房屋建筑面积累计竣工 30 万平方米以上，或者累计完成与此相当的房地产开发投资额（提供竣工验收备案证）。

(4)连续 5 年建筑工程质量合格率达 100%。

(5)上一年房屋建筑施工面积 15 万平方米以上，或者完成与此相当的房地产开发投资额。

(6)有职称的建筑、结构、财务、房地产及有关经济类的专业管理人员不少于 40 人，其中具有中级以上职称的管理人员不少于 20 人，持有资格证书的专职会计人员不少于 4 人（以上人员需提供劳动合同及社保缴纳证明）。

(7)工程技术、财务、统计等业务负责人具有相应专业中级以上职称。

(8)具有完善的质量保证体系，商品住宅销售中实行了《住宅质量保证书》和《住宅使用说明书》制度。

(9)未发生过重大工程质量事故。

2. 二级资质

(1)注册资本不低于 2 000 万元。

(2)从事房地产开发经营 3 年以上。

(3)近 3 年房屋建筑面积累计竣工 15 万平方米以上,或者累计完成与此相当的房地产开发投资额。

(4)连续 3 年建筑工程质量合格率达 100%。

(5)上一年房屋建筑施工面积 10 万平方米以上,或者完成与此相当的房地产开发投资额。

(6)有职称的建筑、结构、财务、房地产及有关经济类的专业管理人员不少于 20 人,其中具有中级以上职称的管理人员不少于 10 人,持有资格证书的专职会计人员不少于 3 人。

(7)工程技术、财务、统计等业务负责人具有相应专业中级以上职称。

(8)具有完善的质量保证体系,商品住宅销售中实行了《住宅质量保证书》和《住宅使用说明书》制度。

(9)未发生过重大工程质量事故。

3. 三级资质

(1)注册资本不低于 800 万元。

(2)从事房地产开发经营 2 年以上。

(3)房屋建筑面积累计竣工 5 万平方米以上,或者累计完成与此相当的房地产开发投资额。

(4)连续 2 年建筑工程质量合格率达 100%。

(5)有职称的建筑、结构、财务、房地产及有关经济类的专业管理人员不少于 10 人,其中具有中级以上职称的管理人员不少于 5 人,持有资格证书的专职会计人员不少于 2 人。

(6)工程技术、财务等业务负责人具有相应专业中级以上职称,统计等其他业务负责人具有相应专业初级以上职称。

(7)具有完善的质量保证体系,商品住宅销售中实行了《住宅质量保证书》和《住宅使用说明书》制度。

(8)未发生过重大工程质量事故。

4. 四级资质

(1)注册资本不低于 100 万元。

(2)从事房地产开发经营 1 年以上。

（3）已竣工的建筑工程质量合格率达 100％。

（4）有职称的建筑、结构、财务、房地产及有关经济类的专业管理人员不少于 5 人，持有资格证书的专职会计人员不少于 2 人。

（5）工程技术负责人具有相应专业中级以上职称，财务负责人具有相应专业初级以上职称，配有专业统计人员。

（6）商品住宅销售中实行了《住宅质量保证书》和《住宅使用说明书》制度。

（7）未发生过重大工程质量事故。

（三）房地产开发企业设立的程序

新设立的房地产开发企业，应当自领取营业执照之日起 30 日内，持下列文件到登记机关所在地的房地产开发主管部门备案：

（1）营业执照复印件。

（2）企业章程。

（3）验资证明。

（4）企业法定代表人的身份证明。

（5）专业技术人员的资格证书和聘用合同。

（6）房地产开发主管部门认为需要的其他文件。

房地产开发主管部门应当在收到备案申请后 30 日内向符合条件的企业核发《暂定资质证书》。《暂定资质证书》有效期 1 年。

房地产开发主管部门可以视企业经营情况，延长《暂定资质证书》有效期，但延长期不得超过 2 年。自领取《暂定资质证书》之日起 1 年内无开发项目的，《暂定资质证书》有效期不得延长。

（四）房地产开发企业资质管理机构与管理

1. 管理机构

国务院建设行政主管部门负责全国房地产开发企业的资质管理工作；县级以上地方人民政府房地产开发主管部门负责本行政区域内房地产开发企业的资质管理工作。

2. 房地产开发企业资质登记实行分级审批

一级资质由省、自治区、直辖市建设行政主管部门初审，报国务院建设行政主管部门审批;二级及二级以下资质的审批办法由省、自治区、直辖市人民政府建设行政主管部门制定。

3. 房地产开发企业资质实行年检制度

对于不符合原定资质条件或者有不良经营行为的企业,由原资质部门予以降级或注销资质证书。企业有下列行为之一的,由原资质审批部门公告资质证书作废,收回证书,并可处以 1 万元以上 3 万元以下的罚款:

(1)隐瞒真实情况,弄虚作假骗取资质证书的。

(2)无正当理由不参加资质年检的,视为年检不合格。

(3)工程质量低劣,发生重大工程质量事故的。

(4)超越资质等级从事房地产开发经营的。

(5)涂改、出租、出借、转让、出卖资质证书的。

六、房地产开发建设管理法律制度

(一)房地产开发项目管理

1. 确定房地产开发项目的原则

(1)确定房地产开发项目,应当符合土地利用总体规划、年度建设用地计划和城镇规划、房地产开发年度计划的要求;按照国家有关规定需要经计划主管部门批准的,还应当报计划主管部门批准,并纳入年度固定资产投资计划。

(2)房地产开发项目,应当坚持旧区改建和新区建设相结合的原则,注重开发基础设施薄弱、环境污染严重的区域,特别注重保护和改善城镇生态环境,保护历史文化遗产。

(3)房地产开发项目的开发建设应当统筹安排配套基础设施,并根据先地下、后地上的原则实施。

2. 房地产开发项目立项申请

房地产开发项目,应当根据城市规划和市场需求确定,并经批准才能立项。开发项目的"立项"是房地产开发投资构想付诸实施的第一步。房地产开发企业进行房地产开发首先要向有关主管部门提出立项申请,起草并向发改委报送项目建议书,取得批准项目建议书的批复,并据此编制可行性研究报告,报市发改委审批。获得发改委批准的基本条件是申请人具备立项的条件和要求。

3. 房地产开发项目立项审批

一个房地产开发项目的审批,要经过计划、规划、土管、房管、工商、税务、绿化、卫生、公安、消防等若干政府管理。

1995 年 5 月 26 日国务院发出《关于严格控制高档房地产开发项目的通知》,明确指出要严格控制高档房地产开发项目的审批。控制的范围包括:

(1)别墅性质的住宅及度假村。

(2)单位面积建筑设计造价高于当地一般民用住宅、办公楼一倍以上的公寓、写字楼项目。

(3)建筑标准四星级(或相当于四星级)及以上的宾馆、饭店。同时还强调对高档商品房开发项目,在资金、用地、审批等方面都要严格管理。对于外商投资的房地产开发经营企业和项目,要引导外商向旧城改造和普通居民住宅项目投资。此外,还严禁新上高尔夫球场、仿古城、游乐宫等项目。

(二)房地产开发项目土地使用权的取得

1. 土地使用权的取得方式

《城市房地产开发经营管理条例》第十二条规定,房地产开发用地应当以出让的方式取得。但法律和国务院规定可以采用划拨方式的除外。

2. 建设条件书面意见的内容

《城市房地产开发经营管理条例》规定,土地使用权出让或划拨前,县级以上地方人民政府城乡规划行政主管部门和房地产开发主管部门应当对下列事项提出书面意见,作为土地使用权出让或者划拨的依据之一:

(1)房地产开发项目的性质、规模和开发期限。

(2)城镇规划设计的条件。

(3)基础设施和公共设施的建设要求。

(4)基础设施建成后的产权界定。

(5)项目拆迁补偿、安置要求。

(三)房地产项目实行资本金制度

1996 年 8 月 23 日国务院发布了《关于固定资产投资项目试行资本金制度的通知》,该通知规定从 1996 年开始,对各种经营性投资项目,包括国有单位的基本建设、技术改造、房地产开发项目和集体投资项目试行资本金制度,投资的项目必须首先落实资本金才能进行建设。

1. 项目资本金的概念

投资项目资本金,是指在投资项目总投资中,由投资者认购的出资额,对投资项目来说是非债务性资金,项目法人不承担这部分资金的任何利息和债务;投资者可按其出资的比例依法享有所有者权益,也可转让其出资,但不得以任何方式抽出。

2. 项目资本金的出资方式

项目投资资本金可以用货币出资,也可以用实物、工业产权、非专利技术、土地使用权,必须经过有资格的资产评估机构依照法律、法规评估作价,不得高估或低估。以工业产权、非专利技术作假出资的比例不得超过投资项目资本金总额的 20%,国家对采用高新技术成果有特别规定的除外。

3. 房地产项目资本金

《城市房地产开发经营管理条例》规定:房地产开发项目应当建立资本金制度,资本金占项目总投资的比例不得低于 20%。

房地产开发项目实行资本金制度,并规定房地产开发企业承揽项目必须有一定比例的资本金,可以有效地防止部分不规范的企业的不规范行为。

(四)对不按期开发的房地产项目的处理原则

《城市房地产开发经营管理条例》规定,房地产开发企业应当按照土地的使用权出让合同约定的土地用途、动工开发期限进行项目开发建设。出让合同约定的动工开发期限 1 年未动工开发的,可以征收相当于土地使用权出让金 20% 以下的土地闲置费;满两年未动工开发的,可以无偿收回土地使用权。

这里所指的满一年未动工开发的起止日是土地的使用权出让合同生效之日算起至次年同月同日止。动工开发日期是指开发建设单位进行实质性投入的日期。动工开发,必须进行实质性投入,开工后必须不间断地进行基础设施、建房建设。在有拆迁的地段进行拆迁、三通一平,即视为启动。一经启动,无特殊原因则不应当停工,如稍作启动即停工无期,不应算作开工。

《城市房地产开发经营管理条例》还规定了以下三种情况造成的违约和土地闲置,不征收土地闲置费。

(1)因不可抗拒力造成开工延期。不可抗拒力是指依靠人的能力不能抗拒的因素。

(2)因政府或者政府有关部门的行为而不能如期开工的或中断建设一年以上的。

(3)因动工开发必需的前期工做出现不可预见的情况而延期动工开发的。如发现地下文物、拆迁中发现不是开发商努力能解决的问题等。

(五)对开发项目实行质量责任制度

1. 房地产开发企业应对其开发的房地产项目承担质量责任

《城市房地产开发经营管理条例》规定,房地产开发企业开发建设的房地产开发项目,应当符合有关法律、法规的规定和建筑工程质量、安全标准、建筑工程勘察、设计、施工的技术规范以及合同的约定。房地产开发企业应当对其开发建设的房地产开发项目的质量承担责任。勘察、设计、施工、监理等单位应当依照有关法律、法规的规定或者合同的约定,承担相应的责任。

房地产开发企业作为房地产项目建设和营销的主体,是整个活动的组织者。尽管在建设环节许多工作都由勘察设计、施工等单位承担,出现质量责任可能是由于勘察设计、施工或者材料供应商的责任,但开发商是组织者,其他所有参与部门都是开发商选择的,都和开发商发生合同关系,出现问题也理应由开发商与责任单位协调。此外,消费者是从开发商手里购房,也应由开发企业承担对购房者的责任。

房地产开发企业开发建设的房地产项目,必须要经过工程建设环节,符合《中华人民共和国建筑法》(2011年修正)及建筑方面的有关法律规定,符合工程勘察、设计、施工等方面的技术规范,符合工程质量、工程安全方面的有关规定和技术标准,这是对房地产开发项目在建设过程中的基本要求,同时还要严格遵守合同的约定。

2. 对质量不合格的房地产项目的处理方式

房屋主体结构质量涉及房地产开发企业、工程勘察、设计单位、施工单位、监理单位、材料供应部门等,房屋主体结构质量的好坏直接影响房屋的合理使用和购房者的生命财产安全。房屋竣工后,必须验收合格后方可交付使用。商品房交付使用后,购买人认为主体结构质量不合格的,可以向工程质量监督单位申请重新核验。经核验,确属主体结构质量不合格的,购买人有权退房,给购买人造成损失的,房地产开发企业应当依法承担赔偿责任。

对于经工程质量监督部门申请核验,确属房屋主体结构质量不合格的,消费者有权要求退房,终止房屋买卖关系。也有权采取其他办法,如双方协商换房等,选择退房还是换房,权利在消费者。

3. 申请核验

商品房交付使用后,购买人认为主体结构质量不合格的,可以向工程质量监督单位申请重新核验。这里所说的质量监督部门是指专门进行质量验收的质量监督站,其他单位的核验结果不能作为退房的依据。

4. 购房人有退房权

经核验,确属主体结构质量不合格的,购房人有权退房。

5. 损失的赔偿

因主体不合格给购房人造成损失的,房地产开发企业应当依法承担赔偿责任。但只应包含直接损失,不应含精神损失等间接损失。

(六)竣工验收制度

(1)房地产开发项目需经验收方能交付使用。《城市房地产开发经营管理条例》规定,房地产开发项目竣工,经验收合格后,方可交付使用;未经验收合格的,不得交付使用。

(2)住宅小区等群体房地产开发项目竣工,还应当按照下列要求进行综合验收:

1)城镇规划和设计条件的落实情况。

2)城镇规划要求配套的基础设施和公共设施的建设情况。

3)单项工程的工程质量验收情况。

4)拆迁安置方案的落实情况。

5)物业管理的落实情况。

第三节　小城镇房地产交易管理

房地产交易是房地产开发企业的产品进入流通领域,实现产品价值,获得开发收益的必经环节,也是房地产商品生产者、经营者和消费者相互沟通,实现各自目标的主要方式。在市场经济条件下,房地产交易是大量而普遍的,也是一种经常性的行为。其是否规范以及规范的程度,直接关系到房地产市场的健康发展,关系到经济活动的有序和社会秩序的稳定。因此,房地产交易活动历来是国家对市场进行管理和规范的主要对象之一。国家为加强房地产交易管理而制定的有关法律、法规,是我国房地产管理法的重要组成部分。

一、房地产交易管理机构

房地产交易是人们对房地产转让、出租和抵押等活动的总的称谓。

房地产交易的管理机构是指依法有权对房地产交易活动进行指导、监督、协调以及对房地产交易法律关系进行保护的国家机关和社会组织。根据我国有关法律的规定和目前的实际情况,我国目前执行房地产交易管理职能的机构主要有:

1. 国土资源部和住房和城乡建设部

国土资源部、住房和城乡建设部是行政管理机关，也是房地产法的执行机关。其代表国家，依照国家的有关政策和法律，结合房地产业的发展规律和社会需求，对房地产市场尤其是房地产交易行为，进行指导、协调和监督，促进房地产交易的健康发展，保护房地产权利人的合法权益，防止国家土地收益的流失。其具体职责如下：

（1）贯彻执行国家有关房地产管理的政策与法律，制定并实施有关房地产市场管理的政策和部门规章。

（2）对进入房地产市场的组织和个人的主体资格进行审查和认定，并对其经营行为和交易行为，依法进行引导和监督，调控市场价格。

（3）维持正常的房地产市场秩序，查处各种非法的交易行为，依法惩罚房地产交易中的违法者。

（4）依法及时地协调房地交易中发生的矛盾和冲突，解决房地产市场中发生的部分纠纷。

2. 地方各级房地产管理机关

主要指县级以上地方人民政府的房管部门和土地管理部门，其具体职责如下：

（1）贯彻执行国家有关房地产管理的法律、法规和政策，拟定本地区的房地产管理法规的实施办法，并组织实施。

（2）负责房地产开发企业、中介服务机构以及其他各种交易主体的资质、资格审查，并对其交易行为进行监督。

（3）负责房地产的权属管理，对各种房地产交易的权属变更情况进行审核与登记。

（4）查处房地产交易中的违法行为，调解处理房地产交易纠纷。

3. 房地产交易所

房地产交易所是国家根据房地产市场发展的需要而设立的，供人们进行房地产交易的固定场所。1992 年以后，随着我国房地产业的迅速发展及房地产市场的日益活跃，全国各大中城市都先后设立了房地产交易所,强化了房地产交易管理,规范了房地产交易行为。各地房地产交易所的建立,为房地产交易提供了固定的场所和必要的服务。同时也在房地产交易指导、监督、价格调控,以及查处违法行为、保证交易安全等方面起了重要的作用。

目前的房地产交易所就其职能而言,具有经营与管理双重属性,它既代表政府行使某些管理职权,又为了自身的利益从事一些经营活动,这是不符合我国经济体制改革的目标的。从长远来看,房地产交易所在完成其特定时期的历史使命之后,应按照政企分开的原则,逐步实行企业化管理与经营。

二、房地产交易立法原则

交易的原则是贯穿于房地产法始终,并具有普遍指导意义的重要的交易规则。就房地产交易的性质而言,一般是平等主体之间的民事法律行为,基于这种行为而形成的法律关系主要是民事法律关系。因此,交易应遵守平等、自愿、等价有偿、诚实信用等民法的一般原则。但房地产交易与一般的交易行为相比,无论从交易的主体、客体来讲,还是从交易的内容和形式来讲,都具有许多特殊性,且较一般的交易关系复杂得多。因此,在交易中还必须遵守房地产法所特有的一些原则。

1. 房地一体原则

由于土地与房屋等地上建筑物,在物质形态上具有不可分割性,为了维护交易双方的合法权益,便于土地和房屋的合理利用,我国《城市房地产管理法》明确规定:"房地产转让、抵押时,房屋的所有权和该房屋占用范围内的土地使用权同时转让、抵押。"《城镇国有土地使用权出让和转让暂行条例》也明确规定:"土地使用权转让时,其地上建筑物、其他附着物所有权随之转让。"也即房地产转让、抵押时,房屋所有权和土地使用权必须同时转让、抵押,不得将房屋所有权与土地使用权分别转让或抵押。

2. 依法登记的原则

由房地产本身的特性所决定,房地产的权属关系、权利状态及权属关系的变化,均难以从其占有状态上反映出来。为了维护权利人的合法权益,防止欺诈行为,保持良好的交易秩序,世界各国都对房地产交易实行了登记制度。我国也不例外,《中华人民共和国城市房地产管理法》(2007 年修正)明确规定:"房地产转让或者变更时,应当向县级以上地方人民政府房产管理部门申请房产变更登记,并凭变更后的房屋所有权证书向同级人民政府土地管理部门申请土地使用权变更登记。"不依法办理登记手续的,其房地产的转让不具有法律效力,不受国家法律的保护。

3. 房地产交易价格分别管制原则

房地产价格问题是房地产交易和房地产市场的核心问题。为了稳定房地产价格,维护房地产市场秩序,保护购房人的合法权益,《中华人民共和国城市房地产管理法》(2007 年修正)明确规定:"基准地价、标定地价和各类房屋的重置价格,应当定期确定并公布。"国家实行房地产价格申报制度和价格评估制度。目前,除经济适用房实行政府指导价、拆迁补偿房屋价格及房地产交易市场重要的经营性服务收费实行政府定价外,其他各类房屋的买卖、租赁价格,房屋的抵押、典当价格,均实行市场调节价。实行政府定价的房地产交易价格要按照政府规定的标准确定。

4. 房地产交易中的土地收益合理分配原则

在我国现行土地制度下,同一宗房地产通常涉及土地所有者、土地使用者和房屋所有者或使用者等数个权利主体。每一宗房地产交易都会引起土地收益在不同权利人之间的重新分配。如果交易行为所产生的经济利益不能得到合理的分配,就会影响交易各方的积极性,进而影响整个房地产市场的健康发展。因此,《中华人民共和国城市房地产管理法》(2007 年修正)确定了房地产价格评估制度和房地产成交价申报制度。同时还对房屋租赁交易对区分住宅用房和生产经营用房适用不同的租赁政策和不同的租金管制方式。并明确规定"以营利为目的,房屋所有人将以划拨方式取得使用权的国有土地上建成的房屋出租的,应当将租金中所含土地收益上缴国家"。

上述原则集中体现了我国房地产管理法的特点和立法精神,对房地产法的实施起着重要的指导作用。无论是房地产交易行为,还是房地产交易的管理行为,都应遵循这些基本的原则。

三、小城镇房地产转让管理法律制度

房地产转让是指房地产权利人通过买卖、赠与或者其他合法方式将其房地产转移给他人的行为。《城市房地产转让管理规定》(2001 年修正)对此概念中的其他合法方式作了进一步的细化,规定其他合法方式主要包括下列行为:

(1)以房地产作价入股、与他人成立企业法人,房地产权属发生变更的。

(2)一方提供土地使用权,另一方或者多方提供资金,合资、合作开发经营房地产,而使房地产权属发生变更的。

(3)因企业被收购、兼并或合并,房地产权属随之转移的。

(4)以房地产抵债的。

(5)法律、法规规定的其他情形。

房地产转让的实质是房地产权属发生转移。房地产转让时,房屋所有权和该房屋所占用范围内的土地使用权同时转让。

(一)房地产转让的限制

房地产转让是一种法律行为,其法律后果是房屋所有权和其占用范围内的土地使用权转移或权利主体变更。因此作为转让客体的房地产必须权属明确,并且无争议。否则,就很可能导致当事人或第三方合法权益的损害,破坏正常的房地产市场秩序和社会秩序。根据《中华人民共和国城市房地产管理法》(2007 年修正)的规定,下列房地产不得转让。

1. 未依法登记领取权属证书的房地产

房地产未依法登记领取权属证书,表明该房地产来源不明或尚未依法取得所有权,以其为对象进行房地产转让,就难以保证交易的安全,不利于当事人合法权益的保护和市场秩序的稳定。

2. 有争议的房地产

房地产存在争议,意味着其权属尚未界定清楚。如允许其转让,

就会使问题进一步复杂化,最终损害真正权利人或受让方的合法权益。因此,此种房地产不能转让。

3. 未经其他共有人同意的共有房地产

共有房地产的权利主体,通常是两个以上的自然人或法人。数个主体共同享有房产的所有权和相应的土地使用权,未经其他共有人同意而转让共有房地产,是侵犯他人房地产权利的行为,因此,我国法律明确规定,未经其他共有人同意的共有房地产的转让属于禁止之列。同时,要求同意转让共有房地产的其他共有人要以书面形式做出意思表示。

4. 已被依法收回的土地使用权

土地使用权被国家依法收回,表明转让方的土地使用权在法律上已经消失,不能再进行转让。如果允许该种土地使用权转让,就会侵犯国家的土地权益或者给受让方造成损害。因此,已被收回的土地使用权不得再转让。

5. 司法机关和行政机关依法裁定,决定查封或者以其他形式限制房地产权利的房地产

根据财产权流转的一般原则,作为交易客体的房地产应该是权利人能够对其行使处分权的房地产。而被司法机关和行政机关依法裁定,决定查封或以其他形式限制权利的房地产,权利人已无权对其行使处分权,因此,该种房地产不得转让。

6. 法律、行政法规禁止转让的其他情形

根据我国有关法律的规定,某些具有特殊情况的房地产也是不能转让的,例如,已被国家列入文物保护范围的房产,已被国家列入征用范围的房产等。

(二)房地产转让的程序

房地产转让应当按照一定的程序,经房地产管理部门办理有关手续后方可成交。《城市房地产转让管理规定》(2001 年修正)对房地产转让的程序作了如下规定:

(1)房地产转让当事人签订书面转让合同。

（2）房地产转让当事人在房地产转让合同签订后 90 日内持房地产权属证书、当事人的合法证明、转让合同等有关文件向房地产所在地的房地产管理部门提出申请，并申报成交价格。

（3）房地产管理部门对提供的有关文件进行审查，并在 7 日内做出是否受理申请的书面答复，7 日内未作书面答复的，视为同意受理。

（4）房地产管理部门核实申报的成交价格，并根据需要对转让的房地产进行现场查勘和评估。

（5）房地产转让当事人按照规定缴纳有关税费。

（6）房地产管理部门办理房屋权属登记手续，核发房地产权属证书。

此外，凡房地产转让或变更的，必须按照规定的程序先到房地产管理部门办理交易手续和申请转移、变更登记，然后凭变更后的房屋所有权证书向同级人民政府土地管理部门申请土地使用权变更登记，不按上述法定程序办理的，其房地产转让或变更一律无效。

（三）关于已购公有住房和经济适用房的转让

1. 已购公有住房和经济适用房的概念

已购公有住房是指镇职工根据国家和县级以上地方人民政府有关城镇住房制度改革政策的规定，按照成本价（或标准价）购买的公有住房。此种住房一般是购买人原承租的公有住房。

经济适用住房是指城镇职工根据政府的有关规定，按照成本价或地方人民政府指导价购买的住房，其中包括安居工程住房和集资合作建设的住房。经济适用住房政策是与住房分配货币化相联系的。一般情况下，中低收入职工家庭在获得住房补贴的条件下才能买得起经济适用住房。就此而言，职工购买的经济适用住房和按房改成本价购买单位出售的公房，在经济上的负担基本相当。

2. 已购公房和经济适用住房上市出售的条件

根据《已购公有住房和经济适用住房上市出售管理暂行办法》的规定，已取得合法产权证的已购公房和经济适用住房可以上市出售，但有下列情形之一的不得上市出售：

(1)以低于房改政策规定的价格购买且没有按照有关规定补足房价款的。

(2)住房面积超过省、自治区、直辖市人民政府规定的控制标准，或违反规定利用公款超标准装修，且超标部分未按照规定退回或补足房价款及装修费用的。

(3)已购公房或经济适用住房处于户籍冻结地区并已列入拆迁公告范围内的。

(4)产权共有的房屋其他共有人不同意出售的。

(5)已经抵押而未经抵押权人书面同意转让的。

(6)上市出售后会形成新的住房困难的。

(7)擅自改变房屋使用性质的。

(8)除上述情形外，法律法规以及县级以上人民政府规定不宜出售的。

可见，能够上市出售的只能是不属于禁止出售之范围的已购公房和经济适用住房。

3. 已购公房和经济适用住房上市出售的程序

(1)申请。已购公有住房和经济适用住房所有权人欲将其房屋上市出售，应先向房屋所在地的县级以上房地产行政主管部门提出申请，并提交以下材料：

1)职工已购公有住房或经济适用住房上市出售申请表。

2)房屋所有权证书、土地使用证书或房地产权证书。

3)身份证及户籍证明或者其他有效身份证件。

4)同住成年人同意上市出售的书面意见。

5)个人拥有部分产权的住房，还应提供原产权单位在同等条件下保留或者放弃优先购买权的书面意见。

(2)审核批准。房地产行政主管部门接到申请人的申请及有关材料后要对其进行认真审核，并在 15 日之内做出是否准予其上市出售的书面意见。

(3)办理过户手续。经房地产主管部门核准准予出售的房屋，由买卖双方当事人向房屋所在地的房地产交易管理部门申请办理交易过户手续,如实申报成交价格,并按规定到有关部门缴纳有关税费和土地收益。

(4)办理房屋产权转移登记手续。房屋买卖双方当事人在办理完交易过户手续后,应在 30 日之内向房地产行政主管部门申请办理房屋所有权转移登记手续,并凭变更后的房屋所有权证书向同级人民政府土地行政管理部门,申请办理土地使用权变更登记手续。

四、小城镇商品房预售法律制度

商品房预售是指房地产开发企业将正在建设中的房屋预先出售给承购人,由承购人预先定金或房价款的行为。

为规范商品房预售行为,加强商品房预售管理,保障购房人的合法权益,《中华人民共和国房地产管理法》(2007 年修正)明确了"商品房预售实行预售证许可制度"。

1. 商品房预售的条件

(1)已交付全部土地使用权出让金,取得土地使用权证书。

(2)持有建设工程规划许可证和施工许可证。

(3)按提供预售的商品房计算,投入开发建设的资金达到工程建设总投资的 25%以上,并已经确定施工进度和竣工交付日期。

(4)开发企业向城市、县人民政府房产管理部门办理预售登记,取得《商品房预售许可证》。

2. 商品房预售许可

《中华人民共和国房地产管理法》(2007 年修正)规定"商品房预售实行预售许可证制度",房地产开发企业取得《商品房预售许可证》方能预售商品房。

房地产开发企业申请办理《商品房预售许可证》应当向市、县人民政府房地产管理部门提交下列证件及资料:

(1)土地使用权证书。

(2)建设工程规划许可证和施工许可证。

(3)投入资金达到工程建设总投资 25%以上的证明。

(4)开发企业的《营业执照》和资质等级证书。

（5）工程施工合同。

（6）商品房预售方案。预售方案应当说明商品房的位置、装修标准、竣工交付日期、预售总面积、交付使用后的物业管理等内容，并应当附商品房预售总平面图、分层平面图。

（7）其他有关资料。

3. 商品房预售合同登记备案

房地产开发企业取得了商品房预售许可证后，就可以向社会预售其商品房，开发企业应当与承购人签订书面预售合同。商品房预售人应当在签约之日起 30 日内持商品房预售合同到县级以上人民政府房产管理部门和土地管理部门办理登记备案手续。

4. 商品房预售中的违法行为及处罚

《城市房地产开发经营管理条例》、《城市商品房预售管理办法》（2004 年修正）规定，开发经营企业有下列行为之一的，由主管部门责令停止预售、补办手续、吊销《商品房预售许可证》，没收违法所得，可以并处已收取的预付款 1% 以下的罚款：

（1）未办理《商品房预售许可证》的。

（2）挪用商品房预售款项，不用于有关的工程建设的。

（3）未按规定办理备案和登记手续的。

5. 商品房销售

为了规范商品房销售管理办法，根据《城市房地产开发经营管理条例》规定，2001 年 4 月 4 日颁布了《商品房销售管理办法》。

（1）商品房销售的条件。商品房销售，必须符合以下条件：

1）出售商品房的房地产开发企业应当具有企业法人营业执照和房地产开发企业资质证书。

2）取得土地使用权证书或使用土地的批准文件。

3）持有建设工程规划许可证和施工许可证。

4）已通过竣工验收。

5）拆迁安置已经落实。

6）供水、供电、供热、燃气、通信等配套设施设备交付使用条件，其他配套基础设施和公共设备交付使用条件或已确定施工进度和交付日期。

7)物业管理方案已经落实。

(2)商品房销售代理。房地产销售代理是指房地产开发企业或其他房地产拥有者将物业销售业务委托专门的房地产中介服务机构代为销售的一种经营方式。

1)实行销售代理必须签订委托合同。房地产开发企业应当与受托房地产中介服务机构订立书面委托合同,委托合同应当载明委托期限、委托权限以及委托人和被委托人的权利、义务。中介机构销售商品房时,应当向商品房购买人出示商品房的有关证明文件和商品房销售委托书。

2)房地产中介服务机构的收费。受托房地产中介服务机构在代理销售商品房时,不得收取佣金以外的其他费用。

3)房地产销售人员的资格条件。房地产专业性强、涉及的法律多,因此对房地产销售人员的资格有一定的要求,必须经过专业培训后,才能从事商品房销售业务。

(3)商品房销售中禁止的行为。

1)房地产开发企业不得在未解除商品房买卖前,将作为合同标的物的商品房再行销售给他人。

2)房地产开发企业不得采取返本销售或变相返本销售的方式销售商品房。

3)不符合商品房销售条件的,房地产开发企业不得销售商品房,不得向买受人收取任何预定款性质费用。

4)商品住宅必须按套销售,不得分割拆零销售。

(4)商品房买卖合同。房地产开发企业应与购房者签订商品房买卖合同,我国目前使用住房和城乡建设部、国家工商行政管理局联合颁发的《商品房买卖合同示范文本》(以下简称《示范文本》)。

1)商品房买卖合同应包括以下主要内容:

①当事人名称和姓名和住所。

②商品房基本情况。

③商品房的销售方式。

④商品房价款的确定方式及总价款、付款方式、付款时间。

⑤交付使用条件及日期。

⑥装饰、装备标准承诺。

⑦供水、供电、供热、燃气、通信、道路、绿化等配套基础设施和公共设施的交付承诺和有关权益、责任。

⑧公共配套建筑的产权归属。

⑨面积差异的处理方式。

⑩办理产权登记有关事宜。

⑪解决争议的办法。

⑫违约责任。

⑬双方约定的其他事项。

房地产开发企业、房地产中介服务机构发布的商品房销售广告和宣传资料所明示的事项,当事人应当在商品房买卖合同中约定。

2)计价方式。商品房销售既可以按套(单元)计价,也可以按套内建筑面积或按套建筑面积计价三种方式进行。但是,产权登记方式需要按建筑面积方式进行,按套、套内建筑面积计价并不影响用建筑面积进行产权登记。

商品房建筑面积由套内建筑面积和分摊的共有建筑面积组成,套内建筑面积部分为独立产权,分摊的共有面积部分为共有产权,买受人按照法律、法规的规定对其享有权利,承担责任。按套(单元)计价或者按套内建筑面积计价的,商品房买卖合同中应当注明建筑面积和分摊的共有建筑面积。

3)误差的处理方式。按套内建筑面积或者建筑面积计价的,当事人应当在合同中载明合同约定面积与产权登记面积发生误差的处理方式。合同未作约定的,按以下原则处理:

①面积误差比绝对值在3%以内(含3%)的,据实结算房价款。

②面积误差比绝对值超过3%时,买受人有权退房。买受人退房的,房地产开发企业应当在买受人提出退房日期30日内将买受人已付房价款退还给买受人,同时支付已付房价款利息。买受人不退房

的,产权登记面积大于合同约定面积时,面积误差比在 3% 之内(含 3%)的房价款由买受人补足;超出 3% 部分的房价款由房地产企业承担,产权归买受人。产权登记面积小于合同约定面积时,面积误差比绝对值在 3%(含 3%)以内部分的房价款由房地产开发企业返还买受人;绝对值超过 3% 的房价款由房地产开发企业双倍返还买受人。

按建筑面积计价的,当事人应当在合同中约定套内建筑面积和分摊的共有建筑面积,并约定建筑面积不变而套内建筑面积发生误差以及建筑面积与套内建筑面积均发生误差时的处理方式。

4)中途变更规划、设计。房地产开发企业应当按照批准的规划、设计、建设商品房。商品房销售后,房地产开发企业不得擅自变更规划、设计。经规划部门批准的规划变更、设计单位同意的设计变更导致商品房的结构形式、户型、空间尺寸、朝向变化,以及出现合同当事人约定的其他影响商品房质量或使用功能情形的,房地产开发企业应当在变更确立之日起 10 日内,书面通知买受人。

买受人有权在通知到达之日起 15 日内做出是否退房的书面答复。买受人在通知到达之日起 15 日内未做出书面答复的,视同接受规划、设计变更以及由此引起的房价款的变更。房地产开发企业未在规定时限内通知买受人的,买受人有权退房;买受人退房的,由房地产开发企业承担违约责任。

5)保修责任。当事人应当在合同中就保修范围、保修期限、保修责任等内容做出约定。保修期从交付之日起计算。

(5)交付使用。

1)逾期交付。房地产开发企业应当按照合同约定,将符合交付使用条件的商品房按期交付给买受人。未能按期交付的,房地产开发企业应当承担违约责任。因不可抗拒力或者当事人在合同约定的其他原因,需延期交付的,房地产开发企业应当及时告知买受人。

2)实行《住宅质量保证书》和《住宅使用说明书》制度。房地产开发企业销售商品住宅时,应当根据《商品住宅实行质量保证书和住宅使用说明书制度的规定》向买受人提供《住宅质量保证书》和《住宅使用说明书》。

五、小城镇房屋租赁管理

房屋租赁是指房屋所有人作为出租人,在一定期限内,将其房屋出租给承租人使用,由承租人向出租人支付租金的行为。房屋租赁是房地产交易的主要形式。

(一)房屋租赁的条件

公民、法人或其他组织对享有所有权的房屋和国家授权管理和经营的房屋可以依法出租。但有下列情形之一的房屋不得出租:

(1)未依法取得《房屋所有权证》的。

(2)司法机关和行政机关依法裁定、决定查封或者以其他形式限制房地产权利的。

(3)共有房屋未取得共有人同意的。

(4)权属有争议的。

(5)属于违章建筑的。

(6)不符合安全标准的。

(7)未经抵押权人同意的抵押。

(8)不符合公安、环保、卫生等主管部门有关规定的。

(二)房屋租赁当事人的权利和义务

1. 出租方的权利和义务

(1)权利。依据我国有关法律的规定,房屋租赁中出租方享有以下权利:

1)依照合同约定向承租人收取租金。

2)在租赁合同有效期间,有权对承租人使用房屋的情况进行监督和检查。

3)在租赁合同期满时收回出租的房屋。

(2)义务。出租人在行使上述权利的同时,负有以下义务:

1)按照租赁合同约定的期限将房屋交付给承租人占有、使用。不能按期交付使用的,应当支付违约金,给承租人造成损失的,应承担赔偿责任。

2)保证出租房屋的安全使用。出租住房的自然损坏,合同约定由出租人修缮的,出租人负有及时修复的义务,出租人不及时修复,致使房屋发生破坏性事故,造成承租人财产损失或者人身伤害的,应承担赔偿责任。生产经营用房的租赁,修缮责任由双方当事人在合同中约定。

3)不得损害承租人的利益。出租人在租赁期限内,转让房屋所有权的,房屋受让人应继续履行原租赁合同的规定,出租人有义务向房屋受让人讲明房屋已出租的情况,并保证在租赁合同有效期内,承租人的合法权益不受侵害。

4)依法缴纳有关税费。

2. 承租人的权利和义务

(1)权利。根据有关法规的规定,房屋租赁的承租人享有以下权利:

1)在合同约定的期限内占有、使用房屋的权利。

2)在租赁合同有效期内,房屋发生自然损坏时,有要求出租人及时修复的权利。

3)在租赁合同期限届满时,出租人将出租房屋转让时,承租人在同等条件下有优先购买权。

4)在租赁合同有效期内,出租人继续出租房屋的,承租人在同等条件下有优先承租权。

(2)义务。承租人在享有上述权利的同时,负有以下义务:

1)按房屋租赁合同约定的方式和时间交付租金,违反约定的,应承担违约责任。

2)爱护并合理使用所承租的房屋及附属设施,不得擅自拆、扩建或增添。确需对承租房屋进行改动或增添的,必须征得出租人的同意,并签订书面合同。

3)因承租人的过错造成房屋损坏的,承租人负有修复或赔偿的义务。

4)承租人在使用房屋期间,不得将承租的房屋擅自转租、转让、转借他人或擅自调换使用。

5)承租廉租住房的家庭负有如实申报家庭收入的义务。当家庭收入超过当年最低收入标准时,应及时报告房地产主管部门,并按期腾退已承租的廉租住房。

房屋租赁的双方当事人,应正确行使权利,认真履行义务,否则都应承担法律责任。

(三)房屋租赁合同

房屋租赁合同是出租人与承租人签订的,用于明确租赁双方权利、义务关系的协议。

1. 房屋租赁合同的内容

根据《商品房租赁管理办法》的规定,房屋租赁合同内容包括:

(1)当事人的姓名或者名称及住所。

(2)标的物。包括房屋的坐落位置、面积、装修及设施状况。标的物明确具体,才便于合同的履行。

(3)租赁用途。承租人租赁房屋是做住宅用,还是做生产、经营之用,应在合同中写清楚,以便承租人按租赁房屋的性能正确合理地使用房屋。

(4)租赁期限。租赁期限的确定,是房屋租赁与房屋转让的重要区别之一,也是确定双方权利、义务关系开始和终止的主要依据,因此应在合同中明确约定。

(5)租金及交付方式。支付租金是承租人占有使用出租人房屋的前提,也是承租人的主要义务。因此,租赁合同中必须明确约定计租标准、租金数额,以及租金的支付方式。按年交、按季交,还是按月交,何时交,都应在合同中明确约定,以保证合同的顺利履行。

(6)修缮责任。关于房屋的修缮责任,双方当事人可以在合同中约定,双方没有约定的,修缮责任由出租方承担。修缮范围包括房屋自身及其附属设施,以及其他保证房屋正常使用的设备。

(7)转租的约定。根据我国有关法律的规定,承租人经出租人同意可将所承租的房屋再转租他人。但转租会引起转租收益的重新分配。因此,合同中应明确约定转租的条件,转租收益的分配,转租期限,转租的用途,违约责任,以及转租房屋损坏赔偿责任的承担。

(8)变更和解除合同的条件。房屋租赁合同的期限一般比较长，在此期间可能发生的情况是当事人在签约时难以预料的。双方当事人应根据实际情况，在合同中明确约定变更或解除合同的具体条件。

(9)违约责任。违约责任也是房屋租赁合同的主要内容。双方当事人对违约责任做出明确约定，一方面可以预防违约行为的发生；另一方面也可以为今后解决租赁合同纠纷确定各自的责任提供依据。

(10)当事人约定的其他条款。除上述内容外，当事人认为有必要的其他条款，也应在合同中明确约定。

2. 房屋租赁合同的终止

合法租赁合同的终止一般有两种情况：一是合同的自然终止；二是人为终止。

(1)自然终止。主要包括：

1)租赁合同到期，合同自行终止，承租人需继续租用的，应在租赁期限届满前3个月提出，并经出租人同意，重新签订租赁合同。

2)符合法律规定或合同约定可以解除合同条款的。

3)因不可抗力致使合同不能继续履行的。

因上述原因终止租赁合同的，使一方当事人遭受损失的，除依法可以免除责任的外，应当由责任方负责赔偿。

(2)人为终止。主要是指由于租赁双方人为的因素而使租赁合同终止。一般包括无效合同的终止和由于租赁双方在租赁过程中的人为因素而使合同终止。对于无效合同的终止，《合同法》中有明确的规定，不再赘述。由于租赁双方的原因而使合同终止的情形主要有：

1)将承租的房屋擅自转租的。

2)将承租的房屋擅自转让、转借他人或私自调换使用的。

3)将承租的房屋擅自拆改结构或改变承租房屋使用用途的。

4)无正当理由，拖欠房租6个月以上的。

5)公有住宅用房无正当理由闲置6个月以上的。

6)承租人利用承租的房屋从事非法活动的。

7)故意损坏房屋的。

8)法律、法规规定的其他可以收回的。

发生上述行为,出租人除终止租赁合同,收回房屋外,还可索赔由此造成的损失。

(四)房屋租赁登记备案

房屋租赁合同登记备案是《中华人民共和国城市房地产管理法》(2007年修正)规定的一项重要内容。实行房屋租赁合同登记备案,一方面可以较好地防止非法出租房屋,减少纠纷,促进社会稳定;另一方面也可以有效防止国家税费流失。

1. 申请

签订、变更、终止租赁合同的,房屋租赁当事人应当在租赁合同签订后30日内,持有关部门证明文件到市、县人民政府房地产管理部门办理登记备案手续。申请房屋租赁登记备案应当提交的证明文件包括:

(1)书面租赁合同。

(2)《房屋所有权证书》。

(3)当事人的合法身份证件。

(4)市、县人民政府规定的其他文件。

出租共有房屋,还需提交其他共有权人同意出租的证明。出租委托代管房屋,还需提交代管人授权出租的书面证明。

2. 登记备案

房屋租赁登记备案包括审查的含义。房屋租赁审查的主要内容应包括:

(1)审查合同的主体是否合格,即出租人与承租人是否具备相应的条件。

(2)审查租赁的客体是否允许出租,即出租的房屋是否是法律、法规允许出租的房屋。

(3)审查租赁合同的内容是否齐全、完备,如是否明确了租赁的期限、租赁的修缮责任等。

(4)审查租赁行为是否符合国家及房屋所在地人民政府规定的租赁政策。

(5)审查是否按有关部门规定缴纳了税费。

(五)房屋租金管理

房屋租金是承租人为取得一定期限内房屋的使用权而付给房屋所有权人的经济补偿。房屋租金可分为成本租金、商品租金、市场租金。成本租金是由折旧费、维修费、管理费、融资利息和税金五项组成的;商品租金是由成本租金加上保险费、地租和利润等八项因素构成的;市场租金是在商品租金的基础上,根据供求关系而形成的。其他经营性的房屋和私有房屋的租金标准则由租赁双方协商议定。

《中华人民共和国城市房地产管理法》(2007年修正)规定:"以营利为目的,房屋所有权人将以划拨方式取得土地使用权的国有土地上建成的房屋出租的,应当将租金中所含土地收益上缴国家。具体办法由国务院规定。"《商品房租赁管理办法》中规定:"土地收益的上缴办法,应当按照财政部《关于国有土地使用权有偿使用收入征收管理的暂行办法》和《关于国有土地使用权有偿使用收入若干财政问题的暂行规定》的规定,由市、县人民政府房地产管理部门代收代缴。国务院颁布新的规定时,从其规定。"

(六)房屋转租管理

房屋转租,是指房屋承租人将承租的房屋再出租的行为。《商品房租赁管理办法》规定:"承租人经出租人同意,可以依法将承租房屋转租。出租人可以从转租中获得收益。"承租人在租赁期限内,如转租所承租的房屋,在符合其他法律、法规规定的前提下,还必须征得房屋出租人的同意,在房屋出租人同意的条件下,房屋承租人可以将承租房屋的部分或全部转租给他人。房屋转租,应当订立转租合同。转租合同除符合房屋租赁合同的有关部门规定外,还必须由出租人在合同上签署同意意见,或由原出租人同意转租的书面证明。转租合同也必须按照有关部门规定办理登记备案手续。转租合同的终止日期不得超过原租赁合同的终止日期,但出租人与转租双方协商一致的除外。转租合同生效后,转租人享有并承担新的合同规定的出租人的权利与义务,并且应当履行原租赁合同规定的承租人的义务,但出租人与转租人双方协商一致的除外。

转租期间,原租赁合同变更、解除或者终止,转租合同也随之变更、解除或者终止。

(七)房屋租赁中的违法行为及处罚

《商品房租赁管理办法》规定,有下列行为之一的,由市、县人民政府房地产管理部门对责任者给予行政处罚:

(1)伪造、涂改《房屋租赁证》的,注销其证书,并可处以罚款。

(2)不按期申报、领取房屋租赁证的,责令限期补办手续,并可处以罚款。

(3)未征得出租人同意和未办理登记备案,擅自转租房屋的,其租赁行为无效,除没收其非法所得,并可处以罚款。

第四节 小城镇房地产抵押管理

随着我国房地产业的发展,目前,房地产抵押已被银行广泛采用。为规范房地产抵押行为,保证房地产市场的健康发展,我国于 1990 年制定《城镇国有土地使用权出让和转让暂行条例》,1994 年颁布《中华人民共和国城市房地产管理法》(2007 年修正),1995 年实施的《中华人民共和国担保法》,分别对土地使用权抵押问题做出了规定,使我国的房地产抵押法律制度逐步完善。

一、房地产抵押的法律特征

根据我国《中华人民共和国城市房地产管理法》(2007 年修正)的规定,房地产抵押是指抵押人以其合法的房地产以不转移占有的方式向抵押权人提供债务履行担保的行为。

基于该行为而形成的房地产抵押法律关系,是抵押人和抵押权人之间的权利、义务关系。在房地产抵押法律关系中,提供房地产作担保的债务人或第三人是房地产抵押人,接受房地产抵押以担保自己债权实现的债权人为房地产抵押权人。房地产抵押法律关系成立后,债务人到期不能清偿债务时,债权人依法有权从抵押的房地产折价或拍卖所得中优先受偿。债权人依法享有的这种权利即房地产抵押权,其属于担保物权的一种。

作为一种担保物权，房地产抵押权具有以下几个主要特征：

1. 以确保债权实现为目的

设定抵押权的直接目的在于保证债权的实现。房地产抵押权设定后，享有抵押权的债权人对抵押房地产享有优先受偿权。债务人不能按期清偿债务时，债权人可以依法对抵押房地产进行处分，并就处分所得优先受偿。因此，抵押权的设定可以促使债务人积极履行并按期清偿债务。

2. 抵押权以取得抵押房地产的交换价值为实质内容

"担保物权为价值权，以优先支配标的物的交换价值为其主要内容。而实现其支配的交换价值，实施优先受偿目的的手段，则为对标的物交换价值的换价权能，即得直接将标的物的交换价值变为价金或其他足以使债权得到满足的某种价值，使担保债权获得优先受偿。"从某种意义上讲，抵押权的担保作用，主要是通过直接支配标的物的价值来实现的。

3. 不转移标的物的占有

担保物权的核心内容在于取得担保物的交换价值，而非使用价值。因此，抵押权设定后，抵押人不必将抵押的房地产交抵押权人占用。其对设定抵押权的房地产可以继续开发经营和利用。抵押权的设定不影响房地产使用价值的实现，这是抵押权区别于其他担保物权的重要特征。

4. 抵押权的设定为要式法律行为，抵押权的标的物多为不动产

由不动产的特征及维护抵押法律关系当事人合法权益的必要性所决定，抵押权的设定必须采用书面合同的形式，并以登记为生效要件。对此，我国的《中华人民共和国土地管理法》（2004 年修正）和《中华人民共和国担保法》均有明确规定。

二、房地产抵押标的物的范围

1. 可作为抵押权的标的物

房地产可以作为抵押权的标的物，但并非任何房地产都可以设定抵押权。用以设定抵押权的房地产必须是符合法定范围和法定要求的。根据我国《中华人民共和国担保法》和《城市房地产抵押管理办法》(2001年修正)的规定,可以设定抵押权的房地产主要包括:

(1)抵押人所有的房屋和其他地上定着物。

(2)抵押人依法享有处分权的国有土地使用权。

(3)抵押人以发承包并经发包方同意抵押的荒山、荒沟、荒丘、荒滩等荒地的使用权。

(4)乡(镇)村企业的厂房等建筑物。

2. 不可作为抵押的标的物

根据《城市房地产抵押管理办法》(2001年修正)规定,下列房地产不得设定抵押权:

(1)权属有争议的房地产。

(2)用于教育、医疗、市政等公共福利事业的房地产。

(3)列入文物保护的建筑物和有重要纪念意义的其他建筑物。

(4)已依法公告列入拆迁范围的房地产。

(5)被依法查封、扣押、监管或者以其他形式限制的房地产。

(6)依法不得抵押的其他房地产。

三、房地产抵押合同

房地产抵押合同是抵押人与抵押权人为了保证债权债务的履行,明确双方权利与义务的协议。房地产抵押是担保债权债务履行的手段,是随着债权债务合同的从合同,债权债务的主合同无效,抵押这一从合同也就自然无效。法律规定房地产抵押人与抵押权人必须签订书面抵押合同。

房地产抵押合同一般应载明下列内容:

(1)抵押人、抵押权人的名称或者个人姓名、住所。

(2)主债权的种类、数额。

(3)抵押房地产的处所、名称、状况、建筑面积、用地面积以及四至界限等。

(4)抵押房地产的价值。

(5)抵押房地产的占用管理人、占用管理方式、占用管理责任以及意外损毁、灭失的责任。

(6)债务人履行债务的期限。

(7)抵押权灭失的条件。

(8)违约责任。

(9)争议解决的方式。

(10)抵押合同订立的时间与地点。

(11)双方约定的其他事项。

抵押物需保险的,当事人应在合同中约定,并在保险合同中将抵押权人作为保险赔偿金的优先受偿人。

抵押权人需在房地产抵押后限制抵押人出租、出借或者改变抵押物用途的,应在合同中约定。

四、房地产抵押登记

《中华人民共和国城市房地产管理法》(2007年修正)规定房地产抵押应当签订书面抵押合同并办理抵押登记,《中华人民共和国担保法》规定房地产抵押合同自登记之日起生效。房地产抵押未经登记的,抵押权人不能对抗第三人,对抵押物不具有优先受偿权。法律规定以城市房地产或者乡(镇)、村企业的厂房等建筑物抵押的,其登记机关由县级以上人民政府规定。由于房地产转让或者变更应先申请房产变更登记后再申请土地使用权变更登记是《中华人民共和国城市房地产管理法》(2007年修正)规定的法定程序,就房、地合一的房地产而言,房地产管理部门是唯一可确保未经抵押权人同意的抵押房地产不能合法转让的登记机关,因此各地普遍规定,以房、地合一的房地产抵押的,房地产管理部门为抵押登记机关;以地上无定着物的出让土地使用权抵押的,由核发土地使用卡有证书的土地管理部门办理抵押登记。

《城市房地产抵押管理办法》(2001年修正)规定房地产当事人应在抵押合同签订后的30日内,持下列文件到房地产所在地的房地产管理部门办理房地产抵押登记。

（1）抵押当事人的身份证明或法人资格证明。

（2）抵押登记申请书。

（3）抵押合同。

（4）《土地使用证》、《房屋所有权证》或《房地产权证》,共有的屋后还应提交《房屋共有权证》和其他共有人同意抵押的证明。

（5）可以证明抵押人有权设定抵押权的文件与证明材料。

（6）可以证明抵押房地产价值的资料。

（7）登记机关认为必要的其他文件。

登记机关应当对申请人的申请进行审核,审查的内容主要包括:抵押物是否符合准许进入抵押交易市场的条件;抵押物是否已经抵押,重点审查是否超值抵押;抵押人提供的房地产权利证明文件与权属档案记录内容是否相符,查对权证证号与印章的真伪等,并由审核人签字在案。

五、房地产抵押的效力

抵押期间,抵押人转让已办理抵押登记的房地产的,应当通知抵押权人并告知受让人转让的房地产已经抵押的情况;抵押人未通知抵押权人或者未告知受让人的,转让行为无效。转让抵押物的价款明显低于其价值的,抵押权人可以要求抵押人提供相应的担保;抵押人不提供的,不得转让抵押物。在抵押权人同意,抵押人转让抵押物时,转让所得的价款,应当向抵押权人提前清偿所担保的债权或者向与抵押权人约定的第三人提存。超过债权数额的部分,归抵押人所有,不足部分由债务人清偿。

房地产抵押关系存续期间,房地产抵押人应当维护抵押房地产的安全完好,抵押权人发现抵押人的行为足以使抵押物价值减少的,有权要求抵押人停止其行为。抵押物价值减少时,抵押权人有权要求抵押人恢复抵押物的价值,或者提供与减少的价值相当的担保。抵押人对抵押物价值减少无过错的,抵押权人只能在抵押人因损害而得到的赔偿范围内要求提供担保。抵押物价值未减少的部分,仍作为债权的担保。

六、房地产抵押的受偿

抵押合同属于经济合同,依照房地产抵押合同偿还债务是房地产抵押人的义务。房地产抵押合同一经签订,签约双方应当严格执行,债务履行期届满抵押权人未受清偿的,可以与抵押人协议折价或者以抵押物拍卖、变卖该抵押物所得的价款受偿;协议不成的,抵押权人可以向人民法院提起诉讼。

同一财产向两个以上债权人抵押的,拍卖、变卖抵押物所得的价款按照抵押物登记的先后顺序清偿。

抵押物折价或者拍卖、变卖后,其价款超过债权数额的部分归抵押人所有,不足部分由债务人清偿。抵押人未按合同规定履行偿还债务义务的,依照法律规定,房地产抵押权人有权解除抵押合同,拍卖抵押物,并用拍卖所得价款,优先得到补偿,而不使自己的权利受到侵害。

对于设定房地产抵押权的土地使用权是以划拨方式取得的,依法拍卖该房地产后,应当从拍卖所得的价款中缴纳相当于应缴纳的土地使用权出让金的款额后,抵押权人方可优先受偿。

房地产抵押合同签订后,土地上新增的房屋不属于抵押财产。需要拍卖该抵押的房地产时,可以依法将土地上新增的房屋与抵押财产一同拍卖,但对拍卖新增房屋所得,抵押权人无权优先受偿。

抵押权因抵押物灭失而消灭。因灭失所得的赔偿金,应当作为抵押财产。

第五节　小城镇房地产产权产籍管理

城镇房屋产权产籍管理是城市管理的重要内容之一。新中国成立以来,除少数城市外,我国大多数城镇都没有进行过房屋所有权登记,核发过房屋所有权证件,致使产权不清、产籍不明的现象普遍存在,产权纠纷日益增多,影响了城镇房屋的管理工作,很不利于经济体制改革和社会主义法制建设。

为了确定房屋产权的归属关系，保护好产权人的合法权益，必须认真进行房屋的普查登记，审查和确认房产产权关系，发放产权证件，建立健全完整、准确的小城镇房屋产籍图表与卡片等档案资料，这是搞好小城房地产管理的基础，也是小城镇建设工作的基础。

一、小城镇房地产产权管理

房地产的产权即是房屋的所有权，及其占用的宅基地、院落等土地的使用权，是房屋所有权和土地使用权的一致统一。它是产权人在法律规定的范围内对其房地产行使占有、使用、收益和处分的权利。

由于我国城市土地实行国有，土地所有权属于国家，农村土地所有权属于集体，因此，房地产产权只能按照房地产的所有权来确定，主要包括国有房产、集体所有房产、私有房产、宗教团体所有房产、外产和中外合资产、国营集体合营房产及股份制企业房产。

(一)房地产登记机关及权属登记的功能

目前，我国房地产权属登记机关是国土资源部、住房和城乡建设部，国土资源部负责土地权属登记的管理工作，住房和城乡建设部负责房屋权属登记的管理工作，具体的房地产权属登记机关是两部门下属的土地管理局和房屋管理局。

(二)土地权属登记制度

1. 土地权属确认

土地权属确认是指由法定的国家机关对土地权利进行审查核实并向权利人颁发土地权利证书的一种行政行为，包括国有土地使用权确认、农民集体土地所有权确认和农民集体非农建设用地使用权确认。

(1)国有土地所有权确认。国有土地使用权确认由土地使用者向土地所在地的县级以上人民政府国土资源行政主管部门提出土地登记申请，由县级以上人民政府登记造册，核发《国有土地使用权证书》，确认使用权。

(2)集体土地所有权确认。农民集体所有的土地的确认，由土地所有者向土地所在地的县级人民政府国土资源行政主管部门提出土地登记申请,由县级人民政府登记造册,核发《集体土地所有权证书》,确认所有权。

(3)农民集体非农建设用地所有权确认。农民集体所有的土地依法用于非农业建设的,由土地使用者向土地所在地的县级人民政府国土资源行政主管部门提出土地登记申请,由县级人民政府登记造册,核发《集体土地使用权证书》,确认建设用地使用权。

2. 土地登记

(1)含义。土地登记是国家依照法定程序将土地的权属关系、土地坐落、用途、面积、使用条件、等级、价值等情况记录于专门的簿册,以确定土地权属,加强政府对于土地的有效管理,保护权利人合法权益的一项重要法律制度。土地登记机关是受理土地登记申请,组织地籍调查,审核办理发证的县级以上国土资源管理部门。其中,中央国家机关使用的国有土地的登记发证,由国务院国土资源管理部门负责。

(2)土地登记的内容。土地登记的内容包括:

1)土地权属性质与来源,包括土地所有权、土地使用权及其他权利及其来源等。

2)土地权利主体,包括:集体土地所有者、国有土地使用者、集体土地使用者和土地他项权利者。

3)土地权利客体,包括土地的坐落、界址、面积、用途、使用条件、等级和价格、使用年限等。

(3)土地登记的工作程序。土地登记的工作程序为:

1)土地登记申请。

2)地籍调查。

3)审核标准。

4)注册登记。

5)颁发、换发或者更改土地证书,核发他项权利证明书。

3. 初始土地登记

初始土地登记是指土地登记机关在同一时间内对一定范围的全

部宗地的土地所有权和使用权及他项权利进行集中、统一的登记,因此,又称土地总登记。初始登记是变更土地登记的基础,通过初始土地登记建立起来的辖区每宗土地的表、卡、证是以后变更土地登记的根据。

4. 变更土地登记

变更土地登记是相对初始土地登记来讲的,是对初始登记完成之后,按照实际情况,对发生变化或新产生的土地权利内容进行的更正登记或新设登记。变更是初始登记的延续,是土地登记机关对个别宗地土地权属、用途等变化进行的及时登记,是随时的、经常性的,可以说,是对初始土地登记进行的补充或修正。《中华人民共和国土地管理法》(2004 年修正)规定,依法改变土地权属和用途的,应当办理土地变更登记手续。

5. 土地证书

土地证书是土地登记卡部分内容的副本,是土地使用者、所有者和土地他项权利者持有的法律凭证。土地证书由国土资源管理部门填写,县级以上人民政府颁发。根据《土地登记规则》土地证书有四种:《国有土地使用证》、《集体土地所有证》、《集体土地建设用地使用证》和《土地他项权利证明书》。

(三)房屋登记

房屋登记,是指房屋登记机构依法将房屋权利和其他应当记载的事项在房屋登记簿上予以记载的行为。办理房屋登记,应当遵循房屋所有权和房屋占用范围内的土地使用权权利主体一致的原则。

1. 房屋登记的程序

根据 2008 年 7 月 1 日实施的《房屋登记办法》第七条的规定:"办理房屋登记,一般依照下列程序进行:

(一)申请。

(二)受理。

(三)审核。

(四)记载于登记簿。

（五）发证。"

（1）房屋登记申请。

1）提交申请材料。

①申请房屋登记，申请人应当向房屋所在地的房屋登记机构提出申请，并提交申请登记材料。

②申请登记材料应当提供原件。不能提供原件的，应当提交经有关机关确认与原件一致的复印件。

③申请人应当对申请登记材料的真实性、合法性、有效性负责，不得隐瞒真实情况或者提供虚假材料申请房屋登记。

2）申请要求。申请房屋登记，应当由有关当事人双方共同申请，但另有规定的除外。

《房屋登记办法》规定，有下列情形之一，申请房屋登记的，可以由当事人单方申请：

①因合法建造房屋取得房屋权利。

②因人民法院、仲裁委员会的生效法律文书取得房屋权利。

③因继承、受遗赠取得房屋权利。

④有《房屋登记办法》所列变更登记情形之一。

⑤房屋灭失。

⑥权利人放弃房屋权利。

⑦法律、法规规定的其他情形。

3）共有房屋权属申请。

①共有房屋，应当由共有人共同申请登记。

②共有房屋所有权变更登记，可以由相关的共有人申请，但因共有性质或者共有人份额变更申请房屋登记的，应当由共有人共同申请。

4）未成年人房屋权属申请。未成年人的房屋，应当由其监护人代为申请登记。监护人代为申请未成年人房屋登记的，应当提交证明监护人身份的材料；因处分未成年人房屋申请登记的，还应当提供为未成年人利益的书面保证。

5）申请人要求。

①申请房屋登记的,申请人应当使用中文名称或者姓名。申请人提交的证明文件原件是外文的,应当提供中文译本。

②委托代理人申请房屋登记的,代理人应当提交授权委托书和身份证明。境外申请人委托代理人申请房屋登记的,其授权委托书应当按照国家有关规定办理公证或者认证。

6)费用缴纳。申请房屋登记的,申请人应当按照国家有关规定缴纳登记费。

(2)房屋登记受理。

1)申请人提交的申请登记材料齐全且符合法定形式的,应当予以受理,并出具书面凭证。

2)申请人提交的申请登记材料不齐全或者不符合法定形式的,应当不予受理,并告知申请人需要补正的内容。

(3)房屋登记审核。

1)房屋登记机构应当查验申请登记材料,并根据不同登记申请就申请登记事项是否是申请人的真实意思表达、申请登记房屋是否为共有房屋、房屋登记簿记载的权利人是否同意更正,以及申请登记材料中需进一步明确的其他有关事项询问申请人。询问结果应当经申请人签字确认,并归档保留。

房屋登记机构认为申请登记房屋的有关情况需要进一步证明的,可以要求申请人补充材料。

2)办理下列房屋登记,房屋登记机构应当实地查看:

①房屋所有权初始登记。

②在建工程抵押权登记。

③因房屋灭失导致的房屋所有权注销登记。

④法律、法规规定的应当实地查看的其他房屋登记。

房屋登记机构实地查看时,申请人应当予以配合。

(4)房屋登记记载。

1)登记申请符合下列条件的,房屋登记机构应当予以登记,将申请登记事项记载于房屋登记簿:

①申请人与依法提交的材料记载的主体一致。

②申请初始登记的房屋与申请人提交的规划证明材料记载一致，申请其他登记的房屋与房屋登记簿记载一致。

③申请登记的内容与有关材料证明的事实一致。

④申请登记的事项与房屋登记簿记载的房屋权利不冲突。

⑤不存在本办法规定的不予登记的情形。

登记申请不符合前款所列条件的，房屋登记机构应当不予登记，并书面告知申请人不予登记的原因。

2)房屋登记机构将申请登记事项记载于房屋登记簿之前，申请人可以撤回登记申请。

3)有下列情形之一的，房屋登记机构应当不予登记：

①未依法取得规划许可、施工许可或者未按照规划许可的面积等内容建造的建筑申请登记的。

②申请人不能提供合法、有效的权利来源证明文件或者申请登记的房屋权利与权利来源证明文件不一致的。

③申请登记事项与房屋登记簿记载冲突的。

④申请登记房屋不能特定或者不具有独立使用价值的。

⑤房屋已被依法征收、没收，原权利人申请登记的。

⑥房屋被依法查封期间，权利人申请登记的。

⑦法律、法规和《房屋登记办法》规定的其他不予登记的情形。

4)自受理登记申请之日起，房屋登记机构应当于下列时限内，将申请登记事项记载于房屋登记簿或者做出不予登记的决定：

①国有土地范围内房屋所有权登记，30 个工作日；集体土地范围内房屋所有权登记，60 个工作日。

②抵押权、地役权登记，10 个工作日。

③预告登记、更正登记，10 个工作日。

④异议登记，1 个工作日。

公告时间不计入前款规定时限。因特殊原因需要延长登记时限的，经房屋登记机构负责人批准可以延长，但最长不得超过原时限的一倍。

法律、法规对登记时限另有规定的，从其规定。

5)房屋登记簿应当记载房屋自然状况、权利状况以及其他依法应当登记的事项。

房屋登记簿可以采用纸介质,也可以采用电子介质。采用电子介质的,应当有唯一、确定的纸介质转化形式,并应当定期异地备份。

6)房屋登记机构应当根据房屋登记簿的记载,缮写并向权利人发放房屋权属证书。

房屋权属证书是权利人享有房屋权利的证明,包括《房屋所有权证》、《房屋他项权证》等。申请登记房屋为共有房屋的,房屋登记机构应当在房屋所有权证上注明"共有"字样。

预告登记、在建工程抵押权登记以及法律、法规规定的其他事项在房屋登记簿上予以记载后,由房屋登记机构发放登记证明。

7)房屋权属证书、登记证明与房屋登记簿记载不一致的,除有证据证明房屋登记簿确有错误外,以房屋登记簿为准。

8)房屋权属证书、登记证明破损的,权利人可以向房屋登记机构申请换发。房屋登记机构换发前,应当收回原房屋权属证书、登记证明,并将有关事项记载于房屋登记簿。

房屋权属证书、登记证明遗失、灭失的,权利人在当地公开发行的报刊上刊登遗失声明后,可以申请补发。房屋登记机构予以补发的,应当将有关事项在房屋登记簿上予以记载。补发的房屋权属证书、登记证明上应当注明"补发"字样。

在补发集体土地范围内村民住房的房屋权属证书、登记证明前,房屋登记机构应当就补发事项在房屋所在地农村集体经济组织内公告。

9)房屋登记机构应当将房屋登记资料及时归档并妥善管理。

申请查询、复制房屋登记资料的,应当按照规定的权限和程序办理。

10)县级以上人民政府建设(房地产)主管部门应当加强房屋登记信息系统建设,逐步实现全国房屋登记簿信息共享和异地查询。

2. 所有权登记

(1)因合法建造房屋申请房屋所有权初始登记的,应当提交下列材料：

1）登记申请书。

2）申请人身份证明。

3）建设用地使用权证明。

4）建设工程符合规划的证明。

5）房屋已竣工的证明。

6）房屋测绘报告。

7）其他必要材料。

（2）房地产开发企业申请房屋所有权初始登记时，应当对建筑区划内依法属于全体业主共有的公共场所、公用设施和物业服务用房等房屋一并申请登记，由房屋登记机构在房屋登记簿上予以记载，不颁发房屋权属证书。

（3）发生下列情形之一的，当事人应当在有关法律文件生效或者事实发生后申请房屋所有权转移登记：

1）买卖。

2）互换。

3）赠与。

4）继承、受遗赠。

5）房屋分割、合并，导致所有权发生转移的。

6）以房屋出资入股。

7）法人或者其他组织分立、合并，导致房屋所有权发生转移的。

8）法律、法规规定的其他情形。

（4）申请房屋所有权转移登记，应当提交下列材料：

1）登记申请书。

2）申请人身份证明。

3）房屋所有权证书或者房地产权证书。

4）证明房屋所有权发生转移的材料（可以是买卖合同、互换合同、赠与合同、受遗赠证明、继承证明、分割协议、合并协议、人民法院或者仲裁委员会生效的法律文书，或者其他证明房屋所有权发生转移的材料）。

5)其他必要材料。

(5)抵押期间,抵押人转让抵押房屋的所有权,申请房屋所有权转移登记的,除提供上述"(4)"规定材料外,还应当提交抵押权人的身份证明、抵押权人同意抵押房屋转让的书面文件、他项权利证书。

(6)因人民法院或者仲裁委员会生效的法律文书、合法建造房屋、继承或者受遗赠取得房屋所有权,权利人转让该房屋所有权或者以该房屋设定抵押权时,应当将房屋登记到权利人名下后,再办理房屋所有权转移登记或者房屋抵押权设立登记。

因人民法院或者仲裁委员会生效的法律文书取得房屋所有权,人民法院协助执行通知书要求房屋登记机构予以登记的,房屋登记机构应当予以办理。房屋登记机构予以登记的,应当在房屋登记簿上记载基于人民法院或者仲裁委员会生效的法律文书予以登记的事实。

(7)发生下列情形之一的,权利人应当在有关法律文件生效或者事实发生后申请房屋所有权变更登记:

1)房屋所有权人的姓名或者名称变更的。

2)房屋坐落的街道、门牌号或者房屋名称变更的。

3)房屋面积增加或者减少的。

4)同一所有权人分割、合并房屋的。

5)法律、法规规定的其他情形。

(8)申请房屋所有权变更登记,应当提交下列材料:

1)登记申请书。

2)申请人身份证明。

3)房屋所有权证书或者房地产权证书。

4)证明发生变更事实的材料。

5)其他必要材料。

(9)经依法登记的房屋发生下列情形之一的,房屋登记簿记载的所有权人应当自事实发生后申请房屋所有权注销登记:

1)房屋灭失的。

2)放弃所有权的。

3)法律、法规规定的其他情形。

(10)申请房屋所有权注销登记的,应当提交下列材料:

1)登记申请书。

2)申请人身份证明。

3)房屋所有权证书或者房地产权证书。

4)证明房屋所有权消灭的材料。

5)其他必要材料。

(11)经依法登记的房屋上存在他项权利时,所有权人放弃房屋所有权申请注销登记的,应当提供他项权利人的书面同意文件。

(12)经登记的房屋所有权消灭后,原权利人未申请注销登记的,房屋登记机构可以依据人民法院、仲裁委员会的生效法律文书或者人民政府的生效证书决定办理注销登记,将注销事项记载于房屋登记簿,原房屋所有权证收回或者公告作废。

3. 抵押权登记

以房屋设定抵押的,当事人应当申请抵押权登记。

(1)申请抵押权登记,应当提交下列文件:

1)登记申请书。

2)申请人的身份证明。

3)房屋所有权证书或者房地产权证书。

4)抵押合同。

5)主债权合同。

6)其他必要材料。

(2)对符合规定条件的抵押权设立登记,房屋登记机构应当将下列事项记载于房屋登记簿:

1)抵押当事人、债务人的姓名或者名称。

2)被担保债权的数额。

3)登记时间。

(3)上述(2)所列事项发生变化或者发生法律、法规规定变更抵押权的其他情形的,当事人应当申请抵押权变更登记。

(4)申请抵押权变更登记,应当提交下列材料:

1)登记申请书。

2）申请人的身份证明。

3）房屋他项权证书。

4）抵押人与抵押权人变更抵押权的书面协议（因抵押当事人姓名或者名称发生变更，或者抵押房屋坐落的街道、门牌号发生变更申请变更登记的，无须提交该项材料）。

5）其他必要材料。

因被担保债权的数额发生变更申请抵押权变更登记的，还应当提交其他抵押权人的书面同意文件。

（5）经依法登记的房屋抵押权因主债权转让而转让，申请抵押权转移登记的，主债权的转让人和受让人应当提交下列材料：

1）登记申请书。

2）申请人的身份证明。

3）房屋他项权证书。

4）房屋抵押权发生转移的证明材料。

5）其他必要材料。

（6）经依法登记的房屋抵押权发生下列情形之一的，权利人应当申请抵押权注销登记：

1）主债权消灭。

2）抵押权已经实现。

3）抵押权人放弃抵押权。

4）法律、法规规定抵押权消灭的其他情形。

（7）申请抵押权注销登记的，应当提交下列材料：

1）登记申请书。

2）申请人的身份证明。

3）房屋他项权证书。

4）证明房屋抵押权消灭的材料。

5）其他必要材料。

（8）以房屋设定最高额抵押的，当事人应当申请最高额抵押权设立登记。

（9）申请最高额抵押权设立登记，应当提交下列材料：

1）登记申请书。

2）申请人的身份证明。

3）房屋所有权证书或房地产权证书。

4）最高额抵押合同。

5）一定期间内将要连续发生的债权的合同或者其他登记原因证明材料。

6）其他必要材料。

（10）当事人将最高额抵押权设立前已存在债权转入最高额抵押担保的债权范围，申请登记的，应当提交下列材料：

1）已存在债权的合同或者其他登记原因的证明材料。

2）抵押人与抵押权人同意将该债权纳入最高额抵押权担保范围的书面材料。

（11）对符合规定条件的最高额抵押权设立登记，除上述"（2）"所列事项外，登记机构还应当将最高债权额、债权确定的期间记载于房屋登记簿，并明确记载其为最高额抵押权。

（12）变更最高额抵押权登记事项或者发生法律、法规规定变更最高额抵押权的其他情形，当事人应当申请最高额抵押权变更登记。

（13）申请最高额抵押权变更登记，应当提交下列材料：

1）登记申请书。

2）申请人的身份证明。

3）房屋他项权证书。

4）最高额抵押权担保的债权尚未确定的证明材料。

5）最高额抵押权发生变更的证明材料。

6）其他必要材料。

因最高债权额、债权确定的期间发生变更而申请变更登记的，还应当提交其他抵押权人的书面同意文件。

（14）最高额抵押权担保的债权确定前，最高额抵押权发生转移，申请最高额抵押权转移登记的，转让人和受让人应当提交下列材料：

1）登记申请书。

2）申请人的身份证明。

3）房屋他项权证书。

4）最高额抵押权担保的债权尚未确定的证明材料。

5）最高额抵押权发生转移的证明材料。

6）其他必要材料。

最高额抵押权担保的债权确定前，债权人转让部分债权的，除当事人另有约定外，房屋登记机构不得办理最高额抵押权转移登记。当事人约定最高额抵押权随同部分债权的转让而转移的，应当在办理最高额抵押权确定登记之后，依据上述"（5）"的规定办理抵押权转移登记。

（15）经依法登记的最高额抵押权担保的债权确定，申请最高额抵押权确定登记的，应当提交下列材料：

1）登记申请书。

2）申请人的身份证明。

3）房屋他项权证书。

4）最高额抵押权担保的债权已确定的证明材料。

5）其他必要材料。

（16）对符合规定条件的最高额抵押权确定登记，登记机构应当将最高额抵押权担保的债权已经确定的事实记载于房屋登记簿。

当事人协议确定或者人民法院、仲裁委员会生效的法律文书确定了债权数额的，房屋登记机构可以依照当事人一方的申请将债权数额确定的事实记载于房屋登记簿。

（17）以在建工程设定抵押的，当事人应当申请在建工程抵押权设立登记。

（18）申请在建工程抵押权设立登记的，应当提交下列材料：

1）登记申请书。

2）申请人的身份证明。

3）抵押合同。

4）主债权合同。

5）建设用地使用权证书或者记载土地使用权状况的房地产权证书。

6)建设工程规划许可证。

7)其他必要材料。

(19)已经登记在建工程抵押权变更、转让或者消灭的,当事人应当提交下列材料,申请变更登记、转移登记、注销登记:

1)登记申请书。

2)申请人的身份证明。

3)登记证明。

4)证明在建工程抵押权发生变更、转移或者消灭的材料。

5)其他必要材料。

(20)在建工程竣工并经房屋所有权初始登记后,当事人应当申请将在建工程抵押权登记转为房屋抵押权登记。

4. 地役权登记

在房屋上设立地役权的,当事人可以申请地役权设立登记。

(1)申请地役权设立登记,应当提交下列材料:

1)登记申请书。

2)申请人的身份证明。

3)地役权合同。

4)房屋所有权证书或者房地产权证书。

5)其他必要材料。

(2)对符合规定条件的地役权设立登记,房屋登记机构应当将有关事项记载于需役地和供役地房屋登记簿,并可将地役权合同附于供役地和需役地房屋登记簿。

(3)已经登记的地役权变更、转让或者消灭的,当事人应当提交下列材料,申请变更登记、转移登记、注销登记:

1)登记申请书。

2)申请人的身份证明。

3)登记证明。

4)证明地役权发生变更、转移或者消灭的材料。

5)其他必要材料。

5. 预告登记

(1)有下列情形之一的,当事人可以申请预告登记:

1)预购商品房。

2)以预购商品房设定抵押。

3)房屋所有权转让、抵押。

4)法律、法规规定的其他情形。

(2)预告登记后,未经预告登记的权利人书面同意,处分该房屋申请登记的,房屋登记机构应当不予办理。

预告登记后,债权消灭或者自能够进行相应的房屋登记之日起三个月内,当事人申请房屋登记的,房屋登记机构应当按照预告登记事项办理相应的登记。

(3)预售人和预购人订立商品房买卖合同后,预售人未按照约定与预购人申请预告登记,预购人可以单方申请预告登记。

(4)申请预购商品房预告登记,应当提交下列材料:

1)登记申请书。

2)申请人的身份证明。

3)已登记备案的商品房预售合同。

4)当事人关于预告登记的约定。

5)其他必要材料。

预购人单方申请预购商品房预告登记,预售人与预购人在商品房预售合同中对预告登记附有条件和期限的,预购人应当提交相应的证明材料。

(5)申请预购商品房抵押权预告登记,应当提交下列材料:

1)登记申请书。

2)申请人的身份证明。

3)抵押合同。

4)主债权合同。

5)预购商品房预告登记证明。

6)当事人关于预告登记的约定。

7)其他必要材料。

(6)申请房屋所有权转移预告登记,应当提交下列材料:

1)登记申请书。

2)申请人的身份证明。

3)房屋所有权转让合同。

4)转让方的房屋所有权证书或者房地产权证书。

5)当事人关于预告登记的约定。

6)其他必要材料。

(7)申请房屋抵押权预告登记的,应当提交下列材料:

1)登记申请书。

2)申请人的身份证明。

3)抵押合同。

4)主债权合同。

5)房屋所有权证书或房地产权证书,或者房屋所有权转移登记的预告证明。

6)当事人关于预告登记的约定。

7)其他必要材料。

6. 其他登记

(1)权利人、利害关系人认为房屋登记簿记载的事项有错误的,可以提交下列材料,申请更正登记:

1)登记申请书。

2)申请人的身份证明。

3)证明房屋登记簿记载错误的材料。

利害关系人申请更正登记的,还应当提供权利人同意更正的证明材料。

房屋登记簿记载确有错误的,应当予以更正;需要更正房屋权属证书内容的,应当书面通知权利人换领房屋权属证书;房屋登记簿记载无误的,应当不予更正,并书面通知申请人。

(2)房屋登记机构发现房屋登记簿的记载错误,不涉及房屋权利归属和内容的,应当书面通知有关权利人在规定期限内办理更正登记;当事人无正当理由逾期不办理更正登记的,房屋登记机构可以依据申请登记材料或者有效的法律文件对房屋登记簿的记载予以更正，并书面通知当事人。

对于涉及房屋权利归属和内容的房屋登记簿的记载错误，房屋登记机构应当书面通知有关权利人在规定期限内办理更正登记；办理更正登记期间，权利人因处分其房屋权利申请登记的，房屋登记机构应当暂缓办理。

（3）利害关系人认为房屋登记簿记载的事项错误，而权利人不同意更正的，利害关系人可以持登记申请书、申请人的身份证明、房屋登记簿记载错误的证明文件等材料申请异议登记。

（4）房屋登记机构受理异议登记的，应当将异议事项记载于房屋登记簿。

（5）异议登记期间，房屋登记簿记载的权利人处分房屋申请登记的，房屋登记机构应当暂缓办理。

权利人处分房屋申请登记，房屋登记机构受理登记申请但尚未将申请登记事项记载于房屋登记簿之前，第三人申请异议登记的，房屋登记机构应当中止办理原登记申请，并书面通知申请人。

（6）异议登记期间，异议登记申请人起诉，人民法院不予受理或者驳回其诉讼请求的，异议登记申请人或者房屋登记簿记载的权利人可以持登记申请书、申请人的身份证明、相应的证明文件等材料申请注销异议登记。

（7）人民法院、仲裁委员会的生效法律文书确定的房屋权利归属或者权利内容与房屋登记簿记载的权利状况不一致的，房屋登记机构应当按照当事人的申请或者有关法律文书，办理相应的登记。

（8）司法机关、行政机关、仲裁委员会发生法律效力的文件证明当事人以隐瞒真实情况、提交虚假材料等非法手段获取房屋登记的，房屋登记机构可以撤销原房屋登记，收回房屋权属证书、登记证明或者公告作废，但房屋权利为他人善意取得的除外。

7. 集体土地范围内的房屋登记

（1）依法利用宅基地建造的村民住房和依法利用其他集体所有建设用地建造的房屋，可以依照《房屋登记办法》的规定申请房屋登记。

法律、法规对集体土地范围内房屋登记另有规定的,从其规定。

(2)因合法建造房屋申请房屋所有权初始登记的,应当提交下列材料:

1)登记申请书。

2)申请人的身份证明。

3)宅基地使用权证明或者集体所有建设用地使用权证明。

4)申请登记房屋符合城乡规划的证明。

5)房屋测绘报告或者村民住房平面图。

6)其他必要材料。

申请村民住房所有权初始登记的,还应当提交申请人属于房屋所在地农村集体经济组织成员的证明。

农村集体经济组织申请房屋所有权初始登记的,还应当提交经村民会议同意或者由村民会议授权经村民代表会议同意的证明材料。

(3)办理村民住房所有权初始登记、农村集体经济组织所有房屋所有权初始登记,房屋登记机构受理登记申请后,应当将申请登记事项在房屋所在地农村集体经济组织内进行公告。经公告无异议或者异议不成立的,方可予以登记。

(4)发生下列情形之一的,权利人应当在有关法律文件生效或者事实发生后申请房屋所有权变更登记:

1)房屋所有权人的姓名或者名称变更的。

2)房屋坐落变更的。

3)房屋面积增加或者减少的。

4)同一所有权人分割、合并房屋的。

5)法律、法规规定的其他情形。

(5)房屋所有权依法发生转移,申请房屋所有权转移登记的,应当提交下列材料:

1)登记申请书。

2)申请人的身份证明。

3)房屋所有权证书。

4)宅基地使用权证明或者集体所有建设用地使用权证明。

5）证明房屋所有权发生转移的材料。

6）其他必要材料。

申请村民住房所有权转移登记的，还应当提交农村集体经济组织同意转移的证明材料。

农村集体经济组织申请房屋所有权转移登记的，还应当提交经村民会议同意或者由村民会议授权经村民代表会议同意的证明材料。

（6）申请农村村民住房所有权转移登记，受让人不属于房屋所在地农村集体经济组织成员的，除法律、法规另有规定外，房屋登记机构应当不予办理。

（7）依法以乡镇、村企业的厂房等建筑物设立抵押，申请抵押权登记的，应当提交下列材料：

1）登记申请书。

2）申请人的身份证明。

3）房屋所有权证书。

4）集体所有建设用地使用权证明。

5）主债权合同和抵押合同。

6）其他必要材料。

（8）房屋登记机构对集体土地范围内的房屋予以登记的，应当在房屋登记簿和房屋权属证书上注明"集体土地"字样。

（9）办理集体土地范围内房屋的地役权登记、预告登记、更正登记、异议登记等房屋登记，可以参照适用国有土地范围内房屋登记的有关规定。

8. 房屋登记法律

（1）非法印制、伪造、变造房屋权属证书或者登记证明，或者使用非法印制、伪造、变造的房屋权属证书或者登记证明的，由房屋登记机构予以收缴；构成犯罪的，依法追究刑事责任。

（2）申请人提交错误、虚假的材料申请房屋登记，给他人造成损害的，应当承担相应的法律责任。

房屋登记机构及其工作人员违反《房屋登记办法》规定办理房屋登记，给他人造成损害的，由房屋登记机构承担相应的法律责任。房屋登记机构承担赔偿责任后,对故意或者重大过失造成登记错误的工作人员,有权追偿。

(3)房屋登记机构工作人员有下列行为之一的,依法给予处分;构成犯罪的,依法追究刑事责任:

1)擅自涂改、毁损、伪造房屋登记簿。

2)对不符合登记条件的登记申请予以登记,或者对符合登记条件的登记申请不予登记。

3)玩忽职守、滥用职权、徇私舞弊。

二、小城镇房地产产籍管理

原建设部《关于建设部主管全国房屋产权产籍工作的通知》指出:"为进一步明确全国房屋产权产籍管理工作的职能,经中央机构编制委员会办公室同意,建设部主管全国房屋产权产籍管理工作,主要负责制订有关房屋产权的登记发证、产籍管理的政策和规定,并监督执行。具体由建设部住宅与房地产业司负责。"

小城镇房地产产籍是对在房地产登记过程中产生的各种图表、证件等登记资料,经过整理加工、分类而形成的图、档、卡、册等资料的总称,是房地产权情况的真实记录。产籍资料是审查和确认产权的重要依据。

1. 房地产产籍的基本内容

产籍主要由图、档、卡、册组成。它是通过图形、文字记载、原始证件等记录,反映房屋产权状况及其使用国有土地的情况。

(1)图。图指房地产地籍平面图。它一般反映各类房屋及用地的关系位置、产权经界、房屋结构,面积、层数、使用土地范围、街道门牌等。它包括房地产分幅平面图、分户分丘平面图及分层分户平面图。

(2)档。这里所指的"档",即房地产档案。它是通过房屋产权登记,办理所有权转移、变更登记等把各种产权证件、证明,各种文件、历史资料等收集起来,用科学的方法加以整理、分类装订而成的卷册。房地产档案主要记录、反映产权人及房屋、用地状况的演变。它包括产权登记的各种申请表、墙界表、调查材料、原始文字记载、原有契证等,它反映房产权利及房地产演变的过程和纠纷处理结果及其过程。房地产档案是审查、确认产权的重要依据。

(3)卡。将产权申请书中产权人情况、房屋状况、使用土地状况及其来源等情况,扼要摘录而制成的卡片,称为房地产卡片。它是按丘号(地号)顺序,以一处房屋中的一幢房屋为单位填制一张卡片的形式建卡。房地产卡片的作用是为了查阅房地产的基本情况,以及对各类房屋进行分类统计使用。

(4)册。即房地产登记簿册。它是根据产权登记的成果和分类管理的要求,按丘号顺序,以一处房屋为单位分行填制、装订成册,它包括登记收件簿、发证记录簿、房屋总册。房地产登记簿册的作用是用来掌握房屋基本状况和变动情况,是房地产产权管理的基础资料。由上述内容可知,图、档、卡、册的内容应该是一致的,它们应同时变更、注记,因此也可以互相校正。

2. 房地产产籍管理的任务和作用

(1)房地产产籍管理的任务。产权产籍管理的任务主要有下列四个方面:

1)贯彻执行国家有关房地产的法规和政策。

2)办理产权申请登记,审查确认各类房地产产权。

3)掌握房屋所有权、土地使用权占有的状况和变更情况,办理变更登记手续。

4)建立。健全房地产地籍资料档案。根据权属变更做好产籍资料的增、灭籍和变更注记,保持产权资料的准确。为产权管理,房地产交易、仲裁,城市规划、改造和建设提供统计资料和证明材料。

(2)产籍管理的作用。

1)它是产权管理的基础。审查产权,首先要查清产籍资料(即图、档、卡、册中对产权人、产权经界、来源、历史等基本情况),然后和申请人的申述及现状进行比较,才能正确确认产权。可以说没有产籍便无从谈产权管理。

2)为房地产业发展提供必要的基础资料。如房地产的买卖、交易、抵押、典当等的进行,必须要根据产籍资料核实其产权。

3)为处理房地产民事纠纷,开展房地产仲裁、审判提供依据。

4)为制订国民经济计划,特别是城镇规划、改造旧城镇、进行住房制度改革等提供基础资料。

第六节　小城镇房地产价格管理

2003 年我国房地产市场投资和消费保持较快增长,房地产市场总体上是健康的。但局部地区出现了投资增长过快、结构性矛盾突出、房价快速上涨等问题。

2004 年 4 月以来,中央以控制房地产开发投资的过快增长为重点,增强了对房地产市场的宏观调控。房价调控的主要目的在于抑制房价过快上涨,稳定市场房价。公众在对房市走势和房价预期观望的同时,也对政府的调控行为和调控效果予以观望。

2010 年中国房地产政策已由此前的支持转向抑制投机,遏制房价过快上涨,并且先后采取了土地、金融、税收等多种调控手段。尽管中央及各地方的各种房地产调控政策不断出台,但目前来看,我国房地产业呈现出投资过热、价格过高等不健康现象,特别北京、广州等一线城市,房地产价格一直走高,并带动了二、三线城市及城镇房地产价格的上涨,房地产价格的控制有待进一步研究解决。

一、房地产价格的概念

房地产价格是指在市场交换过程中以货币形式所表示的房地产商品的价值。房地产作为商品进入市场,其价格形成既有一般商品的共性,也有自身的特性,主要包括:价格的高位性、价格成因的复杂性、价格的单件性及价格的区域性。

二、房地产价格居高不下的原因

1. 房地产市场需求量大

首先,这几年随着我国城镇化进程的加快,大量人口进城居住、就业,以及广大居民改善居住条件的愿望加强;其次,绿色住宅、健康住宅、生态住宅、可持续住宅等正在兴起,商品房档次明显提高,有效需求很旺盛;再次,拆迁安置增加了房地产市场的整体需求,且这部分需求将保持稳定的增长;最后,1998年以来政府为刺激经济增长,选择房地产消费作为切入点的"政策惯性"作用,以及受"入世"、"申奥"和"申博"等好消息影响所形成的房价必然上扬的"预期",刺激了房地产消费需求和投资需求。加上近期受人民币升值预期的影响,大量的国际热钱和游资涌入国内,进入高档房地产领域,都加大了市场投机需求成分。

2. 房地产供给结构不合理

从现实情况看,导致我国房价上涨过快的供给因素是供给结构不合理。主要表现在以下三个方面:

(1)房地产存量市场和增量市场结构不平衡,二级市场发展严重滞后,新增房地产需求全部集中在增量房地产市场,从而抬高了房价。

(2)房地产销售市场和租赁市场发展不平衡,使得租赁市场无法通过提供更多更好的租赁服务来分流购房者的购房需求,压力集中在房地产销售市场,导致房价上升。

(3)房地产产品结构不合理,不但不能满足中低收入阶层住房需要的户型和中低档住房供应不足,而且由于近年来各地经济适用房规模不断受到挤压,作为住房保障的经济适用房也供应不足。

3. 房地产市场的恶意炒作和投机行为

社会对房地产价格短期持续上涨的预期使涌入房地产业的大量资本为追逐短期高额利润,更倾向于进行时间短、见效快的房地产投机活动。因此投机需求一旦实现就迅速转化成供给,导致市场上供给迅速增加,而紧接着跟上的更多的投机需求就造成了总需求的虚高,由此造成房地产价格超过其内在价值,产生虚高。

房地产市场的恶意炒作和投机行为造成的危害,不仅在于哄抬了房价,其更大的危害在于它制造了巨大的房产"隐性空置率"。投机者炒房导致房地产市场上供不应求的假象掩盖了市场中存在的越滚越大的泡沫,房地产市场中越来越大的需求是投机者所支撑的。而作为泡沫经济主要载体之一的房地产,其泡沫一旦破灭对整个国民经济而言,后果是灾难性的。

4. 土地价格的持续上涨

持续上涨的地价占房地产价格的比重呈上升趋势。土地价格之所以持续上涨,是由于城市建设速度不断加快,城市中心建设用地日趋紧缺,加上全国各地普遍实行了土地的收购储备制度,土地增值收益已经成为地方政府财政的主要来源,地方政府希望通过土地市场的价格调控获得更多的财政收入,这些都直接或者间接地导致了土地价格的上涨,进而推动了房地产价格的上涨。根据我国土地稀缺实际,工业化、城镇化加速对土地需求的增长,以及保护土地特别是实施严格的保护耕地制度,土地价格总的趋于上涨,土地成本推动房价增长的因素将长期存在。

5. 开发商对超额利润的期望

房地产市场作为市场体系的一部分,它的利润水平总体上应该趋向市场平均水平。但是,由于房地产是一个资金密集型行业,风险高、周期长,必然要求获得高于社会平均水平的超额利润。而土地位置的固定性,导致一定区域范围内房地产的稀缺性,以及在我国经济快速发展,城镇化水平显著提高,需求旺盛的大背景下,使得房地产开发商的期望利润远远高于社会平均水平,总想获得垄断利润。在2000—2004年的5年间,我国上市公司毛利润率下降了近4个百分点,房地产上市公司毛利润率却提升了1.3个百分点。近年来,房地产业的平均利润水平虽然有所下降,但仍保持在一个较高的水平。在有效需求旺盛的情况下,较高的超额垄断利润定位,必然导致房地产在高价位成交,使房地产价格一路走高。

三、房地产价格管理法的目标与原则

房地产价格管理法,是由各种不同层次、不同类别的房地产价格管理法律规范构成的。房地产价格管理法律规范,是指由国家立法机关制定颁布的,用以调整房地产经纪活动中产生的价格关系,规范各种价格行为的法律规则的总称。

1. 房地产价格管理法的目标

房地产价格管理法的目标是国家制定房地产价格管理法律规范所要达到的最终目的,是其立法行为追求的宗旨所在。房地产价格管理法的目标如下:

(1)规范房地产定价主体的价格行为。

(2)发挥房地产价格合理配置资源的作用。

(3)稳定房地产价格总水平。

(4)保护房地产消费者和经营者的合法权益。

2. 房地产价格管理法的基本原则

房地产价格管理法律规范的基本原则,是指能够全面、充分地反映房地产价格管理法律规范所调整的价格关系的客观要求,并对这种关系的各方面和全过程都具有普遍意义的基本准则和指导思想。房地产价格管理法律规范的基本原则可以归纳概括为以下几个方面:

(1)要有利于促进住宅建设和房地产业的发展。

(2)支持和促进公平、公开、合法的市场竞争,维护正常的价格秩序。

(3)对房地产价格活动实行管理、监督和必要的调控。

四、10 年以来我国出台的房地产价格调控政策

房价调控的主要目的在于抑制房价过快上涨,稳定市场房价。2010 年中国房地产政策已由此前的支持转向抑制投机,遏制房价过快上涨,并且先后采取了土地、金融、税收等多种调控手段。

(1)2010 年 1 月 10 日国务院出台"国十一条",严格二套房贷款管理,首付不得低于 40%,加大房地产贷款窗口指导。

(2)2010 年 1 月 21 日,国土资源部发布《国土资源部关于改进报国务院批准城市建设用地申报与实施工作的通知》,提出:申报住宅用地的,经济适用住房、廉租住房和中低价位、中小套型普通商品住房用地占住宅用地的比例不得低于 70%。

(3)2010 年 3 月 10 日,国土资源部再次出台了 19 条土地调控新政,即《关于加强房地产用地供应和监管有关问题的通知》,明确规定

了开发商竞买保证金最少两成、一月内付清地价 50％、囤地开发商将被"冻结"等 19 条内容。

(4)2010 年 3 月 12 日,国土资源部称,将于今年 3 月至 7 月在全国开展对房地产用地突出问题的专项检查,本次检查重点针对擅自改变房地产用地用途、违规供应土地建设别墅以及囤地炒地等问题。

(5)2010 年 3 月 22 日,国土资源部会议提出:在今年住房和保障性住房用地供应计划没有编制公布前,各地不得出让住房用地;将在房价上涨过快的城市开展土地出让招拍挂制度完善试点;各地要明确并适当增加土地供应总量。

(6)2010 年 3 月 23 日,国资委要求 78 户不以房地产为主业的中央企业,要加快进行调整重组,在 15 个工作日内制订有序退出方案。

(7)2010 年 4 月 2 日,财政部下发通知:对两个或两个以上个人共同购买 90 平方米及以下普通住房,其中一人或多人已有购房记录的,该套房产的共同购买人均不适用首次购买普通住房的契税优惠政策。

(8)2010 年 4 月 7 日,国家发改委发布 2010 年经济社会发展工作重点提出,要进一步加强房地产市场调控,增加普通商品住房的有效供给,支持普通自住和改善性住房消费,大力整顿房地产市场秩序。

(9)2010 年 4 月 11 日,中国银监会主席刘明康表示,银监会要求所有银行在 6 月底之前提交贷款情况的评估报告,并称房地产风险敞口大,要严控炒房行为。银监会表示,银行不应对投机投资购房贷款,如无法判断,则应大幅提高贷款的首付款比例和利率水平。北京部分银行已将二套房首付比例提升至 60％。

(10)2010 年 4 月 14 日,国务院常务会议指出,全球金融危机的影响仍在持续,将保持货币信贷适度增长,坚决抑制住房价格过快上涨,并将加快研究制定合理引导个人住房消费的税收政策。

(11)2010 年 4 月 15 日,国务院出台具体措施,要求对贷款购买第二套住房的家庭,贷款首付款不得低于 50％,贷款利率不得低于基准利率的 1.1 倍。对购买首套住房且套型建筑面积在 90 平方米以上的家庭,贷款首付款比例不得低于 30％。

(12)2010 年 4 月 18 日,国务院发布通知指出,商品住房价格过高、上涨过快、供应紧张的地区,商业银行可根据风险状况,暂停发放购买第三套及以上住房贷款;对不能提供一年以上当地纳税证明或社会保险缴纳证明的非本地居民暂停发放购买住房贷款。

(13)2010 年 4 月 30 日,北京政府发布调控通知。要求商业银行根据风险状况暂停发放第三套及以上住房和不能提供一年以上本市纳税证明或社会保险缴纳证明的非本市居民购房的贷款。统一购房家庭只能新购买一套商品住房。

(14)2010 年 5 月 26 日,国税总局公布了《关于土地增值税清算有关问题的通知》,明确土地增值税清算过程中的若干计税问题。

(15)2010 年 6 月 3 日,国家税务总局下发《关于加强土地增值税征管工作的通知》(以下简称《通知》),要求各级税务机关全面开展土地增值税清算审核工作。《通知》抬高了土地增值税预征率的下限。国税总局规定,除保障性住房外,东部地区省市预征率不得低于 2%,中部和东北地区省市不得低于 1.5%,西部地区省市不得低于 1%。《通知》确定土地增值税核定征收率原则上不得低于 5%。

(16)2010 年 6 月 4 日,住房和城乡建设部、中国人民银行、中国银行业监督管理委员会发出通知,对商业性个人住房贷款中第二套住房认定标准进行了规范,即按家庭成员拥有住房数认定二套房。

(17)2011 年 1 月 26 日,国务院常务会议再度推出八条房地产市场调控措施("新国八条"),要求强化差别化住房信贷政策,对贷款购买第二套住房的家庭,首付款比例不低于 60%,贷款利率不低于基准利率的 1.1 倍。

(18)2011 年 2 月 5 日,国土资源部下发了《关于切实做好 2011 年城市住房用地管理和调控重点工作的通知》(国土资发[2011]2 号),提出要求:"稳供应、保民生",以保障性安居工程建设所需用地为重点,及时编制公布城市住房用地供应计划并认真实施,确保 2011 年 1 000 万套保障性安居工程建设任务落地,确保保障性住房、棚户区改造和中小套型商品房用地不低于住房建设用地总量的 70%,确保城市住房用地供应计划总量不低于前 2 年年均实际供应总量;"控价格、防'地王'",坚持招标拍卖挂牌出让制度,进一步完善供地政策,充分发挥土地政策惠民生、稳预期、注重社会效应最大化的管控作用,严防出现高价地,坚决杜绝土地出让中出现楼面地价超过同类地价历史最高价的情况,增加公共租赁住房和中小套型限价商品住房供地,促进房价合理回归;"严监管、促开发",加强住房建设用地全程监管,实时跟踪土地开发利用情况,加大清理查处违法违规违约行为力度,严厉打击囤地炒地,确保闲置土地及时依法依规处置到位,促进住房用地按期依规开发利用。

(19)2012 年 2 月 5 日,国土资源部下发了国土资源部《关于做好2012 年房地产用地管理和调控重点工作的通知》(国土资发[2012]26号),指出:坚持房地产调控政策不动摇,并进一步明确 2012 年房地产用地管理和调控的基本要求和重点任务是:立足本职、有所作为,坚持方向不改变、态度不动摇、力度不放松,上下联动、各负其责,以保障并合理供应住用地和促进房地产市场持续健康发展为根本出发点,继续严格落实中央各项调控政策措施,加大监管和调控力度,巩固已有调控成果,促进房价合理回归;继续以保障性安居工程用地落实为重点做好住房用地供应工作,努力保持土地市场平稳运行,避免土地供应总量、结构和价格大起大落,合理引导市场预期;继续以促进形成住房有效供应为重点做好已供住房用地的监管工作,加强住房宗地供应和开发利用的动态监测监管,严格督促按合同约定条件建设和开竣工,及时发现处置闲置土地,坚决打击违法转让土地行为。

(20)2013 年 2 月 20 日,温家宝主持召开国务院常务会议,研究部署继续做好房地产市场调控工作。会议确定了五项加强房地产市场调控的政策措施(称为"国五条")。2013 年 2 月 20 日举行的国务院常务会议出台了楼市调控"国五条"。会议不仅再次重申坚持执行以限购、限贷为核心的调控政策,坚决打击投资投机性购房,还在继 2011年之后再次提出要求各地公布年度房价控制目标。

国务院常务会议明确了五项具体政策措施:

1)完善稳定房价工作责任制。各直辖市、计划单列市和除拉萨外的省会城市要按照保持房价基本稳定的原则,制订并公布年度新建商品住房价格控制目标。建立健全稳定房价工作的考核问责制度。

　　2)坚决抑制投机投资性购房。严格执行商品住房限购措施,严格实施差别化住房信贷政策。扩大个人住房房产税改革试点范围。

　　3)增加普通商品住房及用地供应。2013年住房用地供应总量原则上不低于过去五年平均实际供应量。

　　4)加快保障性安居工程规划建设。配套设施要与保障性安居工程项目同步规划、同期建设、同时交付使用。完善并严格执行准入退出制度,确保公平分配。2013年底前,地级以上城市要把符合条件的外来务工人员纳入当地住房保障范围。

　　5)加强市场监管。加强商品房预售管理,严格执行商品房销售明码标价规定,强化企业信用管理,严肃查处中介机构违法违规行为。推进城镇个人住房信息系统建设,加强市场监测和信息发布管理。

五、加强房地产价格调控管理的对策

1. 调整开发投资结构,增加低价位住房供应

　　政府应调整房地产开发用地的供应结构,尤其要通过增加普通商品住宅和经济适用住房等建设用地的投放量,在控制非住宅和高价位商品住宅建设的基础上,着力增加普通商品住房和经济适用住房的供应,提高其在市场供应中的比例,保障城镇中低收入家庭住房需求。同时,还要通过建立与住房供应体系相适应的住房价格体系:

　　(1)对限定销售对象的中低收入家庭购买的经济适用住房,严格实行政府指导价,限价销售。

　　(2)对大多数家庭购买的普通商品住房,采取由政府定期制定公布指导性价格和浮动幅度,放开销售价格的管理方式。

　　(3)对高收入家庭购买的高档商品住房实行市场调节价,由企业依开发经营成本和市场供求状况自行确定销售价格。

　　(4)政府还要严格控制城市住房拆迁规模,减少被动性住房需求,使市场需求释放的节奏放慢,以缓解住房供需矛盾。

2. 加强对土地市场的宏观调控

　　(1)各级政府要科学制定城市规划,确定各类房产用地布局和比例,对于土地价格上涨过快的地区可以适当增加土地供应量以平息

地价。

（2）各地价格、土地管理部门要以地价评估结果为依据，综合考虑国家宏观政策、城镇土地市场供求状况等影响地价的各种因素，合理确定和定期更新调整基准地价，以公布的基准地价为依据调控和引导房地产市场价格水平。要把严禁囤积土地作为宏观调控的一个着力点。

（3）针对目前利润率较低、需求量较大的低档次商品住宅的用地，可考虑以协议出让的方式来降低造价。

（4）对目前征地补偿办法不合理和计算方法不科学造成的土地征用价格的不规范，国家要尽快予以修订，使征用农地补偿费标准的确定与拆迁城镇居民补偿费的标准一样逐步走向市场化，做到同地同价。

3. 加强房地产信息系统和预警预报体系建设

全面、准确地采集反映房地产供求结构价格的各类即时信息，能够为政府适时适度地实施宏观调控提供决策依据，防止市场大起大落。并且通过信息披露，及时向企业、消费者提供有价值的各类信息数据服务，有利于引导市场理性投资与消费，减缓居民对房地产价格的心理预期，防止盲目跟风消费，发挥市场的自我调节作用。在新经济条件下，实现房地产业同因特网的深度融合，用畅通的信息渠道提升物质流和资金流的运转效率，有效获取市场需求信息和控制房地产价格，应成为我国房地产业发展的重要途径。网络经济下的房地产交易，消费者发出需求信息，多个卖主出价，最后成交的价格是性价比最符合消费者需求的商品提供者，也促使房屋价格能真正体现出市场供求关系。

房地产预警预报体系是通过积累数据、理论研究和实践这一过程而建立起来的房地产信息系统的基础上进行的。因此，应通过利用信息平台提供的各项房地产数据，并根据房地产市场的区域性特点，遵循全面性、简捷性、可操作性和时效性的原则，研究编制房地产市场预警预报指标体系，使之在房地产市场的管理和投资活动中实现动态监测和管理，以及便于实时采取针对性措施进行调控。

4. 控制开发成本，降低房地产企业的期望利润

（1）在相同的开发环境下，房地产企业要通过对设计、施工、材料、装修公司的选择和资金的供给，对房产开发进行有效的组织和管理，开发出适销对路的适应市场需求的产品，并尽可能地降低建筑工程成本、降低产品销售价格，使之在竞争激烈的市场经济环境下，求得生存、求得发展。

（2）充分发挥房地产企业内部拆迁、质量、技术、安全、经营等各个部门在成本管理中的作用，通过全过程的有效整合来促使企业提高效率和加强成本控制，从而减少管理费用支出，减少消耗、降低成本，既实现企业利润的最大化，又促使开发商拓展竞争思路，把期望利润调整到一个合理的水平。

（3）政府有关部门要采取有效措施，尽快制定商品房价格管理办法，积极指导、协助房地产企业建立健全价格行为自我约束机制，规范商品房价格构成和销售行为，有效地制止房地产企业在售房过程中乱摊费用虚置成本或借交房之际乱收费用等损害消费者利益的行为。

5. 加大对房地产价格的检查与监管力度，维护市场正常的价格秩序

（1）清理整顿房地产的各项税费。

1）对名目繁多的房地产税费要进行全面清理，各种税种的设置应根据市场状况进行调整，通过完善房地产财税制度，促进房地产的流通和消费，消除房地产成本中的不合理税费。

2）向政府部门、事业中介机构缴纳的管理费和服务费等各种收费项目，能降低标准的给予降低标准，能减免的给予减免，对不合法、不合理的收费项目要坚决予以取缔。

3）对因城市建设资金不足而设立的各种基础设施配套性收费，应结合城市公用事业价格改革和费改税的推行逐步降低收费标准，直至取消。

4）对涉及住房开发建设过程中的自来水、电力、燃气、电话、有线或光缆电视等垄断行业的价格和收费行为进行全面清理整顿，严厉打击垄断企业强行推销商品和服务、强制收费的价格违法行为。

（2）严肃查处房地产价格的违法行为。如对低价出让土地、高价炒卖房地产,对短少面积、搞价格欺诈等扰乱房地产市场正常价格秩序的行为要予以曝光和严肃查处,以维护房地产市场正常的价格秩序。

六、房地产价格评估管理法律制度

随着中国房地产业的高速发展并日趋成熟,房地产业已经成为国民经济的新的增长点,但同时房地产也是最容易产生泡沫经济、引发金融风险的行业。因此,作为联系银行金融风险和房地产市场纽带的房地产抵押贷款评估体系的健全就显得极为重要。

房地产价格评估又称为房地产估价,是指房地产专业估价人员,根据估价目的,遵循估价原则,按照估价程序,采取科学的估价方法,结合估价经验,通过对影响房地产价格因素的分析,对房地产最可能实现的合理价格所做出的推测与判断。房地产估价的性质是受政府或市场交易方的委托,对交易标的价格做出评定的法律行为。

(一)房地产价格评估的必要性

在市场经济机制下,价格问题是交易中无法回避的重要问题,与市场交易主体的关系极为密切,而且贯穿于交易的全过程。房地产是不动产,具有固定不可移动的特点,这就决定了相同的房屋由于其所处的地理位置不同,价格会有很大差别。而对房地产交易当事人来说,房地产交易必须有一个公平合理的参考价格,而这个合理参考价格的确定,必须通过房地产市场估价才能实现。房地产价格评估的必要性体现在以下几方面:

(1)房地产价格评估是国家征收房地产税收的基础。房地产税收自古以来就是国家税收的重要来源,我国目前的房地产税种包括房产税、土地使用税、土地增值税、契税等,而这些税的征收都是以房地产的价值或价格作为课征依据。因此,必须对被课税的房地产进行价格评估,国家才能掌握切实可靠的课税基础,才能有效避免偷税、漏税和课税不公。

(2)房地产价格评估是国家对房地产资产管理的依据。我国从高度集中的计划经济向社会主义市场经济转变,相应的管理手段也从行政管理转变为经济管理,国家对各类资产进行管理的方式,必然从定性管理转到定量管理上。房地产是一项重要的资产,在国家总财富中占极大比重。要管理好这么庞大数量的房地产,就必须掌握其价值的增值或贬值情况,进行房地产价格评估。

(3)房地产价格评估是土地使用权制度改革的重要基础。土地使用权的出让和转让也离不开价格评估,作为土地所有者的国家在进行土地使用权出让时,必须提出一个基础价格,作为拍卖或招标的底价,土地使用者也只有了解了土地使用价后,才能正确地报价。在土地使用权转让时,通过评估确定基础价格,既便于双方协商定价,迅速达成协议,又便于国家正确划分土地的原有价格和增值部分的比例。

(4)房地产价格评估是进行房地产经营活动的需要。房地产经营活动范围非常广泛,包括房地产的投资、开发、租赁、抵押、保险等,价格作为贯穿于市场经济活动全过程的不可或缺的重要因素,在房地产经营活动中更是举足轻重,这是由房地产的固定性、差别性和高价值性所决定的。进行房地产经营,首先碰到的就是价格问题,为了避免交易价格混乱,确定公平的市场价格,必须由专业人员对房地产进行价格评估。同时,合资、合作、企业承包经营以及企业兼并、入股、破产清算等也都需要房地产价格评估作为基础和依据。

(二)我国房地产评估的现状分析和存在的问题

1. 我国房地产评估现状分析

我国的房地产评估行业还属于一个年轻的行业,各方面体制还不完善,评估理论和评估方法同西方发达国家相比还显得陈旧。

为进一步防范房地产信贷风险,国务院、人民银行及银监会等部门于 2003 年先后出台了中国人民银行《关于进一步加强房地产信贷业务管理的通知》、国务院《关于促进房地产市场持续健康发展的通知》及中国银行业监督管理委员会关于印发《商业银行房地产贷款风险管理指引》的通知等一系列文件来规范房地产贷款市场。这些规定对于规范抵押评估行为、指导房地产估价师的抵押评估工作,产生了深远的影响。

2. 我国房地产评估存在的问题

（1）对抵押物价值过高评估。一般认为，评估偏差率超过 20％即为评估重大差异，而这部分业务量竟然占到了已审核业务总量的 52％。在银行发放的这部分抵押贷款中，很大一部分贷款无法被抵押品实际价值所覆盖，抵押品从一发出就不足值，这将给银行贷款带来极大的风险。

（2）不能准确把握抵押物隐含的风险。这主要是由于评估师或评估机构对房地产抵押贷款评估认识不够深刻、评估业务执行不够细致所造成的。例如，在评估时忽视房地产的变现能力评估，忽视房地产产权存在瑕疵造成的风险，忽视制约抵押物价值的其他因素等等。抵押贷款评估是为了确定到期不能偿还而需要强制出售时该房地产的价值能够达到的数额，即保障抵押贷款清偿的安全性。

（3）忽视抵押贷款项目的可行性评估。房地产抵押贷款是在借款人的偿还能力即第一还款来源之外，以房地产抵押物代偿为条件设置了第二还款来源。当第一还款来源出现问题时，借款人无法用正常经营活动所产生的现金流来归还贷款时，银行可通过处置抵押物获得补偿。从这一意义上出发，房地产抵押物本身在降低贷款风险、减少贷款损失方面发挥着重要作用。因此，大部分银行及评估机构把借款人能否提供抵押物作为能否贷款的主要依据，而忽视了对借款人的偿付能力进行分析。事实上，无论采取何种贷款方式，借款人第一还款来源才是至关重要的，第二还款来源只是起必要的补充作用。而且在制度层面上，抵押房地产的价值受到一系列因素的影响，很难确定，拖欠时间越长，资不抵债的可能性越大；在操作层面上，现行评估方法及评估人员的主观因素往往导致了抵押评估值的虚高。大量事实证明，当第一还款来源出现问题时，银行对第二还款来源的追偿往往是艰难的，而且也很难通过处置抵押物来填补贷出资金的空缺。银行大量不良金融资产也多源于此。

（4）评估机构在房地产抵押贷款业务中处境尴尬。在房地产抵押贷款业务中，银行、评估机构和贷款客户三者缺一不可，但三者的关系却非常微妙，既相互依赖、相互制约，又相互利用、相互不信任。

三者的关系中,银行在贷款前处于最有利的地位。房地产市场的繁荣为银行抵押贷款的发放提供了选择的余地,因此银行需要评估机构对贷款客户进行审查和监督,以此保证自身资金的安全性。评估机构作为促成银行和客户联姻的纽带,其作用是很重要的,但在实际中,评估机构往往处于一个很尴尬的位置,一方面,要尽量满足客户所提出的种种要求,因为客户是评估报告的买方;另一方面,要兼顾银行的利益,因为评估报告要经过银行的审查,不合格的评估报告会被银行拒绝,这也可能造成银行对该评估机构的封杀。

银行、评估中介和贷款客户三者博弈虽不是主流,但却是业内公开的秘密,产生的原因主要是由于制度和体制方面的因素,但是这种局面却使评估中介失去了其原有的公正性和独立性的特点,同时也加大了银行的系统风险。

(5)估价师队伍素质参差不齐。在抵押评估事务中,评估师出具的抵押评估报告是银行给贷款方提供贷款额度的重要依据,银行在评估值的基础上按一定的比率向贷款方提供贷款,因而评估师或评估机构应该对贷款负有相当的责任。但是在实际操作中,评估师或评估机构的权利和义务是不对等的。一旦贷款方违约,银行收回抵押物并对其进行依法拍卖时,银行可能会因为评估值和拍卖金额相差太远而遭受巨大经济损失,然而评估师或评估机构并不会承担相应的责任,银行一般也不会把评估机构告上法庭。

(6)制度建设落后,行业规范缺乏约束性。虽然房地产评估行业随着房地产业的繁荣得到了快速的发展,但仍处于发展的初级阶段,很多房地产评估机构是近几年由原来的政府房地产评估机构脱钩改制而来,它们与政府部门还存在着千丝万缕的关系,这也使得它们能够通过政府关系去垄断市场,而不是通过正常的市场竞争去获得业务;有的机构实力不强,评估人员素质有待提高;有的机构在执业过程中不遵守房地产评估的技术规范和职业道德,迎合委托方的不正当要求,搞虚假评估,不顾诚信准则,"高估"、"低估",损害评估的真实性,侵害公共或部分人的利益,这样,若实现债权时处置抵押房地产,银行就要受经济损失。总的说来,房地产评估在操作层面的问题很大程度上也来自评估制度的不完善和市场的不成熟。

(三)城市房地产估价管理

加强房地产市场估价工作的管理,是积极培育房地产市场,促进房地产市场健康发展的重要环节,具有重要的现实意义。

1. 房地产估价机构

房地产市场估价,必须遵守有关的法律、法规、规章和政策规定,严格执行价格标准和估价程序,实行现场评估,按质论价。

全国房地产市场估价管理工作由国务院建设行政主管部门负责。本行政区域内房地产市场估价管理工作由县级以上人民政府房地产行政主管部门负责。

目前,我国房地产估价机构有两类:一类是城市房地产行政主管部门设立的房地产估价机构;另一类是房地产估价事务所。

2. 房地产市场估价程序

房地产市场估价应当依照下列程序进行:

(1)申请估价。当事人应向估价机构或估价事务所递交估价申请书。估价申请书应当载明下列内容:

1)当事人的姓名(法人代表)、职业、地址。

2)标的物的名称、面积、坐落。

3)申请估价的理由、项目和要求。

4)当事人认为其他需要说明的内容。

估价申请书应当附有标的物的产权证书和有关的图纸、资料或影印件。

(2)估价受理。估价机构或估价事务所收到估价申请书后,应当对当事人的身份证件、标的物的产权证书及估价申请书进行审查。对符合条件者,交由估价人员承办。每个估价项目的承办,不得少于两名估价人员。

(3)现场勘估。承办人员应当制订估价方案,至标的物进行实地勘丈测估,核对各项数据和有关资料,调查标的物所处环境状况,并做好详细记录。

（4）综合作业。承办人员应综合各种因素进行全面分析，提出估价结果。书面估价结果应包括以下内容：

1）估价的原因、标的物名称、面积、结构、地理位置、环境条件、使用情况、所处区域城市规划现状及发展前景、房地产市场行情。

2）标的物及其附着物质量等级评定。

3）估价的原则、方法、分析过程和估价结果。

4）必要的附件。包括估价过程中作为估价依据的有关图纸、照片、背景材料，原始资料及实际勘测数据等。

（5）其他需要说明的问题。

1）估价结果书应由承办人员签名。估价结果书由承办估价业务的估价机构或估价事务所签署意见并加盖单位公章后，书面通知当事人。

2）由房地产估价机构承办的估价业务，其估价结果是国家和地方政府计征有关房地产税费、确定房地产损失补偿或赔偿金额的依据。估价结果书应制成若干副本分送有关部门。

3. 房地产估价收费

委托估价机构或估价事务所进行的房地产估价项目，当事人应当向承办单位交纳估价费。估价费标准由省、自治区、直辖市人民政府房地产行政主管部门制定，报物价行政主管部门批准实施。任何单位和个人不得擅自提高或变相提高收费标准。

4. 房地产估价责任与争议处理

（1）对估价结果中需要保密的内容，估价机构及估价事务所均不得随意向他人提供。

（2）当事人如对估价结果有异议的，可以在收到估价结果书之日起十五日内，向原估价机构申请复核。对复核结果仍有异议的可以向当地房地产仲裁机构申请仲裁，也可以向人民法院起诉。

委托估价发生纠纷时，双方应协商解决。协商不成时，当事人可以向当地房地产仲裁机构申请仲裁，也可以向人民法院起诉。

（3）任何单位和个人都不得在估价过程中提供伪证，或者阻挠估价人员依法进行估价工作，对于提供伪证或者阻挠估价工作正常进行的,由房地产行政部门给予批评、教育。情节严重构成违反治安的,应提请公安机关予以处理。构成犯罪的,提请司法机关追究刑事责任。

(四)房地产估价师管理

房地产估价师是指经过全国统一考试取得《房地产估价师执业资格证书》,并注册登记后从事房地产估价活动的人员。国家实行房地产估价人员执业资格认证和注册登记制度。凡从事房地产评估业务的单位,必须配备有一定数量的房地产估价师。

住房和城乡建设部和中华人民共和国人力资源和社会保障部共同负责全国房地产估价师执业资格制度的政策制定、组织协调、考试、注册和监督管理工作。为了规范我国房地产估价活动,住房和城乡建设部、中华人民共和国人力资源和社会保障部印发了《房地产估价师执业资格制度暂行规定》和《房地产估价师执业资格考试实施办法》的通知,根据这一精神,国家开始实施房地产估价师执业资格制度。

1. 房地产估价师执业资格考试

(1)为了加强房地产估价人员的管理,充分发挥房地产估价在房地产交易中的作用,根据《中华人民共和国城市房地产管理法》制定了《房地产估价师执业资格制度暂行规定》,规定:

1)房地产估价师执业资格实行全国统一考试制度。原则上每两年举行一次。

2)中华人民共和国人力资源和社会保障部负责审定考试科目、考试大纲和试题。会同住房和城乡建设部对考试进行检查、监督、指导和确定合格标准,组织实施各项考务工作。

3)住房和城乡建设部负责组织考试大纲的拟定、培训教材的编写和命题工作,统一规划并会同中华人民共和国人力资源和社会保障部组织或授权组织考前培训等有关工作。

培训工作必须按照与考试分开、自愿参加的原则进行。

4)凡中华人民共和国公民,遵纪守法并具备下列条件之一的,可申请参加房地产估价师执业资格考试:

①取得房地产估价相关学科(包括房地产经营、房地产经济、土地

管理、城市规划等,下同)中等专业学历,具有 8 年以上相关专业工作经历,其中从事房地产估价实务满 5 年。

②取得房地产估价相关学科大专学历,具有 6 年以上相关专业工作经历,其中从事房地产估价实务满 4 年。

③取得房地产估价相关学科学士学位,具有 4 年以上相关专业工作经历,其中从事房地产估价实务满 3 年。

④取得房地产估价相关学科硕士学位或第二学位、研究生班毕业,从事房地产估价实务满 2 年。

⑤取得房地产估价相关学科博士学位的。

⑥不具备上述规定学历,但通过国家统一组织的经济专业初级资格或审计、会计、统计专业助理级资格考试并取得相应资格,具有 10 年以上相关专业工作经历,其中从事房地产估价实务满 6 年,成绩特别突出的。

5)申请参加房地产估价师执业资格考试,需提供下列证明文件:

①房地产估价师执业资格考试报名申请表。

②学历证明。

③实践经历证明。

6)房地产估价师执业资格考试合格者,由中华人民共和国人力资源和社会保障部或其授权的部门颁发中华人民共和国人力资源和社会保障部统一印制,中华人民共和国人力资源和社会保障部与住房和城乡建设部用印的房地产估价师《执业资格证书》,经注册后全国范围有效。

(2)1995 年起,国家开始实施房地产估价师执业资格制度,执业资格考试工作从 1995 年开始实施,《房地产估价师执业资格考试实施办法》规定:

1)组织领导。住房和城乡建设部和中华人民共和国人力资源和社会保障部共同负责全国房地产估价师执业资格制度的政策制定、组织协调、考试、注册和监督管理工作。

2)考试时间及科目设置。

①考试时间。房地产估价师执业资格实行全国统一考试制度,原

则上每年举行一次。

②考试科目。考试设《房地产基本制度与政策》(含房地产估价相关知识)、《房地产开发经营与管理》、《房地产估价理论与方法》、《房地产估价案例与分析》(开卷)4 个科目。考试分为四个半天进行,每个科目考试时间为两个半小时。

3)报考条件。按照《房地产估价师执业资格制度暂行规定》(建房〔1995〕147 号)的规定,凡中华人民共和国公民,遵纪守法并具备下列条件之一的,可申请参加房地产估价师执业资格考试:

①取得房地产估价相关学科(包括房地产经营、房地产经济、土地管理、城市规划等,下同)中等专业学历,具有 8 年以上相关工作经历,其中从事房地产估价实务满 5 年。

②取得房地产估价相关学科大专学历,具有 6 年以上相关工作经历,其中从事房地产估价实务满 4 年。

③取得房地产估价相关学科学士学位,具有 4 年以上相关工作经历,其中从事房地产估价实务满 3 年。

④取得房地产估价相关学科硕士学位或第二学位、研究生班毕业,从事房地产估价实务满 2 年。

⑤取得房地产估价相关学科博士学位的。

⑥不具备上述规定学历,但通过国家统一组织的经济专业初级资格或审计、会计、统计专业助理级资格考试并取得相应资格,具有 10 年以上相关专业工作经历,其中从事房地产估价实务满 6 年、成绩特别突出的。

⑦根据中华人民共和国人力资源和社会保障部《关于做好香港、澳门居民参加内地统一举行的专业技术人员资格考试有关问题的通知》(国人部发〔2005〕9 号)文件精神,凡符合房地产估价师执业资格考试有关规定的香港、澳门居民,均可按照规定的程序和要求,报名参加相应专业考试。

香港、澳门居民申请参加房地产估价师执业资格考试,在报名时应向资格审核点提交本人身份证明、国务院教育行政部门认可的相应专业学历或学位证书原件,以及相应专业机构从事相关专业工作年限的证明。

上述报考条件中有关学历的要求是指经国家教育行政主管部门承认的正规学历或学位;从事房地产估价实务工作年限是指取得规定学历前、后从事该项工作时间的总和,其截止日期为考试报名年度当年年底。

4)考试报名。符合条件的报考人员,可在规定时间内登录北京市人事考试网在线填写提交报考信息,并按有关规定办理资格审查及网上缴费手续。(具体报名安排详见当次的报考文件。)

5)成绩管理。房地产估价师执业资格考试成绩实行两年为一个周期的滚动管理办法,参加全部四个科目考试的人员必须在连续两个考试年度内通过全部科目。

6)合格证书。房地产估价师执业资格考试合格者,由中华人民共和国人力资源和社会保障部或其授权的部门颁发中华人民共和国人力资源和社会保障部统一印制,中华人民共和国人力资源和社会保障部和住房和城乡建设部用印的房地产估价师《执业资格证书》,经注册后全国范围有效。

2. 房地产估价师注册

《房地产估价师执业资格考试实施办法》规定:国务院建设行政主管部门负责全国房地产估价师的注册管理工作。省、自治区人民政府建设行政主管部门、直辖市人民政府房地产行政主管部门负责本行政区域内房地产估价师的注册管理工作。注册有效期自注册之日起计为三年。

《房地产估价师执业资格制度暂行规定》规定:

(1)住房和城乡建设部或其授权的部门为房地产估价师资格的注册管理机构,未取得《房地产估价师注册证》的人员,不得以房地产估价师的名义从事房地产估价业务。

(2)房地产估价师执业资格考试合格人员,必须在取得房地产估价师《执业资格证书》后三个月内办理注册登记手续。

(3)申请房地产估价师注册需提供下列证明文件:

1)房地产估价师执业资格注册申请。

2)房地产估价师《执业资格证书》。

3)业绩证。

4)所在单位考核合格证明。

(4)房地产估价师执业资格注册,由本人提出申请,经聘用单位送省级房地产管理部门初审后,统一报住房和城乡建设部或其授权的部门注册。准予注册的申请人,由住房和城乡建设部或其授权的部门核发《房地产估价师注册证》。

中华人民共和国人力资源和社会保障部和各级人事(职改)部门对房地产估价师执业资格注册和使用情况有检查、监督的责任。

(5)凡不具备民事行为能力的和不能按上述(3)要求提供证明文件的,不予注册。

(6)房地产估价师执业资格注册有效期一般为三年,有效期满前三个月,持《房地产估价师注册证》者应当到原注册机关重新办理注册手续。

再次注册,应有受聘单位考核合格和知识更新、参加业务培训的证明。

(7)凡脱离房地产估价师工作岗位连续时间两年以上者(含两年),注册管理机构将取消其注册。

(8)房地产估价师执业资格注册登记内容变更,须在变更前30日内向原注册机关办理变更登记。

(9)房地产估价师执业资格注册后,有下列情形之一的,由原注册机关吊销其《房地产估价师注册证》:

1)完全丧失民事行为能力。

2)死亡或失踪。

3)受刑事处罚的。

3. 房地产估价师权利与义务

房地产估价师在经批准的估价单位执行业务。估价单位的业务范围、工作规程由住房和城乡建设部按国家有关规定制定。

房地产估价师有作业范围包括房地产估价、房地产咨询以及与房地产估价有关的其他业务。

（1）房地产估价师的权利。房地产估价师享有下列有关权利：

1）有执行房地产估价业务的权利。

2）有在房地产估价报告上签字的权利。

3）有使用房地产估价名称的权利。

（2）房地产估价师的义务。房地产估价师必须履行下列义务：

1）遵守房地产评估法规、技术规范和规程。

2）保证估价结果的客观公正。

3）遵守行业管理规定和职业道德规范。

4）接受职业继续教育，不断提高业务水平。

5）为委托人保守商业秘密。

（3）房地产估价师承办业务，由其所在单位统一受理并与委托人签订委托合同。

房地产评估收费由所在单位统一收取。

（4）房地产估价师执行业务可以根据需要查阅委托人的有关资料和文件，查看委托人的业务现场和设施，要求委托人提供必要的协助。

（5）由于房地产估价失误给当事人造成经济损失的，由所在单位承担赔偿责任。所在单位可以对房地产估价师追偿。

（6）房地产估价师与委托人有利害关系的，应当回避。委托人有权要求其回避。

4. 罚则

（1）违反《房地产估价师执业资格制度暂行规定》，有下列行为之一的，由注册单位对当事人处以警告，没收非法所得，暂停执行业务，吊销房地产估价师《执业资格证书》、《房地产估价师注册证》，并可处以罚款，情节严重、构成犯罪的，由司法机关依法追究刑事责任：

1）涂改、伪造或以虚假和不正当手段获取房地产估价师《执业资格证书》、《房地产估价师注册证》的。

2）未按规定办理注册、变更登记和未经登记以房地产估价师的名义从事估价业务的。

3）利用执行业务之便，索贿、受贿、谋取其他不正当的利益。

4)允许他人以自己的名义从事房地产估价业务和同时在两个或两个以上估价单位执行业务。

5)与委托人串通或故意做不实的估价报告和因工作失误,造成重大损失的。

6)以个人名义承接房地产估价业务,收取费用的。

7)因在房地产估价及管理工作中犯严重错误,受行政处罚或刑事处罚的。

(2)房地产估价师执业资格管理部门的工作人员,在房地产估价师执业资格考试和注册管理中玩忽职守、滥用职权、构成犯罪的,依法追究刑事责任,未构成犯罪的给予行政处分。

(3)当事人对行政处分决定不服的,可以依法申请复议或向上级人民法院起诉。

第七节　小城镇房地产税费管理

房地产税收法律制度是国家税法的重要组成部分。合理的房地产税收不仅可以保证国家取得稳定的收入,而且可以加强国家对国民经济的宏观调控,合理调节各方面的经济利益,引导资金流向,调整产业结构,协调经济发展。完善的房地产税收法律制度是房地产业和房地产市场健康发展的保障。随着我国土地资源管理的不断加强和房地产业的迅速发展,我国的房地产税收法律制度逐渐完善,并已成为国家税收体系中相对独立的、具有特色的一部分。

一、房地产税的概念和作用

房地产税是指直接或间接以房地产为对象而征收的税。在我国现行土地制度下,房地产一词有特殊含义。由于历史的原因,我国对房屋和土地基本上是分别征税,而且是以土地税为主。所以,这里所讲的房地产税,实际上就是房产税和土地税的总称。目前,我国的房产税包括固定资产投资方向调节税、房产税、契税和印花税。土地税主要包括土地使用税、土地增值税、销售不动产营业税等。房产税和土地税有不同的征税对象、不同的征税目的,并适用不同的税率。但有一点是共同的,即它们征税的基础都是不动产,其纳税环节都发生在房地产的占有、使用和经营活动之中,因此,两者又具有一些共同的特征和共同的作用。

1. 税源充足、税收稳定

众所周知,房地产是财产的重要内容。与一般财产相比,其具有价值大、不能移动的特点。就其用途而言,它既是生活资料,又是生产资料。房地产的占有和使用是一切生产、生活得以进行的前提,它涉及人们生产、生活以及一切社会活动的各个方面。占有、使用房地产是最大量、最普遍的人类行为。因此,以房地产为对象征税,税源充足,收入稳定。自古以来,土地税都是国家税收的重要税种之一。在一些发达国家和地区,来自房地产的税收收入通常占年度财政收入的1/3 或 1/4。

2. 平衡负担、缩小差距

房地产税收既有直接税,也有间接税,其中直接税的税负是不能转嫁的,如房产税征税的主要依据是房产的价值。这种税的征收结果是占有的房产越多税负越重,占有的房产越少负担越轻,从而起到调节纳税人的财产占有量,缩小贫富差距的作用。

3. 引导土地利用方向,促进土地合理利用

合理的土地税收是促进土地合理利用的有效手段,通过土地税的征收,对需要限制的土地利用课以重税,对需要鼓励的土地利用课以轻税或适当减免税,就可以引导和调整土地的利用方向,优化土地利用结构,提高土地的利用率。以土地占有量为依据征收的税,则可以限制土地的过多占用,减少土地资源的浪费。

4. 房地产税尤其是土地税可以促进土地级差收益的合理分配,抑制土地投机

在市场经济条件下,土地的所有者或使用者不但可以凭借其对土地的占有获得土地的自然增值,而且还可以通过囤积土地、待价而沽,做土地投机生意,获取暴利。对土地的增值收益征税,就可以有效地调节土地的级差收益,保证土地级差收益在不同的利益主体之间进行分配,并在一定程度上抑制土地投机行为。

二、土地税法律制度

(一)耕地占用税

耕地占用税是国家对占用耕地建房或者从事其他非农业建设的单位和个人,依据实际占用耕地面积、按照规定税额一次性征收的一种税。耕地占用税属行为税范畴。耕地占用税是我国对占用耕地建房或从事非农业建设的单位或个人所征收的一种税收。

1. 征税目的和意义

(1)征税目的。征税目的是控制非农业建设对耕地的占用,稳定耕地面积,保障农业的发展。通过征税逐步建立起一笔基金,用于开发宜农荒地、荒滩、草场和淡水水面,改造整治中低产农田,提高耕地质量,以补偿耕地被占用带来的损失。

(2)征税意义。

1)开征耕地占用税是加强土地管理,保护耕地的重要手段。税收是调节社会经济的重要杠杆之一。对耕地占用行为,进行经济利益的调节,可以促使建设用地使用者尽可能地少占用耕地或不占用耕地,从而保护珍贵的耕地资源。

2)开征耕地占用税有利于农业生产的发展。通过征收耕地占用税,可以把部分税款用于发展农业,促进农业和整个国民经济的发展。

2. 纳税人与征税范围

(1)纳税人。负有缴纳耕地占用税义务的单位和个人。包括在境内占用耕地建房或者从事其他非农业建设的单位和个人。具体可分为三类:

1)企业、行政单位、事业单位。

2)乡镇集体企业、事业单位。

3)农村居民和其他公民。

(2)征税范围。耕地占用税的征税范围包括纳税人为建房或从事其他非农业建设而占用的国家所有和集体所有的耕地。

所谓"耕地"是指种植农业作物的土地,包括菜地、园地。其中,园地包括花圃、苗圃、茶园、果园、桑园和其他种植经济林木的土地。

占用鱼塘及其他农用土地建房或从事其他非农业建设,也视同占用耕地,必须依法征收耕地占用税。占用已开发从事种植、养殖的滩涂、草场、水面和林地等从事非农业建设,由省、自治区、直辖市本着有利于保护土地资源和生态平衡的原则,结合具体情况确定是否征收耕地占用税。

此外,在占用之前三年内属于上述范围的耕地或农用土地,也视为耕地。

3. 税额

根据 2008 年 1 月 1 日施行的《耕地占用税暂行条例》的规定:

(1)耕地占用税的税额规定如下:

1)人均耕地不超过 1 亩的地区(以县级行政区域为单位,下同),每平方米为 10 元至 50 元。

2)人均耕地超过 1 亩但不超过 2 亩的地区,每平方米为 8 元至 40 元。

3)人均耕地超过 2 亩但不超过 3 亩的地区,每平方米为 6 元至 30 元。

4)人均耕地超过 3 亩的地区,每平方米为 5 元至 25 元。

国务院财政、税务主管部门根据人均耕地面积和经济发展情况确定各省、自治区、直辖市的平均税额。

各地适用税额,由省、自治区、直辖市人民政府在上述"1)"规定的税额幅度内,根据本地区情况核定。各省、自治区、直辖市人民政府核定的适用税额的平均水平,不得低于上述"2)"规定的平均税额。

(2)经济特区、经济技术开发区和经济发达且人均耕地特别少的地区,适用税额可以适当提高,但是提高的部分最高不得超过上述(1)中第 3)款规定的当地适用税额的 50%。

(3)占用基本农田的,适用税额应当在上述(1)中第 3)、4)款规定的当地适用税额的基础上提高 50%。

（4）下列情形免征耕地占用税：

1）军事设施占用耕地。

2）学校、幼儿园、养老院、医院占用耕地。

（5）铁路线路、公路线路、飞机场跑道、停机坪、港口、航道占用耕地，减按每平方米 2 元的税额征收耕地占用税。

根据实际需要，国务院财政、税务主管部门商国务院有关部门并报国务院批准后，可以对前款规定的情形免征或者减征耕地占用税。

（6）农村居民占用耕地新建住宅，按照当地适用税额减半征收耕地占用税。

农村烈士家属、残疾军人、鳏寡孤独以及革命老根据地、少数民族聚居区和边远贫困山区生活困难的农村居民，在规定用地标准以内新建住宅缴纳耕地占用税确有困难的，经所在地乡（镇）人民政府审核，报经县级人民政府批准后，可以免征或者减征耕地占用税。

（7）依照上述"（）、（）"规定免征或者减征耕地占用税后，纳税人改变原占地用途，不再属于免征或者减征耕地占用税情形的，应当按照当地适用税额补缴耕地占用税。

（8）耕地占用税由地方税务机关负责征收。

土地管理部门在通知单位或者个人办理占用耕地手续时，应当同时通知耕地所在地同级地方税务机关。获准占用耕地的单位或者个人应当在收到土地管理部门的通知之日起 30 日内缴纳耕地占用税。土地管理部门凭耕地占用税完税凭证或者免税凭证和其他有关文件发放建设用地批准书。

（9）纳税人临时占用耕地，应当依照规定缴纳耕地占用税。纳税人在批准临时占用耕地的期限内恢复所占用耕地原状的，全额退还已经缴纳的耕地占用税。

（10）占用林地、牧草地、农田水利用地、养殖水面以及渔业水域滩涂等其他农用地建房或者从事非农业建设的，比照《耕地占用税暂行条例》的规定征收耕地占用税。

建设直接为农业生产服务的生产设施占用前款规定的农用地的，不征收耕地占用税。

(二)土地使用税

土地使用税,是指在城市、县城、建制镇、工矿区范围内使用土地的单位和个人,以实际占用的土地面积为计税依据,依照规定由土地所在地的税务机关征收的一种税赋。由于土地使用税只在县城以上城市征收,因此也称城镇土地使用税。

1. 征税对象

土地使用税以土地面积为课税对象,向土地使用人课征,属于以有偿占用为特点的行为税类型。土地使用税只在县以上城市开征,非开征地区城镇使用土地则不征税。城镇土地使用税的征税范围为城市、县城、建制镇、工矿区等。其中:

1)城市是指经国务院批准建立的市,包括市区和郊区。

2)县城是指县人民政府所在地的城镇。

3)建制镇是指经省、自治区、直辖市人民政府批准设立的建制镇。

4)工矿区是指工商业比较发达,人口比较集中,符合国务院规定的建制镇标准,但尚未设立建制镇的大中型工矿企业所在地。工矿区须经省、自治区、直辖市人民政府批服。

2. 纳税人

纳税人指的是在城市、县城、建制镇、工矿区范围内使用土地的单位和个人,其中:所谓单位包括国有企业、集体企业、私营企业、股份制企业、外商投资企业、外国企业以及其他企业和事业单位、社会团体、国家机关、军队以及其他单位;所称个人,包括个体工商户以及其他个人。

3. 税额

根据《中华人民共和国城镇土地使用税暂行条例》(2007年修订)的规定:

(1)土地使用税以纳税人实际占用的土地面积为计税依据,依照规定税额计算征收。土地占用面积的组织测量工作,由省、自治区、直辖市人民政府根据实际情况确定。

(2)土地使用税每平方米年税额如下:

1)大城市 1.5 元至 30 元。

2)中等城市 1.2 元至 24 元。

3)小城市 0.9 元至 18 元。

4)县城、建制镇、工矿区 0.6 元至 12 元。

(3)省、自治区、直辖市人民政府,应当在上述(2)规定的税额幅度内,根据市政建设状况、经济繁荣程度等条件,确定所辖地区的适用税额幅度。

市、县人民政府应当根据实际情况,将本地区土地划分为若干等级,在省、自治区、直辖市人民政府确定的税额幅度内,制定相应的适用税额标准,报省、自治区、直辖市人民政府批准执行。

经省、自治区、直辖市人民政府批准,经济落后地区土地使用税的适用税额标准可以适当降低,但降低额不得超过上述(2)规定最低税额的 30%。经济发达地区土地使用税的适用税额标准可以适当提高,但须报经财政部批准。

(4)下列土地免缴土地使用税:

1)国家机关、人民团体、军队自用的土地。

2)由国家财政部门拨付事业经费的单位自用的土地。

3)宗教寺庙、公园、名胜古迹自用的土地。

4)市政街道、广场、绿化地带等公共用地。

5)直接用于农、林、牧、渔业的生产用地。

6)经批准开山填海整治的土地和改造的废弃土地,从使用的月份起免缴土地使用税 5 年至 10 年。

7)由财政部另行规定免税的能源、交通、水利设施用地和其他用地。

(5)除上述(4)规定外,纳税人缴纳土地使用税确有困难需要定期减免的,由省、自治区、直辖市税务机关审核后,报国家税务局批准。

(6)土地使用税按年计算、分期缴纳。缴纳期限由省、自治区、直辖市人民政府确定。

(7)新征用的土地,依照下列规定缴纳土地使用税:

1)征用的耕地,自批准征用之日起满一年时开始缴纳土地使用税。

2)征用的非耕地,自批准征用次月起缴纳土地使用税。

(三)土地增值税

土地增值税实际上就是反房地产暴利税,是指房地产经营企业等单位和个人,有偿转让国有土地使用权以及在房屋销售过程中获得的收入,扣除开发成本等支出后的增值部分,要按一定比例向国家缴纳的一种税费。当前中国的土地增值税实行四级超额累进税率,对土地增值率高的多征,增值率低的少征,无增值的不征,例如,增值额大于20%未超过50%的部分,税率为30%;增值额超过200%的部分,则要按60%的税率进行征税。据专家测算,房地产项目毛利率只要达到34.63%以上,都需缴纳土地增值税。

1. 征税对象

土地增值税的征税对象是土地使用者转让房地产所取得的增值额。土地增值额即纳税人转让房地产取得的收入,减去法定扣除项目金额后的余额。纳税人转让房地产所得的收入,包括货币收入、实物收入和其他收入。法定扣除项目金额包括:

(1)纳税人取得土地使用权所支付的金额。

(2)开发土地的成本费用。

(3)新建房及配套设施的成本、费用,或者旧房及建筑物的评估价格。

(4)与转让房地产有关的税金。

(5)财政部规定的其他扣除项目。

2. 纳税人

土地增值税的纳税人指的是转让国有土地使用权、地上的建筑物及其附着物(以下简称转让房地产)并取得收入的单位和个人。

3. 税额

土地增值税由税务机关征收。土地管理部门、房产管理部门应当向税务机关提供有关资料,并协助税务机关依法征收土地增值税。

纳税人应当自转让房地产合同签订之日起七日内向房地产所在地主管税务机关办理纳税申报,并在税务机关核定的期限内缴纳土地增值税。

根据《中华人民共和国土地增值税暂行条例》的规定：

(1)土地增值税按照纳税人转让房地产所取得的增值额和下列规定的税率计算征收：

1)土地增值税实行四级超率累进税率。

2)增值额未超过扣除项目金额50％的部分,税率为30％。

3)增值额超过扣除项目金额50％、未超过扣除项目金额100％的部分,税率为40％。

4)增值额超过扣除项目金额100％、未超过扣除项目金额200％的部分,税率为50％。

5)增值额超过扣除项目金额200％的部分,税率为60％。

(2)纳税人转让房地产所取得的收入减除应扣除项目金额后的余额,为增值额。应扣除的项目包括：

1)取得土地使用权所支付的金额。

2)开发土地的成本、费用。

3)新建房及配套设施的成本、费用,或者旧房及建筑物的评估价格。

4)与转让房地产有关的税金。

5)财政部规定的其他扣除项目。

(3)纳税人转让房地产所取得的收入,包括货币收入、实物收入和其他收入。

(4)有下列情形之一的,免征土地增值税：

1)纳税人建造普通标准住宅出售,增值额未超过扣除项目金额20％的。

2)因国家建设需要依法征收、收回的房地产。

(5)纳税人有下列情形之一的,按照房地产评估价格计算征收：

1)隐瞒、虚报房地产成交价格的。

2)提供扣除项目金额不实的。

3)转让房地产的成交价格低于房地产评估价格,又无正当理由的。

三、房产税法律制度

(一)房产税

房产税是以房屋为征税对象,按房屋的计税余值或租金收入为计税依据,向产权所有人征收的一种财产税。

现行的房产税是第二步利改税以后开征的,1986年9月15日,国务院正式发布了《中华人民共和国房产税暂行条例》,从1986年10月1日开始实施。2010年7月22日,在财政部举行的地方税改革研讨会上,相关人士表示,房产税试点将于2012年开始推行。但鉴于全国推行难度较大,试点将从个别城市开始。

1. 征税对象和征收范围

房产税的征税对象是房屋的价值和房屋的租金。

房产税的征收范围是城市、县城、建制镇和工矿区。其中城市的征收范围包括市区、郊区和市辖县县城,建制镇人民政府所在地,不包括所辖的行政村。

工矿区是指工商业比较发达,人口比较集中,符合国务院规定的建制镇标准,但尚未设立镇建制的大型工矿企业所在地。

2. 纳税人

房产税的纳税人是房屋的产权所有人。其中,房屋产权属于全民所有的,由经营管理的单位缴纳。房屋产权出典的,由承典人缴纳。产权所有人、承典人不在房产所在地的,或者产权未确定及租典纠纷未解决的,由房产代管人或者使用人缴纳。

3. 房产税的计税依据

2011年1月8日,根据国务院令第588号《国务院关于废止和修改部分行政法规的决定》修订了《中华人民共和国房产税暂行条例》。修订版《中华人民共和国房产税暂行条例》规定:

房产税依照房产原值一次减除10%至30%后的余值计算缴纳。具体减除幅度,由省、自治区、直辖市人民政府规定。

没有房产原值作为依据的,由房产所在地税务机关参考同类房产核定。

房产出租的,以房产租金收入为房产税的计税依据。

4. 房产税的税率

修订版《中华人民共和国房产税暂行条例》规定:房产税的税率,依照房产余值计算缴纳的,税率为 1.2%;依照房产租金收入计算缴纳的,税率为 12%。

5. 房产税的缴纳与减免

修订版《中华人民共和国房产税暂行条例》规定:

(1)房产税按年征收、分期缴纳。纳税期限由省、自治区、直辖市人民政府规定。

(2)房产税的征收管理,依照《中华人民共和国税收征收管理法》的规定办理。

(3)房产税由房产所在地的税务机关征收。

(4)下列房产免纳房产税:

1)国家机关、人民团体、军队自用的房产。

2)由国家财政部门拨付事业经费的单位自用的房产。

3)宗教寺庙、公园、名胜古迹自用的房产。

4)个人所有非营业用的房产。

5)经财政部批准免税的其他房产。

除上述规定者外,纳税人纳税确有困难的,可由省、自治区、直辖市人民政府确定,定期减征或者免征房产税。

(二)契税

契税是以所有权发生转移变动的不动产为征税对象,向产权承受人征收的一种财产税。

1997 年 7 月 7 日,国务院颁布《中华人民共和国契税暂行条例》,规定了契税的纳税人、计税依据、税率、征收及缴纳等内容。

1. 纳税人

契税的纳税人指的是在中华人民共和国境内转移土地、房屋权属,承受的单位和个人,其中转移土地、房屋权属是指下列行为:

（1）国有土地使用权出让。

（2）土地使用权转让，包括出售、赠予和交换，不包括农村集体土地承包经营权的转移。

（3）房屋买卖。

（4）房屋赠与。

（5）房屋交换。

2. 计税依据

契税的计税依据如下：

（1）国有土地使用权出让、土地使用权出售、房屋买卖，为成交价格。

（2）土地使用权赠予、房屋赠予，由征收机关参照土地使用权出售、房屋买卖的市场价格核定。

（3）土地使用权交换、房屋交换，为所交换的土地使用权、房屋的价格的差额。

成交价格明显低于市场价格并且无正当理由的，或者所交换土地使用权、房屋价格的差额明显不合理并且无正当理由的，由征收机关参照市场价格核定。

3. 契税的征收和缴纳

契税的征收管理依照《中华人民共和国契税暂行条例》和有关法律、行政法规的规定执行。

《中华人民共和国契税暂行条例》规定：

（1）契税应纳税额，依照 3%～5%税率计算征收。应纳税额计算公式如下：

$$应纳税额＝计税依据×税率$$

应纳税额以人民币计算。转移土地、房屋权属以外汇结算的，按照纳税义务发生之日中国人民银行公布的人民币市场汇率中间价折合成人民币计算。

（2）有下列情形之一的，减征或者免征契税：

1）国家机关、事业单位、社会团体、军事单位承受土地、房屋用于办公、教学、医疗、科研和军事设施的，免征。

2)城镇职工按规定第一次购买公有住房的,免征。

3)因不可抗力灭失住房而重新购买住房的,酌情准予减征或者免征。

4)财政部规定的其他减征、免征契税的项目。

(3)经批准减征、免征契税的纳税人改变有关土地、房屋的用途,不再属于上述(2)规定的减征、免征契税范围的,应当补缴已经减征、免征的税款。

(4)契税的纳税义务发生时间,为纳税人签订土地、房屋权属转移合同的当天,或者纳税人取得其他具有土地、房屋权属转移合同性质凭证的当天。

(5)纳税人应当自纳税义务发生之日起 10 日内,向土地、房屋所在地的契税征收机关办理纳税申报,并在契税征收机关核定的期限内缴纳税款。

(6)纳税人办理纳税事宜后,契税征收机关应当向纳税人开具契税完税凭证。

(7)纳税人应当持契税完税凭证和其他规定的文件材料,依法向土地管理部门、房产管理部门办理有关土地、房屋的权属变更登记手续。

纳税人未出具契税完税凭证的,土地管理部门、房产管理部门不予办理有关土地、房屋的权属变更登记手续。

(8)契税征收机关为土地、房屋所在地的财政机关或者地方税务机关。具体征收机关由省、自治区、直辖市人民政府确定。

土地管理部门、房产管理部门应当向契税征收机关提供有关资料,并协助契税征收机关依法征收契税。

(三)印花税

印花税是以经济活动中签立的各种合同、产权转移书据、营业账簿、权利许可证照等应税凭证文件为对象所征的税。

中华人民共和国成立后,由于税收不统一,中央政府于 1950 年 1 月 30 日公布了《全国税政实施要则》,于 12 月公布了《印花税暂行条例》,并于 1951 年 1 月公布了《印花税暂行条例施行细则》,从此统一了印花税法。在此期间,中央政府分别于1949年11月发行"旗球图"印花税票;于1952年7月发行"机器图"、"鸽球图"印花税票,并一直用到1958年。当年,全国施行税改,中央取消了印花税并将其并入工商统一税。1988年8月6日中华人民共和国国务院11号令发布《中华人民共和国印花税暂行条例》,规定重新在全国统一开征印花税。当年10月1日,正式恢复征收印花税,国家税务总局监制发行了新中国第三套印花税票,图案表现了宇航、钻井、海陆空交通、炼钢、收割机、大学等,该套印花税票被称为"建设图"。2001年,中国印制发行了"社会主义现代化建设图"一套九枚的印花税票,还印制小型张一枚。2003年,中国又印制发行了恢复印花税收后的第三套印花税票"中国世界文化遗产图"一套9枚,同时印制小型张一枚,六连张一枚,小全张一枚,小本票一种,并制作了纪念册。

1. 征税对象

印花税的征税对象是书立或领受应税凭证的行为,主要包括以下几种:

(1)书立应税的合同或具有合同性质的凭证。

(2)书立产权转移书据。

(3)领受权利、许可证照。

(4)书立经财政部确定征税的其他凭证。凡书立或领受《中华人民共和国印花税暂行条例》列举之凭证的,均为印花税的征税对象。

下列凭证为《中华人民共和国印花税暂行条例》所列应纳税凭证:

1)购销、加工承揽、建设工程承包、财产租赁、货物运输、仓储保管、借款、财产保险、技术合同或者具有合同性质的凭证。

2)产权转移书据。

3)营业账簿。

4)权利、许可证照。

5)经财政部确定征税的其他凭证。

2. 纳税人

印花税纳税人指的是在中华人民共和国境内书立、领受上述《中华人民共和国印花税暂行条例》所列举凭证的单位和个人。

3. 印花税的征收与缴纳

印花税的征收管理,除《中华人民共和国印花税暂行条例》规定者外,依照《中华人民共和国税收征收管理暂行条例》的有关规定执行。

《中华人民共和国印花税暂行条例》规定:

(1)纳税人根据应纳税凭证的性质,分别按比例税率或者按件定额计算应纳税额。具体税率、税额的确定,依照《中华人民共和国印花税暂行条例》所附《印花税税目税率表》执行。

应纳税额不足一角的,免纳印花税。

应纳税额在一角以上的,其税额尾数不满五分的不计,满五分的按一角计算缴纳。

(2)下列凭证免纳印花税:

1)已缴纳印花税的凭证的副本或者抄本。

2)财产所有人将财产赠给政府、社会福利单位、学校所立的书据。

3)经财政部批准免税的其他凭证。

(3)印花税实行由纳税人根据规定自行计算应纳税额,购买并一次贴足印花税票(以下简称贴花)的缴纳办法。

为简化贴花手续,应纳税额较大或者贴花次数频繁的,纳税人可向税务机关提出申请,采取以缴款书代替贴花或者按期汇总缴纳的办法。

(4)印花税票应当粘贴在应纳税凭证上,并由纳税人在每枚税票的骑缝处盖戳注销或者画销。

已贴用的印花税票不得重用。

(5)应纳税凭证应当于书立或者领受时贴花。

(6)同一凭证,由两方或者两方以上当事人签订并各执一份的,应当由各方就所执的一份各自全额贴花。

(7)已贴花的凭证,修改后所载金额增加的,其增加部分应当补贴印花税票。

(8)印花税由税务机关负责征收管理。

(9)印花税票由国家税务局监制。票面金额以人民币为单位。

(10)发放或者办理应纳税凭证的单位,负有监督纳税人依法纳税的义务。

4. 纳税人的行为处罚

纳税人有下列行为之一的,由税务机关根据情节轻重,予以处罚:

(1)在应纳税凭证上未贴或者少贴印花税票的,税务机关除责令其补贴印花税票外,可处以应补贴印花税票金额 20 倍以下的罚款。

(2)违反《中华人民共和国印花税暂行条例》第六条第一款规定的,税务机关可处以未注销或者画销印花税票金额 10 倍以下的罚款。

(3)违反《中华人民共和国印花税暂行条例》第六条第二款规定的,税务机关可处以重用印花税票金额 30 倍以下的罚款。

伪造印花税票的,由税务机关提请司法机关依法追究刑事责任。

(四)房地产营业税

房地产营业税是指针对企业出售和个人转让房地产的税收。

自 2009 年 1 月 1 日起,采取预收款方式销售开发产品的,应当于收到预收款的当天缴纳营业税(《营业税暂行条例实施细则》第二十五条)。所以,此种情形不是预缴,而是实际发生的营业税。

1. 房地产营业税法律规定

(1)财政部、国家税务总局《关于调整住房租赁市场税收政策的通知》(财税〔2000〕125 号)指出:

1)对按政府规定价格出租的公有住房和廉租住房,包括企业和自收自支事业单位向职工出租的单位自有住房;房管部门向居民出租的公有住房;落实私房政策中带户发还产权并以政府规定租金标准向居民出租的私有住房等,暂免征收房产税、营业税。

2)对个人按市场价格出租的居民住房,其应缴纳的营业税暂减按3%的税率征收,房产税暂减按 4%的税率征收。

(2)国家税务总局《关于土地使用者将土地使用权归还给土地所有者行为营业税问题的通知》(国税函〔2008〕277 号)指出:纳税人将土地使用权归还给土地所有者时,只要出具县级(含)以上地方人民政府收回土地使用权的正式文件,无论支付征地补偿费的资金来源是否为政府财政资金,该行为均属于土地使用者将土地使用权归还给土地所有者的行为,按照国家税务总局《关于印发〈营业税税目注释(试行稿)〉的通知》(国税发[1993]149号)规定,不征收营业税。

(3)国家税务总局《关于政府收回土地使用权及纳税人代垫拆迁补偿费有关营业税问题的通知》(国税函[2009]520号)指出:

1)国家税务总局《关于土地使用者将土地使用权归还给土地所有者行为营业税问题的通知》(国税函[2008]277号)中关于县级以上(含)地方人民政府收回土地使用权的正式文件,包括县级以上(含)地方人民政府出具的收回土地使用权文件,以及土地管理部门报经县级以上(含)地方人民政府同意后由该土地管理部门出具的收回土地使用权文件。

2)纳税人受托进行建筑物拆除、平整土地并代委托方向原土地使用人支付拆迁补偿费的过程中,其提供建筑物拆除、平整土地劳务取得的收入应按照"建筑业"税目缴纳营业税;其代委托方向原土地使用权人支付拆迁补偿费的行为属于"服务业—代理业"行为,应以提供代理劳务取得的全部收入减去其代委托方支付的拆迁补偿费后的余额为营业额计算缴纳营业税。

(4)《关于进一步落实不动产、建筑业营业税项目管理及发票使用管理办法的通知》(国税函[2009]630号)按照"以票控税、网络比对、税源监控、综合管理"的要求,统一开发了建筑业、房地产业营业税项目管理软件。近年来,广西、甘肃、福建等省、区、市税务机关积极贯彻落实不动产、建筑业营业税项目管理及发票使用管理办法,取得了以票控税、综合管理、税收增收的显著成效。

为深入贯彻中央经济工作会议关于"依法加强税收征管,做到应收尽收"的要求,加强建筑业、房地产业两个重点税源行业的营业税征收管理,不断提高税收征管质量和效率,保证营业税收入的持续稳定增长,总局要求各地税务机关要认真贯彻落实国税发[2006]128号文件要求,继续深入推进不动产、建筑业营业税项目管理及发票使用管理办法,2011年底前所有地区必须将不动产、建筑业营业税项目管理及发票使用管理办法落实到位。总局将在适当的时候组织检查落实情况,并适时进行督导,以保证办法落实到位。

(5)《关于调整个人住房转让营业税政策的通知》(财税[2009]157号)自 2010 年 1 月 1 日起,个人将购买不足 5 年的非普通住房对外销售的,全额征收营业税;个人将购买超过 5 年(含 5 年)的非普通住房或者不足 5 年的普通住房对外销售的,按照其销售收入减去购买房屋的价款后的差额征收营业税;个人将购买超过 5 年(含 5 年)的普通住房对外销售的,免征营业税。

这也意味着,个人销售购买不足 5 年的普通住房,也要按照其销售收入征收营业税。按照调整前的营业税政策,个人销售购买不足 5 年的普通住房,按照其销售收入减除购房价款以后的差额征收营业税。

而对于个人销售购买 5 年以上的非普通住房,按照其销售收入减除购房价款以后的差额征收营业税;个人销售购买 5 年以上的普通住房,免征营业税,"国八条"则未做调整。

(6)财政部、国家税务总局《关于调整个人住房转让营业税政策的通知》(财税[2011]12 号)规定,自 2011 年 1 月 28 日起,个人将购买不足 5 年的住房对外销售,全额征收营业税。个人将购买超过 5 年(含 5 年)的非普通住房对外销售,按照其销售收入减去购买房屋的价款后的差额征收营业税。个人将购买超过 5 年(含 5 年)的普通住房对外销售的,免征营业税。也就是说,个人将购买不足 5 年的住房对外销售,不必区分普通住宅和非普通住宅,均应全额征收营业税。

个人将购买超过 5 年(含 5 年)的非普通住房对外销售的,继续按照原来的其销售收入减去购买房屋的价款后差额的规定征收营业税。

新老政策不一致,从新政策,所以概括说来:

1)个人销售购买不足 5 年的住房,不必区分普通住房和非普通住房,一律按全额征收营业税。

2)个人销售购买超过 5 年(含 5 年)的非普通住房,按照其销售收入减去购买房屋的价款后的差额征收营业税。

3)个人销售购买超过 5 年(含 5 年)的普通住房,免征营业税。

2. 关于房地产业营业税的征税范围

房地产业,是指转让境内土地使用权和销售境内不动产的业务。

转让土地使用权,是指土地使用者有偿转让土地使用权的行为;销售不动产,是指不动产产权人有偿转让不动产所有权的行为,包括:销售建筑物或构筑物、销售其他土地附着物;不动产所占土地的使用权随同不动产一并转让的行为,比照为销售不动产。

3. 关于房地产企业适用税目、税率

房地产企业有偿转让不动产所有权的行为,适用"销售不动产"税目;房地产企业有偿转让土地使用权的行为,适用"转让无形资产"税目。销售不动产、转让无形资产,税率为5%。

四、有关房地产税细化规定

为了进一步抑制房价过快上涨,平衡收入水平,有关房产税征收的问题争议不断,为此,财政部、国家税务总局、住建部联合发布通知,做出如下细化规定:

(1)对奢侈性住宅转让后的增值收益,一律征收20%个人所得税。由财政部、国家税务总局发出通知,2014年1月1日起,对家庭人均建筑面积80平方米以上的住宅,转让后的增值收益部分(指房产的转让价减去原购买价),一律按20%的税率一次性征收个人所得税,但是,该房产此前已缴交的房产税,可以抵扣房产转让增值收益部分应缴纳的个人所得税,若该房产累计已缴交的房产税超出此次应缴纳的个人所得税,则该项个人所得税视为零;对转让家庭人均建筑面积80平方米以内的住宅,按转让收入的1%征收个人所得税,抵扣方法如上;转让家庭唯一住宅且居住5年以上的,免征个人所得税。

对转让商业房产的,按转让收入的1%征收个人所得税,抵扣方法如上。

(2)转让家庭人均建筑面积80平方米以上的住宅,房主找不到原始购房发票的,税务机关委托拥有国家一级资质的房地产评估机构(建立机构名库随机抽取),参照有市场成交记录的同地段同类房屋,或查阅当地住房信息系统,对其房产的原购买价进行评估,作为计税依据。从低收取评估费,但评估费用由卖房人承担,作为丢失原始购房发票的惩罚。

（3）当地政府每年公布分类住宅的市场指导价（房产现值），成交价明显低于市场指导价的，以市场指导价作为房产税的计税依据（类似北京、深圳、成都等城市现在执行的二手房过户指导价）。

（4）个人出租住宅，其租金收入须按 20％缴纳个人所得税；个人或企事业单位的经营性房产（商铺、写字楼、酒店等），按租金收入的 12％缴交房产税，税务部门另有规定的从其规定。

（5）取消现行对转让个人住宅征收 5.5％营业税的规定。

（6）房产所有人（业主）必须持有以上所有完税证明，房屋权属管理部门方可为其办理房产过户手续。

（7）各城镇的房产税收入和个人转让住宅增值收益的个人所得税收入，由地方政府支配，专项用于保障房建设；盈余部分拟用于其他社会保障类支出的，须经省级人民政府批准，并报中央政府主管部门备案。

第八节　小城镇房地产经纪管理

为了规范房地产经纪活动，保护房地产交易及经纪活动当事人的合法权益，促进房地产市场健康发展，根据《中华人民共和国城市房地产管理法》、《中华人民共和国合同法》等法律法规，2010 年 10 月 27 日住房和城乡建设部第 65 次部常务会议审议通过了《房地产经纪管理办法》，并经国家发展和改革委员会、人力资源和社会保障部同意，自2011 年 4 月 1 日起施行。

凡在中华人民共和国境内从事房地产经纪活动都应该遵循《房地产经纪管理办法》的规定。

一、房地产经纪的概念

房地产经纪，是指房地产经纪机构和房地产经纪人员为促成房地产交易，向委托人提供房地产居间、代理等服务并收取佣金的行为。

从事房地产经纪活动应当遵循自愿、平等、公平和诚实信用的原则，遵守职业规范，恪守职业道德。

二、房地产经纪机构和人员

房地产经纪机构,是指依法设立,从事房地产经纪活动的中介服务机构。房地产经纪机构可以设立分支机构。

设立房地产经纪机构和分支机构,应当具有足够数量的房地产经纪人员。

房地产经纪人员,是指从事房地产经纪活动的房地产经纪人和房地产经纪人协理。

房地产经纪机构和分支机构与其招用的房地产经纪人员,应当按照《中华人民共和国劳动合同法》(2012年修正)的规定签订劳动合同。

1. 房地产经纪人员执业要求

(1)国家对房地产经纪人员实行职业资格制度,纳入全国专业技术人员职业资格制度统一规划和管理。

(2)房地产经纪人实行全国统一大纲、统一命题、统一组织的考试制度,由国务院住房和城乡建设主管部门、人力资源和社会保障主管部门共同组织实施,原则上每年举行一次。

房地产经纪人协理实行全国统一大纲,由各省、自治区、直辖市人民政府建设(房地产)主管部门、人力资源和社会保障主管部门命题并组织考试的制度,每年的考试次数根据行业发展需要确定。

2. 房地产经纪机构设立

(1)房地产经纪机构及其分支机构应当自领取营业执照之日起30日内,到所在直辖市、市、县人民政府建设(房地产)主管部门备案。

(2)直辖市、市、县人民政府建设(房地产)主管部门应当将房地产经纪机构及其分支机构的名称、住所、法定代表人(执行合伙人)或者负责人、注册资本、房地产经纪人员等备案信息向社会公示。

(3)房地产经纪机构及其分支机构变更或者终止的,应当自变更或者终止之日起30日内,办理备案变更或者注销手续。

三、房地产经纪活动

房地产经纪业务应当由房地产经纪机构统一承接,服务报酬由房地产经纪机构统一收取。分支机构应当以设立该分支机构的房地产经纪机构名义承揽业务。房地产经纪人员不得以个人名义承接房地产经纪业务和收取费用。

房地产经纪行业组织应当制定房地产经纪从业规程,逐步建立并完善资信评价体系和房地产经纪房源、客源信息共享系统。

1. 房地产经纪机构应公示的内容

房地产经纪机构及其分支机构应当在其经营场所醒目位置公示下列内容:

(1)营业执照和备案证明文件。

(2)服务项目、内容、标准。

(3)业务流程。

(4)收费项目、依据、标准。

(5)交易资金监管方式。

(6)信用档案查询方式、投诉电话及 12358 价格举报电话。

(7)政府主管部门或者行业组织制定的房地产经纪服务合同、房屋买卖合同、房屋租赁合同示范文本。

(8)法律、法规、规章规定的其他事项。

1)分支机构还应当公示设立该分支机构的房地产经纪机构的经营地址及联系方式。

2)房地产经纪机构代理销售商品房项目的,还应当在销售现场明显位置明示商品房销售委托书和批准销售商品房的有关证明文件。

2. 房地产经纪服务合同

(1)房地产经纪机构接受委托提供房地产信息、实地看房、代拟合同等房地产经纪服务的,应当与委托人签订书面房地产经纪服务合同。

房地产经纪服务合同应当包含下列内容:

1)房地产经纪服务双方当事人的姓名(名称)、住所等情况和从事业务的房地产经纪人员情况。

2)房地产经纪服务的项目、内容、要求以及完成的标准。

3)服务费用及其支付方式。

4)合同当事人的权利和义务。

5)违约责任和纠纷解决方式。

建设(房地产)主管部门或者房地产经纪行业组织可以制定房地产经纪服务合同示范文本,供当事人选用。

(2)房地产经纪机构提供代办贷款、代办房地产登记等其他服务的,应当向委托人说明服务内容、收费标准等情况,经委托人同意后,另行签订合同。

(3)房地产经纪机构签订的房地产经纪服务合同,应当加盖房地产经纪机构印章,并由从事该业务的一名房地产经纪人或者两名房地产经纪人协理签名。

(4)房地产经纪机构签订房地产经纪服务合同前,应当向委托人说明房地产经纪服务合同和房屋买卖合同或者房屋租赁合同的相关内容:

1)是否与委托房屋有利害关系。

2)应当由委托人协助的事宜、提供的资料。

3)委托房屋的市场参考价格。

4)房屋交易的一般程序及可能存在的风险。

5)房屋交易涉及的税费。

6)经纪服务的内容及完成标准。

7)经纪服务收费标准和支付时间。

8)其他需要告知的事项。

(5)房地产经纪机构与委托人签订房屋出售、出租经纪服务合同,应当查看委托出售、出租的房屋及房屋权属证书,委托人的身份证明等有关资料,并应当编制房屋状况说明书。经委托人书面同意后,方可以对外发布相应的房源信息。

房地产经纪机构与委托人签订房屋承购、承租经纪服务合同,应当查看委托人身份证明等有关资料。

(6)委托人与房地产经纪机构签订房地产经纪服务合同,应当向房地产经纪机构提供真实有效的身份证明。委托出售、出租房屋的,还应当向房地产经纪机构提供真实有效的房屋权属证书。委托人未提供规定资料或者提供资料与实际不符的,房地产经纪机构应当拒绝接受委托。

(7)房地产经纪机构应当建立业务记录制度,如实记录业务情况。

房地产经纪机构应当保存房地产经纪服务合同,保存期不少于5年。

3. 房地产经纪收费

(1)房地产经纪服务实行明码标价制度。房地产经纪机构应当遵守价格法律、法规和规章规定,在经营场所醒目位置标明房地产经纪服务项目、服务内容、收费标准以及相关房地产价格和信息。

房地产经纪机构不得收取任何未予标明的费用;不得利用虚假或者使人误解的标价内容和标价方式进行价格欺诈;一项服务可以分解为多个项目和标准的,应当明确标示每一个项目和标准,不得混合标价、捆绑标价。

(2)房地产经纪机构未完成房地产经纪服务合同约定事项,或者服务未达到房地产经纪服务合同约定标准的,不得收取佣金。

两家或者两家以上房地产经纪机构合作开展同一宗房地产经纪业务的,只能按照一宗业务收取佣金,不得向委托人增加收费。

(3)房地产经纪机构根据交易当事人需要提供房地产经纪服务以外的其他服务的,应当事先经当事人书面同意并告知服务内容及收费标准。书面告知材料应当经委托人签名(盖章)确认。

(4)房地产交易当事人约定由房地产经纪机构代收代付交易资金的,应当通过房地产经纪机构在银行开设的客户交易结算资金专用存款账户划转交易资金。

交易资金的划转应当经过房地产交易资金支付方和房地产经纪机构的签字和盖章。

4. 房地产经纪机构和房地产经纪人的行为约束

房地产经纪机构和房地产经纪人员不得有下列行为:

(1)捏造散布涨价信息,或者与房地产开发经营单位串通捂盘惜售、炒卖房号,操纵市场价格。

(2)对交易当事人隐瞒真实的房屋交易信息,低价收进高价卖

（租）出房屋赚取差价。

（3）以隐瞒、欺诈、胁迫、贿赂等不正当手段招揽业务，诱骗消费者交易或者强制交易。

（4）泄露或者不当使用委托人的个人信息或者商业秘密，谋取不正当利益。

（5）为交易当事人规避房屋交易税费等非法目的，就同一房屋签订不同交易价款的合同提供便利。

（6）改变房屋内部结构分割出租。

（7）侵占、挪用房地产交易资金。

（8）承购、承租自己提供经纪服务的房屋。

（9）为不符合交易条件的保障性住房和禁止交易的房屋提供经纪服务。

（10）法律、法规禁止的其他行为。

四、监督管理

（1）建设（房地产）主管部门、价格主管部门应当通过现场巡查、合同抽查、投诉受理等方式，采取约谈、记入信用档案、媒体曝光等措施，对房地产经纪机构和房地产经纪人员进行监督。

房地产经纪机构违反人力资源和社会保障法律法规的行为，由人力资源和社会保障主管部门依法予以查处。

被检查的房地产经纪机构和房地产经纪人员应当予以配合，并根据要求提供检查所需的资料。

（2）建设（房地产）主管部门、价格主管部门、人力资源和社会保障主管部门应当建立房地产经纪机构和房地产经纪人员信息共享制度。建设（房地产）主管部门应当定期将备案的房地产经纪机构情况通报同级价格主管部门、人力资源和社会保障主管部门。

（3）直辖市、市、县人民政府建设（房地产）主管部门应当构建统一的房地产经纪网上管理和服务平台，为备案的房地产经纪机构提供下列服务：

1）房地产经纪机构备案信息公示。

2）房地产交易与登记信息查询。

3）房地产交易合同网上签订。

4）房地产经纪信用档案公示。

5）法律、法规和规章规定的其他事项。

经备案的房地产经纪机构可以取得网上签约资格。

（4）县级以上人民政府建设（房地产）主管部门应当建立房地产经纪信用档案，并向社会公示。

县级以上人民政府建设（房地产）主管部门应当将在日常监督检查中发现的房地产经纪机构和房地产经纪人员的违法违规行为、经查证属实的被投诉举报记录等情况，作为不良信用记录记入其信用档案。

（5）房地产经纪机构和房地产经纪人员应当按照规定提供真实、完整的信用档案信息。

五、法律责任

（1）违反《房地产经纪管理办法》，有下列行为之一的，由县级以上地方人民政府建设（房地产）主管部门责令限期改正，记入信用档案；对房地产经纪人员处以1万元罚款；对房地产经纪机构处以1万元以上3万元以下罚款：

1）房地产经纪人员以个人名义承接房地产经纪业务和收取费用的。

2）房地产经纪机构提供代办贷款、代办房地产登记等其他服务，未向委托人说明服务内容、收费标准等情况，并未经委托人同意的。

3）房地产经纪服务合同未由从事该业务的一名房地产经纪人或者两名房地产经纪人协理签名的。

4）房地产经纪机构签订房地产经纪服务合同前，不向交易当事人说明和书面告知规定事项的。

5）房地产经纪机构未按照规定如实记录业务情况或者保存房地产经纪服务合同的。

（2）违反《房地产经纪管理办法》第十八条、第十九条、第二十五条第(一)项、第(二)项,构成价格违法行为的,由县级以上人民政府价格主管部门按照价格法律、法规和规章的规定,责令改正、没收违法所得、依法处以罚款;情节严重的,依法给予停业整顿等行政处罚。

(3)违反《房地产经纪管理办法》第二十二条,房地产经纪机构擅自对外发布房源信息的,由县级以上地方人民政府建设(房地产)主管部门责令限期改正,记入信用档案,取消网上签约资格,并处以1万元以上3万元以下罚款。

(4)违反《房地产经纪管理办法》第二十四条,房地产经纪机构擅自划转客户交易结算资金的,由县级以上地方人民政府建设(房地产)主管部门责令限期改正,取消网上签约资格,处以3万元罚款。

(5)违反《房地产经纪管理办法》第二十五条第(三)项、第(四)项、第(五)项、第(六)项、第(七)项、第(八)项、第(九)项、第(十)项的,由县级以上地方人民政府建设(房地产)主管部门责令限期改正,记入信用档案;对房地产经纪人员处以1万元罚款;对房地产经纪机构,取消网上签约资格,处以3万元罚款。

(6)县级以上人民政府建设(房地产)主管部门、价格主管部门、人力资源和社会保障主管部门的工作人员在房地产经纪监督管理工作中,玩忽职守、徇私舞弊、滥用职权的,依法给予处分;构成犯罪的,依法追究刑事责任。

第九节　小城镇安置房管理

一、安置房的概念

安置房,是政府进行城市道路建设和其他公共设施建设项目时,对被拆迁住户进行安置所建的房屋。即因城市规划、土地开发等原因进行拆迁,而安置给被拆迁人或承租人居住使用的房屋。

根据相关法规及政策的规定拆迁安置房屋一般分为两大类:

(1)因重大市政工程动迁居民而建造的配套商品房或配购的中低价商品房。如黄浦江两岸进行的世博会拆迁。按照有关方面的规定,被安置人获得这种配套商品房的,房屋产权属于个人所有,但在取得所有权的 5 年之内不能上市交易。

(2)因房产开发等因素而动拆迁,动拆迁公司通过其他途径安置或代为安置人购买的中低价位商品房(与市场价比较而言)。

二、安置房的主要优势

(1)现房,而且早期的安置房有些的地理位置优越,小区配套较完善。

(2)户型适中,以小两房、小三房、部分中三房为主,即建筑面积 120 m² 以内的户型占绝大多数,而且大部分为多层建筑。

(3)政府统建的房屋质量较为稳定。

(4)安置房依托地理优势和小区配套优势,升值比率与经济增长周期吻合,升幅较快。

三、被安置人资格管理

天津市国土资源和房屋管理局关于印发《天津市示范小城镇安置房管理办法》的通知中给出了被安置人资格管理的内容:

被安置人是指已签订宅基地换房协议,按照规定标准以其宅基地或宅基地上房屋置换小城镇安置房屋的村民。

被安置人资格管理要求如下:

(1)乡镇政府(街道办事处)应当按照有关规定,对示范小城镇被安置人相关信息进行公示,并开通举报电话,接受社会监督。

开发建设单位不得向未经过公示的人员出售安置房。

(2)被安置人相关信息经公示无异议后,开发建设单位凭区、县人民政府出具的项目情况说明函及项目立项、投资计划等文件,向市国土资源和房屋管理局申请"天津市保障性住房管理系统"(以下简称保障房系统)登录权限,由乡镇政府(街道办事处)组织开发建设单位将被安置人信息录入保障房系统。

(3)乡镇政府(街道办事处)提交录入保障房系统的被安置人信息应当事先经区、县人民政府盖章确认。

区、县房地产主管部门应当按照经区、县人民政府确认的被安置人信息,对保障房系统中录入的被安置人信息进行校对,对享受住房保障政策情况进行审核,经校对无误和审核无异议的,应当将电子数据提交至保障房系统主库。

四、安置房销售管理

很多人购买安置房时看重产权转让和价格,却忘了关注该安置房的销售本身是否合法? 其实,安置房能否销售要依具体情况来定。《天津市示范小城镇安置房管理办法》的通知中关于安置房的销售管理做出了下列规定:

(1)小城镇安置房只能用于被安置人的还迁安置,剩余房屋不得向社会销售,经市国土资源和房屋管理局批准后,可作为市或者区、县保障性住房进行储备。

(2)小城镇安置房的销售应当通过统一的商品房销售系统进行管理,开发建设单位应当依法向所属市国土资源和房屋管理局申请办理商品房销售许可证。

(3)开发建设单位申请商品房销售许可证前,应当到所属市国土资源测绘和房屋测量中心办理房屋面积测绘。

(4)开发建设单位申请办理商品房销售许可证应当填写申请书,并提交下列材料:

1)营业执照。

2)房地产开发企业资质证书。

3)国有土地使用权证书。

4)经批准的经济适用住房建设投资计划。

5)建设工程规划许可证。

6)建设工程施工许可证。

7)标准地名证书。

8)房产测绘成果报告书。

9)已按照规定交纳基础设施配套费用的证明。

10)前期物业管理备案证明。

11)基础工程质量验收证明书。

12)小城镇安置房项目成本核算证明材料。

13)其他需提交的相关材料。

(5)经审查符合条件的,所属市国土资源和房屋管理局自受理申请之日起 3 个工作日内核发商品房销售许可证,并注明用途为"小城镇安置房(仅限用于置换安置不得对外销售)"。

(6)开发建设单位在申请办理商品房销售许可的同时,应当到所属市房地产登记机构申请办理预售登记。

五、安置房屋权属登记管理

(1)小城镇安置房项目在竣工验收之日起 30 日内,开发建设单位应当向所属市房地产登记机构申请办理房地产初始登记手续。

(2)开发建设单位申请办理房地产初始登记,应当提交下列材料:

1)申请书。

2)申请人身份证明。

3)土地使用证或者房地产权证。

4)建设工程规划许可证及附件、附图。

5)建设工程规划验收合格证或者建设工程竣工规划验收合格证。

6)标准地名证书。

7)预售登记证明。

8)房产测绘成果报告书。

9)地籍测量成果。

所属市房地产登记机构自受理房地产初始登记申请之日起 30 日内完成审核。

(3)区、县房地产主管部门应当依据相关规定为被安置人办理房地产转移登记手续。

第五章　小城镇户籍改革政策

　　探索和建立适应社会主义市场经济体制的新型户籍管理制度对于加快我国城镇化进程,促进城乡经济协调发展和社会稳定具有积极的作用。

　　近年来,各有关地区和部门认真贯彻落实《国务院批转公安部小城镇户籍管理制度改革试点方案和关于完善农村户籍管理制度意见的通知》(国发〔1997〕20号)精神,积极稳妥、有步骤有秩序地开展小城镇户籍管理制度改革试点工作,取得明显成效。

第一节　户籍改革是城镇化发展的需要

　　城镇化是我国现代化建设的历史任务,与农业现代化相辅相成,但是,原有的户籍制度已经成为制约农业转移人口市民化和城镇化质量提升的重要障碍,严重阻碍了城镇化的进程,因此,加快推进户籍改革制度是城镇化发展的需要。

一、户籍改革有利于推动转移人口市民化

　　在我国,就业质量和医疗、教育等福利保障依附于户籍存在,有无户籍差别很大。其实,新型城镇化重点就是“人的城镇化”,也就是实现让农民工彻底地转移。和这个问题有关的是户籍,在户籍上有60多种城乡之间不平等的福利。加快户籍改革,有利于推动转移人口的市民化。

　　改革开放以来,我国城镇化进程不断加快,全国城镇化率由1978年的17.9%提高到2012年的52.6%,年均提高1.02个百分点。尤其是1996年以来,全国平均每年新增城镇人口超过2 000万,城镇化率年均提高1.39个百分点,是1978—1995年的2.2倍,是1950—1977年的

5.6 倍。目前,我国城镇化率已经达到世界平均水平。

但应该看到,目前我国城镇化水分大、质量低,非本地户籍的常住外来人口占很大比重。2011 年,我国户籍人口城镇化率仅有 35%,户籍人口城镇化率与常住人口城镇化率的差距从 2000 年的 10.5 个百分点扩大到 16.3 个百分点。按照第六次人口普查数据,在全国市镇总人口中,农业户口人口高达 3.1 亿人,所占比重为 46.5%,其中市为 36.1%,镇为 62.3%;全国市镇非农业户口人口仅占全国总人口的 27%。

目前,城镇农业户口人口已经成为我国城镇化的主体。从 1978 年到 2010 年,我国新增城镇人口 4.93 亿人,其中农业户口人口 2.62 亿人,占 53%。这期间,我国城镇化率提高 31.76 个百分点,其中城镇农业户口人口贡献了 18.12 个百分点。也就是说,如果剔除农业户口人口的贡献,城镇化率实际仅提高 13.64 个百分点,平均每年仅提高 0.43 个百分点。

这些常住在城镇的农业转移人口虽然被统计为城镇人口,但由于户籍障碍和“农民”身份,他们在民主权利、劳动就业、子女教育、社会保障、公共服务等方面长期不能与城镇居民享受同等待遇,难以真正融入城市,其市民化进程严重滞后。既削弱了城镇化对内需的拉动作用,不利于产业结构升级和劳动者素质提高,也造成农业转移人口与城镇原居民之间各种权益的不平等,严重影响了社会和谐稳定,还加剧了人户分离,给人口管理带来难度。2010 年,我国城镇人户分离已达 2.26 亿人,占城镇总人口的 33.7%。

因此,要着力提高城镇化质量,就必须下决心清除户籍障碍,加快户籍制度及相关配套改革步伐,有序推进农业转移人口市民化,为积极稳妥推进城镇化创造有利条件。

二、户籍改革有利于城镇化后的社会保障管理

目前,农村劳动力进城务工人数已超过 1 亿人,但大部分农民工在城市的就业岗位不稳定,流动性很强,农民工社会保障滞后的问题也很突出,农民工工伤保险和医疗保险纳入保障范围的工作刚刚起

步,养老保险尚未纳入统一的城镇职工养老保险范围。很多录用农民工的企业都没有按国家有关规定为其录用的农民工提供法定的保险。值得关注的是,当前对广大农民工和失地农民的社会保障欠账,虽然降低了目前的企业运营和城市发展成本,但是将构成对未来社会保障体系的巨大压力。因此,户籍制度改革已是大势所趋。尽管一些城市有顾虑,提出承载能力有限,但其实这些农民工已经在这些城市里了,不能无视这一事实。中小城市的户籍制度要尽快全面放开,大城市至少第一步要做到,城市里有稳定工作的农民工享受与市民同样的基本公共服务,如此才能真正做到为人们自由迁徙、安居乐业创造公平的制度环境。

第二节　小城镇户籍改革制度

小城镇户籍人员是指根据国务院有关文件精神,推进农村城镇化过程中,在城镇务工、经商、投资和居住的农民,按照市有关部门规定批准办理小城镇居民户籍的人员。

一、小城镇户籍改革的目标和原则

1. 小城镇户籍改革的目标

根据国务院批转公安部《关于推进小城镇户籍管理制度改革意见》的通知(国发〔2001〕6 号)的规定,小城镇户籍改革的目标是:通过改革小城镇户籍管理制度,引导农村人口向小城镇有序转移,促进小城镇健康发展,加快我国城镇化进程。同时,为户籍管理制度的总体改革奠定基础。

2. 小城镇户籍改革的原则

根据国务院批转公安部《关于推进小城镇户籍管理制度改革意见》的通知(国发〔2001〕6 号)的规定,小城镇户籍管理制度改革应当坚持以下原则:

(1)既要积极,又要稳妥。小城镇户籍管理制度改革要有利于小城镇健康发展,加快农村富余劳动力的转移,带动农村经济和社会全面发展。同时,要充分考虑小城镇经济和社会发展的实际需要和承受能力,充分尊重群众的意愿,不搞"长官意志",不搞"一刀切"。

(2)总体把握,政策配套。小城镇户籍管理制度改革要符合社会主义市场经济发展的要求,符合户籍管理制度总体改革的方向,并与在小城镇进行的其他各项改革政策相衔接。要统筹考虑农村人口转移与就业安置、社会保障等问题,逐步把小城镇的户籍管理纳入法制化、科学化、规范化、现代化的轨道。

(3)因地制宜,协调发展。各地区要结合本地经济和社会发展水平的实际,研究制定具体实施办法,使小城镇的人口增长与经济和基础设施建设、就业和社会保障以及各项公益事业的发展相协调,防止在发展小城镇过程中不切实际地"一哄而起",盲目扩大规模,大量占用耕地,削弱农业的基础地位。

二、小城镇户籍改革的范围和内容

根据国务院批转公安部《关于推进小城镇户籍管理制度改革意见》的通知(国发〔2001〕6号)的规定:小城镇户籍管理制度改革的实施范围是县级市市区、县人民政府驻地镇及其他建制镇。户籍管理的内容包括:

(1)凡在上述范围内有合法固定的住所、稳定的职业或生活来源的人员及与其共同居住生活的直系亲属,均可根据本人意愿办理城镇常住户口。

(2)已在小城镇办理的蓝印户口、地方城镇居民户口、自理口粮户口等,符合上述条件的,统一登记为城镇常住户口。

(3)对经批准在小城镇落户的人员,不再办理粮油供应关系手续;根据本人意愿,可保留其承包土地的经营权,也允许依法有偿转让。农村集体经济组织要严格执行承包合同,防止进城农民的耕地撂荒和非法改变用途。对进城农户的宅基地,要适时置换,防止闲置浪费。

三、小城镇户籍改革的工作要求

国务院批转公安部《关于推进小城镇户籍管理制度改革意见》的

通知(国发〔2001〕6 号)中,关于小城镇户籍管理的工作要求如下:

(1)加强领导,确保小城镇户籍管理制度改革工作顺利进行。小城镇户籍管理制度改革工作涉及面广,政策性强,关系到群众的切身利益。各地区、各有关部门要从改革、发展和稳定的大局出发,进一步提高认识,解放思想,加强领导,扎实有效地做好小城镇户籍管理制度改革工作。地方各级人民政府要切实负起责任,及时了解掌握改革进展情况,协调解决工作中遇到的问题。同时,要加强舆论引导,做好宣传工作,保证这项改革顺利、平稳地进行。县(市)人民政府要提出当地改革小城镇户籍管理工作的具体实施意见,报上一级人民政府审核批准后组织实施,并报省、自治区、直辖市人民政府备案。

(2)严格办理小城镇常住户口的审批工作。对办理小城镇常住户口的人员,不再实行计划指标管理。地方公安机关要做好具体组织实施工作,严格按照办理城镇常住户口的具体条件,统一行使户口审批权。申报在小城镇落户的人员,必须由本人持有关证明材料向迁入地户口登记机关提出申请;迁入地户口登记机关经严格审查,确认符合条件的,报县(市)公安机关审批。公安机关要切实负起责任,严格按照群众自愿申报、居住地登记户口、人户一致等原则审核把关,并严格按照户口迁移程序办理落户手续。凡不符合在小城镇落户条件的,一律不予办理;对弄虚作假,违法违纪的要追究责任,严肃处理。

(3)切实保障在小城镇落户人员的合法权利。经批准在小城镇落户的人员,在入学、参军、就业等方面与当地原有城镇居民享有同等权利,履行同等义务,不得对其实行歧视性政策。各地区、各有关部门均不得借户籍管理制度改革之机收取城镇增容费或其他类似费用。各省、自治区、直辖市人民政府要加大检查和处理力度,对违反规定的,要坚决追究有关人员的责任。

四、小城镇户籍改革面临的困境

当前,小城镇户籍改革面临的主要困境包括以下几个方面:

1. 思想认识上的误区

在城镇化进程中,各地想方设法招商引资、集聚产业,却不太愿意吸纳外来人口；不少地方户籍制度改革以人才和土地为中心展开，采取"选拔式"方式，仅允许少数"高端人才"和有贡献的外来务工人员落户，有的甚至设置诸多不公平的严苛标准，要"地"不要"人"，要"人手"不要"人口"。一些特大城市则以缺乏承载能力为由，采取计划经济时期的落户办法，将外来务工人员拒之门外。

2. 缺乏统一的管理规范

我国现行的《户口登记条例》是1958年颁布实施的，其中大部分内容已与实际情况脱节，不适应目前社会管理的需要。近年来，各地相继取消了农业和非农业二元户口划分，不少地方先后推行了暂住人口居住证制度。但由于《居住证管理办法》尚未出台，各地"自行其是"，收费标准不一，对办证条件、持证人权利与义务以及转为户籍人口的具体年限，也缺乏统一的管理规范。一些地方办证门槛较高，有的甚至把学历、职称、无犯罪记录等作为办证条件，带有明显的歧视性质，不利于和谐社会建设。

3. 大城市的承载力日益受限

大城市基础设施完善，公共服务水平高，就业和发展机会多，吸纳能力较强，是近年来吸纳农业转移人口的主力军。2011年全国外出农民工中，流向直辖市、省会城市和地级市的占64.7%，这些城市绝大部分为大城市。但大城市尤其是特大城市综合承载力有限，市民化成本高，"城市病"显现。迫于缓解交通拥挤、房价上涨以及人口管理和地方财政的压力，这些城市对吸纳外来人口往往采取消极态度，有的甚至采取限制外来人口购房、购车、就业等政策，阻止外来人口进入，压缩其生存空间。

4. 中小城市吸纳能力不足

中小城市和小城镇数量多、分布广，资源环境承载力大，是今后吸纳农业转移人口的重要载体，但由于基础设施落后，公共服务水平低，产业支撑乏力，对农民缺乏吸引力，其吸纳能力不足。近年来，由于全国设市工作停顿，在大城市规模迅速扩张的态势下，小城市数量和人口比重都在不断下降，中等城市人口比重也呈下降趋势，城市人口规模分布有向"倒金字塔形"转变的危险。中西部一些小城镇甚至出现相对衰落状态。各地突出工业强市,服务业发展严重滞后,也影响了其吸纳能力的提升。

5. 相关改革制度不配套

近年来,我国户籍制度改革仍停留在放开户籍层面,并未触及深层次的社会福利制度改革,各项配套制度改革严重滞后。各地社会保障制度仍以户籍制度为依据制定,学校招生大多以本地户口作为前置条件,计划生育、义务兵退役优抚安置和交通肇事死亡赔偿等均对城乡不同户籍人口实行差别政策,许多大城市都制定了限制外来人口购车购房的措施,有的还对就业提出户籍条件的要求。各地推行的居住证制度,虽然部分解决了农业转移人口的市民待遇,但城市居民最低生活保障、公租房保障等普遍没有纳入。

6. 大城市郊区农转居意愿不高

在北京、天津、上海以及东南沿海发达地区,随着农村土地分红增加、集体资产增多以及社会保障和公共服务日益完善,加上有生二胎政策,农民大多不愿意转为城镇户口,"农转居"难度较大。即使是一些原来已经转为城镇户口的农民,有的也希望再转回农村户口,地方政府不得不严格控制甚至限制"居转农"。多数进城务工的农民,既希望享受城镇居民的同等待遇,又不愿意放弃农村原有的承包地、承包山林和宅基地。

五、推进户籍改革的基本思路

户籍制度改革的关键是户籍内含各种权利和福利制度的综合配套改革,户籍制度改革只是"标",而其内含各种权利和福利制度的改革才是"本"。户籍制度改革必须标本兼治、长短结合,其目标不是消除户籍制度,而是剥离户籍内含的各种权利和福利,逐步建立城乡统一的户籍登记管理制度和均等化的公共服务制度,实现公民身份和权利的平等。为此,应按照"统一户籍、普惠权利、区别对待、逐步推进"的思路,加快推进户籍制度及其相关配套改革,为积极稳妥推进城镇化扫清制度障碍。

1. 统一户籍

户籍制度是依法收集、确认、提供住户人口基本信息的国家行政制度,其基本功能是身份证明、人口统计和社会管理。户籍制度的功能并非是居民身份证所能完全取代的。关键是要打破城乡分割,按照常住居住地登记户口,实行城乡统一的户口登记管理制度,同时剥离户籍中内含的各种福利,还原户籍的本来面目。

2. 普惠权利

剥离现有户籍中内含的各种福利,以常住人口登记为依据,实现基本公共服务常住人口全覆盖。公民一律在常住居住地即户籍登记地依照当地标准,行使公民的各项基本权利,享受各项公共服务和福利,包括选举权、被选举权和公共福利享有权等。

3. 区别对待

考虑到不同地区发展阶段和条件的差异,实行区别对待、分类指导,不搞一刀切。要允许各地区从自身实际情况出发,在符合全国户籍制度改革目标的前提下,因地制宜制定不同的公共福利标准和改革方案,采取符合本地实际的具体措施。

4. 逐步推进

大体分两个阶段:第一阶段为过渡期。对常住外来人口统一发放居住证,保障公民基本权益,并享受本地部分公共福利。当持证人符合一定条件,如有固定住所和稳定收入来源、居住或持证达到一定年限等,应发给正式户口。这些条件可由各地根据实际情况制定,但门槛不能太高。第二阶段为并轨期。当条件成熟时,取消居住证,实行居住证与户口并轨,即完全按常住居住地登记户口。所谓条件成熟,就是要基本建成均等化的公共服务制度,实现基本公共服务常住人口全覆盖。

六、推进户籍制度改革的政策措施

温家宝同志2013年3月5日在十二届全国人大一次会议上做政府工作报告时,关于城镇化及户籍制度改革提出了以下要求:

农村土地制度关乎农村的根本稳定，核心是要保障农民的财产权益，底线是严守18亿亩耕地红线。要坚持以家庭承包经营为基础，支持发展多种形式新型农民合作组织和多层次的农业社会化服务组织，积极培育新型农民。

城镇化是我国现代化建设的历史任务，与农业现代化相辅相成。要遵循城镇化的客观规律，积极稳妥推动城镇化健康发展。特大城市和大城市要合理控制规模。加快推进户籍制度、社会管理体制和相关制度改革，有序推进农业转移人口市民化，逐步实现城镇基本公共服务覆盖常住人口，为人们自由迁徙、安居乐业创造公平的制度环境。村庄建设要注意保持乡村风貌，营造宜居环境，使城镇化和新农村建设良性互动。

户籍改革并不是简单改户口，关键是户口背后带有社会福利性质的公共服务。推进户籍制度改革的措施主要包括：

1. 合理引导农业人口有序转移

加强对城市常住外来人口、综合承载力和人口吸纳能力的调查研究，摸清资源环境承载力以及交通、教育、卫生、医疗等公共设施容量，制定科学的发展规划，合理引导农业人口有序转移。要谨防大城市和特大城市以承载力不足、设置过高的市民化门槛，阻碍农业转移人口市民化。对于中小城市和小城镇，要着力提高公共服务水平，积极促进产业和人口集聚，切实提高对农业转移人口的吸纳能力。对大城市和特大城市，要积极引导中心区人口、产业和功能向近远郊小城镇和周边地区疏散，改善空间结构，提高综合承载能力。对北京、上海等少数特大城市，因常住外来人口规模大，且呈迅速增长态势，有必要继续实行人口总量规模调控。

2. 建立全国统一的居住证制度

尽快出台《居住证管理办法》，规范和完善居住证制度。居住证申办要从低门槛逐步走向无门槛，严禁将学历、职称、无犯罪记录等作为申办的前置条件。常住外来人口只要有固定住所，自愿申请，都应该办理居住证。持证人在选举权、就业权、义务教育、技能培训、临时性救助、基本医疗保险、基本养老保险和失业保险等方面，享受与当地户

籍人口同等待遇。除了基本保障外,其他方面的社会保障和公共服
务,如住房保障、一般性社会救助等,由各地方政府根据实际情况确
定,中央不做具体规定。在此基础上,根据持证人在当地工作的年限、
持证年限、有无稳定收入来源、社保交纳情况、缴税情况等,确定是否
转为正式户口。由于居住证是一个过渡性的临时措施,过渡期不宜太
长。可以考虑用 10 年左右时间,在全国实现由居住证向统一户籍的
并轨。

3. 清理与户籍挂钩的各项政策

首先,禁止各地新出台的各项有关政策与户口性质挂钩,除国务
院已经明确规定的就业、义务教育、技能培训等政策外,要把范围扩大
到社会保障和公共服务各领域。即使是北京、上海等特大城市,新出
台的人口规模调控政策,也不应与户口性质挂钩,而应研究制定其他
非歧视性的标准。其次,对就业、教育、计划生育、医疗、养老、住房等
领域现有各种与户口性质挂钩的政策进行一次全面清理,取消按户口
性质设置的差别化标准,研究制定城乡统一的新标准,使现有政策逐
步与户口性质脱钩。凡条件成熟的,应尽快调整相关政策,并修订完
善相关法律法规;暂时不具备条件的,应研究制定分步实施的办法,提
出完全脱钩的时间表。这样通过新政策不挂钩、旧政策脱钩,逐步建
立城乡统一的社会保障制度和均等化的公共服务制度。

4. 加快推进各项相关配套改革

目前,与户籍挂钩的各项权利和福利达 20 多项,包括民主权利、
就业机会、子女教育、社会保障、计划生育、购车购房、义务兵退役就业
安置、交通事故人身损害赔偿和各种补贴等。因此,户籍制度改革必
须与土地、就业、计划生育、教育、社会保障等相关体制改革配套推进。
要加快农村产权制度改革,对农业转移人口在农村的承包地、林地、宅
基地等各类资产全面颁证赋权,并允许抵押、转让和继承,做到所有权
清晰、使用权完整、收益权有保障。同时,将农业转移人口全面纳入城
镇社会保障体系,包括养老保险、医疗保险、失业保险、工伤保险、生育
保险和城市低保,公租房等保障性住房也要逐步对城镇常住外来人口
开放,尽快实现社会保障城乡对接和跨区域接转。

5. 建立多元化成本分担机制

据预测,2020 年我国城镇化率将达到 60％左右,到 2030 年将达到 68％左右。这意味着,2020 年前我国将新增城镇人口 1.2 亿人左右,2030 年前将新增城镇人口 2 亿人以上。2010 年全国城镇常住人口中,非本地户口的常住外来人口约有 2.2 亿人,若按农业转移人口占 70％计算,全国常住在城镇、没有本地户口的农业转移人口约有 1.54 亿人。加上近两年全国新增城镇人口 4 625 万人,估计约有 50％是农业户口人口,据此推算我国尚有近 1.8 亿农业转移人口没有实现市民化。也就是说,在 2030 年前全国大约有 3.8 亿农业转移人口需要实现市民化。一般认为,市民化成本平均每人为 10 万元左右,因此,要将这些进城农民全部实现市民化,需要支付近 40 万亿元的成本。

显然,要合理消化这一巨额的改革成本,单纯依靠政府、企业还是农民都是难以承担的,为此需要建立由政府、企业、社会等共同参与的多元化成本分担机制。根据一些城市的实践经验,政府、企业和社会大体各需承担 1/3 左右。如果设想在 2025 年基本解决农业转移人口的市民化,平均每年全国需要消化 1 300 多万人,加上新增城镇人口,每年共需解决 2 500 万人以上,市民化总成本达 2.5 万亿元,其中需要政府负担 0.83 万亿元,约占 2012 年全国公共财政收入的 7.1％。考虑到这些改革成本是一个较长时期逐步到位的过程,并不需要全部一次性支付,因此从政府财政支出的角度看,在 2020 年全国实现基本公共服务均等化后,实现户籍制度并轨,并在 2025 年前基本解决现有农业转移人口市民化将是可行的。这里的关键是建立多元化的市民化成本分担机制。

第三节　小城镇户籍管理制度改革试点方案

1997 年 5 月 20 日,公安部下发了《小城镇户籍管理制度改革试点方案》,指出:为了保证小城镇户籍管理制度改革积极稳妥、有步骤有秩序地进行,改革的范围限制在县(县级市)城区的建成区和建制镇的

建成区。在此范围内,由省、自治区、直辖市人民政府在对已开展户籍
管理制度改革的小城镇进行清理整顿的基础上,选择少量经济和社会
发展水平较高、财政有盈余、城镇基础设施建设等具有一定基础、在当
地具有一定代表性的小城镇,先期进行两年的户籍管理制度改革试
点,然后在总结经验的基础上,分期、分批推开。西部地区每个省、自
治区、直辖市确定的试点小城镇数量不得超过 10 个,中部地区的不得
超过 15 个,东部地区的不得超过 20 个。省级以下地方人民政府无权
确定或者扩大试点范围。未设立预算的建制镇或者享受国家财政补
贴的贫困县的建制镇,在具备设立预算条件或者取消国家财政补贴
前,暂不进行小城镇户籍管理制度改革;已经进行的,自本方案实施之
日起一律停止。

一、加强小城镇人口总量的宏观调控

小城镇户籍管理制度改革,既是整个户籍管理制度改革的组成部
分,也是小城镇综合改革的重要内容,必须与其他方面的改革相适应。
有关地方各级人民政府应当把进行户籍管理制度改革的小城镇的人
口发展纳入当地国民经济和社会发展规划,根据小城镇经济和社会发
展的需要与综合承受能力,加强对小城镇人口总量的宏观调控,保证
农业生产、小城镇的经济与基础设施建设、就业和社会保障以及各项
公益事业等与人口增长协调发展,防止在进行小城镇户籍管理制度改
革时不切实际地"一哄而起",盲目扩大小城镇规模,造成"进城热"、
"建城热"或者大量占用耕地削弱农业的基础地位。为此,省、自治区、
直辖市人民政府要对有关县(市)人民政府上报的人口机械增长的中、
长期规划加强审核,对经审核后的规划执行情况加强监督检查。有关
县(市)人民政府要提出当地贯彻单方案的实施意见,报省、自治区、直
辖市人民政府审核批准后组织实施。

二、试点小城镇常住户口的办理

试点小城镇农村人口办理城镇常住户口,实行指标控制,指标由
国家发改委的有关部门另行下达。

1. 在小城镇办理城镇常住户口的条件

（1）下列农村户口的人员，在小城镇已有合法稳定的非农职业或者已有稳定的生活来源，而且在有了合法固定的住所后居住已满两年的，可以办理城镇常住户口：

1）从农村到小城镇务工或者兴办第二产业、第三产业的人员。

2）小城镇的机关、团体、企业、事业单位聘用的管理人员、专业技术人员。

3）在小城镇购买了商品房或者已有合法自建房的居民。

（2）上述（1）中所述人员的共同居住的直系亲属，可以随迁办理城镇常住户口。

（3）外商、华侨和港澳同胞、台湾同胞在小城镇投资兴办实业、经批准在小城镇购买了商品房或者已有合法自建房后，如有要求，可为他们需要照顾在小城镇落户的内地亲属办理城镇常住户口。

（4）在小城镇范围内居住的农民，土地已被征用、需要依法安置的，可以办理城镇常住户口。

（5）经批准在小城镇落户人员的农村承包地和自留地，由其原所在的农村经济组织或者村民委员会收回，凭收回承包地和自留地的证明，办理在小城镇落户手续。

2. 小城镇落户的审批程序

公安机关要在小城镇农村人口办理城镇常住户口的指标内，严格按照《小城镇户籍管理制度改革方案》规定的办理城镇常住户口的条件，统一行使户口审批权。要求在小城镇落户的人员，必须由本人持有关证明材料向迁入地户口登记机关提出申请。

迁入地户口登记机关必须严格审查，对确认符合条件的，报县（市）公安机关审批。公安机关要切实负起责任，严格审核把关，凡不符合在小城镇落户条件的，一律不予办理。

三、试点小城镇落户人员的待遇

1. 在小城镇落户的人员享受当地原有居民同等待遇

经批准在小城镇落户的人员，与当地原有居民享有同等待遇。当地人民政府及有关部门、单位应当同对待当地原有居民一样,对他们的入学、就业、粮油供应、社会保障等一视同仁。

2. 对在小城镇落户的人员不得收取或者变相收取城镇增容费

对在小城镇落户的人员,各地方、各部门均不得收取城镇增容费或者类似增容费的费用。对已经收取的增容费,一律纳入财政预算管理,不办理清退。

第四节　小城镇户籍管理制度改革对计划生育工作的影响

2013年11月15日,十八届三中全会通过的中共中央《关于全面深化改革若干重大问题的决定》对外发布,其中提到"坚持计划生育的基本国策,启动实施一方是独生子女的夫妇可生育两个孩子的政策"。这标志着延宕多年的"单独二胎"政策将正式实施。据一项受到学界一定认同的测算显示,如果2015年全国城乡统一放开"单独二胎",则每年多出生的人口将比现在增加100万人左右,超过200万人的可能性很小。

计划生育政策是我国的一项基本国策,随着城镇化的发展和小城镇户籍管理制度的不断改革,计划生育工作也在不断地调整和改革。

一、计划生育部门在户籍制度改革操作过程中的被动地位

在计划生育部门城镇化与户籍制度改革操作过程中显得相对被动,在大多数地方性文件中,很难看出计划生育部门的作用。在各地方政府的《政报》和中国政网上的大量地方有关户籍改革法规、文件中,虽然一些地区在户籍制度改革中,对超生者,要求到父母所在地的计划生育部门出具证明,才可以办理落户手续,但是比较明确要计划生育部门参与的寥寥无几,只有以下几个文件提到计划生育部门的作用:

(1)河北省正定县公安局《关于推进我县小城镇户籍管理制度改革的实施意见》中规定,在办理小城镇户籍时必须出示乡镇级以上计

划生育部门的计划生育证明。

(2)内蒙古赤峰市 1999 年《赤峰市小城镇户口登记管理办法》中规定年龄 15～49 岁人员在申请小城镇户籍时必须提供县级计划生育部门提供的生育证明。

(3)1999 年广州市公安局规定子女随父母落户要出示的证明材料中包含生育证或相关证明。夫妻投靠入户者,要有原籍街道、镇一级的计划生育证明。

二、推进户籍改革制度给计划生育工作带来的问题

推进城镇化和改革户籍制度是当代中国社会体制的一场重大变迁,毋庸置疑,推进户籍制度改革是正确无误的,但是对计划生育工作而言,这一改革带来一系列的问题。

1. 对计划生育政策体系的冲击

现行的计划生育政策体系的一个重要特点是城乡有别,而城镇化与户籍制度改革的目标正是淡化城乡差别,因此两者之间不可避免会产生矛盾。现行的计划生育政策体系产生的年代是中国社会存在巨大城乡差别的年代,这种政策体系与当年中国社会相适应。应该承认今天的中国社会依然城乡差距很大,现行的计划生育政策体系与现状还是基本吻合的。而推进城镇化和改革户籍制度正是要努力改变这种城乡差别,作为计划生育部门应该努力使自己适应这种发展趋势,及时做出一些政策上的调整,寻找一种比较适合目前情况的城乡划分标准,并以此来指导基层的计划生育工作。

2. 各地方执行部门与计划生育部门间的协调不到位

从 20 世纪 90 年代开始的推进城镇化与户籍制度改革主要是计划和公安政府部门,在地方的执行部门也是如此,不过从各地已经发布的推进城镇化与户籍制度改革的政策性文件中可以看出,相当部分地区并没有与计划生育管理部门充分协调,导致在一些文件中计划生育政策不够清晰。因此,在今后的户籍制度改革中,作为各级地方政府,在制定城镇与户籍制度改革政策时,一定要有计划生育部门参与。主导部门应该认真吸取计划生育部门的意见,同时计划生育部门也要

主动介入这一重大改革中,防止计划生育工做出现遗漏。

3. 农民进入小城镇后对于计划生育工作的认识不足

农民进入城镇后可能产生的问题,主要集中在土地、社会保障、教育资源等方面,对计划生育工作可能出现的问题考虑不多。因此,计划生育部门要会同有关政府部门共同关注城镇化进程动态,及时了解新问题,寻求新对策,对可能出现的计划生育新情况做出前瞻性的研究。

4. "非转农"、"双户籍"与"城乡户口一体化"等问题

推进城镇化和改革户籍制度给计划生育工作带来影响主要集中在"非转农"、"双户籍"与"城乡户口一体化"问题。

(1)"非转农"问题。长期以来人们主要谈论的是农民进城的"农转非"问题,在珠江三角洲等一些经济发达地区也存在一些农民出于经济利益,特别是依附在土地上的经济利益考虑而不愿意"农转非"的问题。但也有极少数城镇人口回农村落户。在当前大量农民进入城镇后,不可避免有一些人因为种种问题要求转回农村。因而在一些地方的城镇化与户籍改革制度中,对"非转农"问题做出了专门规定。1998年陕西省公安厅的《小城镇户籍管理制度改革试点实施方案》规定,对于进城镇的农民,允许保留他们在农村的承包土地和自留地两年,在这两年当中,可以将户口从城镇回迁农村。安徽省六安市2001年的六安市公安局《关于进一步推进户籍管理制度加快城镇化进程意见的通知》中对"因在城镇生活确无基础,实际仍然居住在农村的,如本人要求'非转农',经原乡政府、行政村同意后,应准予其回农村落户。"安徽省淮南市也有类似政策。虽然现在"非转农"的情况不会多,但由此产生的一些政策问题不可以掉以轻心。就计划生育而言,"非转农"者是否可以执行农村的计划生育政策,至今没有明确规定。如果"非转农"者可以执行农村计划生育政策,是否可能出现为了多生育子女而"非转农",然后再"农转非"。

(2)"双户籍"制度问题。双户籍就是一个人在两个地方同时拥有户籍。对过去的人口管理部门来说,"双户籍"是一个不利于人口管理的问题,但是在户籍改革过程中,"双户籍"是为吸引农民进城而提出的政策。2000年贵州省毕节地区在中共毕节地委毕节地区行署《关于

加快我区城镇化进程的意见》中提出在全区范围内试行"双户籍"制度,这种制度是让进入城镇的农民在拥有城镇户籍,享受城镇居民的同等待遇的同时也保留农村户口。对双户籍者采用何种计划生育政策,虽然文件中没有明确说明,很可能是采用农村政策。

(3)城乡一体化的户口制度。2001年广东省公安厅在《关于我省进一步改革户籍管理制度的意见》提出在广东省取消农业、非农业、自理口粮和其他类型户口,实行城乡户口登记一体化,统一为居民户口,不过这一制度尚未实行。另据传媒的报道,还有一些地区也效仿广东省的政策。2002年4月济南市宣布取消城乡户籍差别,实行统一的济南市户口登记制度。不过这一制度先在市区建成区内试行,估计暂时对计划生育工作影响不大。城乡一体化的户籍制度是户籍制度改革的方向,虽然实行起来难度很大,遇到困难很多,但非改不可。这一政策对计划生育工作的冲击巨大,意味着城乡有别的计划生育政策要跟随其做出重大调整。对此计划生育部门必须紧密关注城乡一体化的户籍制度改革进程。

三、地方性推进户籍改革政策的差异与计划生育政策的定位

关于各地纷纷出台的城镇化与户籍制度改革相关政策及应对态度大体可以分为三类:

第一类,户籍充分开放。这种情况以内陆地区的小城镇,甚至是一些中小城市为主。比较突出的有浙江省的奉化市和河北省的石家庄市。值得强调指出的是,这些地区,包括石家庄市这样的大城市在户籍制度改革后均未出现农民进城浪潮。对这类地区又可以根据民众对户籍改革的反应程度分两种情况:

(1)有许多农民迁入,不过数量没有改革之前所想象的那么多,基本上在地方政府可以控制的程度内。属于这种情况的有石家庄和浙江省的一些城市。

(2)农民反应冷淡,没有多少人愿意进城。这种情况在中西部的一些小城镇较为明显。农民对进入城镇反应冷淡,最主要的原因是他们进城后的生存空间和就业机会的不确定性,同时也有农民对其可能

丧失土地和计划生育政策上的优惠待遇的两个既得利益的考虑。

第二类,降低进入城市的门槛。大多数城市在推进城镇化进程中,均不同程度降低了进入城市的门槛。然而对相当一部分大中城市来说,门槛依然比较高,比如要投资纳税达到一定数额,或者说买下一定面积的商品房,这些对在城市的普通打工农民来说,依然是高不可攀。

第三类,户籍没有实质的开放,这种情况以一些超大城市和外来人口数量大的地区居多。这些地区要么把入城门槛定得很高,不要说在城市打工的农民,就是一般的白领阶层也无法问津。要么只把开放范围局限于城市远郊的小城镇之内,就是这些小城镇居民也不能随便把户籍迁入市区。

对于第二、三类地区来说,他们的城镇化与户籍制度改革力度不大,受惠的主要是一些原先城市居民的亲属和一些长期居住城市并且有较强经济实力的农民和其他城市居民。这些人转为当地城市户口后,比较容易执行城市的计划生育政策。

对于第一类地区,不同情况导致不同的计划生育政策。对于那些引力较大的城市来说,迁入人口的积极性高,对接受城市的计划生育政策有心理上的准备。相反对那些吸引不了农民的小城镇来说,为了达到目的就不得不做出让步,让农民保留土地使用权和给农民一个接受城镇计划生育政策的过渡时期。

不同地区的地方政府在推进城镇化与户籍制度改革中计划生育政策的定位情况不同,可概括分为以下三种情况:

第一种,没有明确定位,但是明确了进城落户农民与原居民有同等权利与义务,属于这种情况的地区最多。例如,北京市政府2000年发布的《关于加快本市小城镇规划建设推进郊区城镇化进程的意见》中明确"已登记为小城镇常住户口的人员,享有同本市城镇居民同等的权利,并履行同等义务"。如果把公民履行计划生育法规视为一种义务的话,这一规定意味着,进城落户的农民要执行城镇计划生育政策。

第二种,明确农民进城落户后在计划生育上执行城镇人口政策。

1998 年湖南省公安厅的《小城镇户籍管理制度改革试点实施方案》中明确规定，进入小城镇的农民，与当地原有居民在计划生育方面享受同等待遇，履行同样义务。这是在城镇化与户籍制度改革中，少数明确农民在计划生育方面的责任与义务的文件之一。内蒙古自治区人民政府 2000 年批转自治区公安厅《关于全面推进小城镇户籍管理制度改革实施意见的通知》中对迁入城镇的农村人口计划生育制度规定得比较具体，要求注意落户人员的计划生育档案移交，收回农村发放的二胎生育证，对违反计划生育规定者先处罚后办理。内蒙古的政策明显是要迁入城镇的农民执行城镇的计划生育政策。

第三种，给予一个过渡时期，允许有条件地执行农村计划生育政策。福建省公安厅 2001 年《关于户籍管理制度改革的意见》中规定允许到小城镇落户的农民 3 年内执行农村生育政策。浙江省政府 2000 年《关于加快推进浙江城镇化若干政策的通知》中规定"农民进大中城市落户，执行城市居民的生育政策；农民进小城镇落户，允许有条件地执行农村计划生育政策。"允许有条件地执行农村计划生育政策，在具体操作上各地又有所差别。浙江省舟山市对本市渔民进入小城镇，准许 3 年内执行渔民生育政策，类似的政策还有宁波市等。杭州市则区分不同类型地区，有的地区按现行政策，有的地区也允许 3 年内执行农村生育政策。有的地方条件更加宽松，2001 年山东省莱芜市《关于推进我市城镇户籍管理制度改革的实施意见》中，规定城镇常住户口的农民，5 年内可继续执行农村计划生育政策。

四、地方性推进户籍改革制度过程中对违反计划生育者的处理

在城镇化与户籍制度改革中，不可避免要涉及一些已经违反计划生育政策的人在办理把户口迁入城镇时如何处理的问题。对违反计划生育政策人员办理户口迁移问题，是涉及公安与计划生育两个部门之间协调的一个重要内容。对于公安部门来说，不希望有一部分人口因为害怕违反计划生育事情暴露而不愿意上户口，使得户口登记不全面。对于计划生育部门来说，希望对所有违反规定的人员要得到应有的处理，以维持法规的公正。两个部门的出发点都是好的，只有通过

更多地协调沟通来寻找更多的共同点,达到一个管理好人口的最终目的。

在这个问题上,各地做法有所区别,大体分四类:

第一类,违反者不得迁入户口或者严格限制迁入户口。2001年北京市规定"外省市妇女和本市居民结婚,违反本市计划生育政策生育的婴儿不予解决在京落户问题"。2001年山东省济南市人民政府明确指出严格限制违反计划生育政策超生人员迁入。1999年湖南省长沙市政府对违反计划生育法规的夫妻分居的超生人员,在满足其他迁入户口的条件后,5年内不许办理投靠在长沙配偶的户口落户手续。2000年西安市规定,凡违反计划生育政策者,取消其为申请解决夫妻分居而申请落户的资格。要强调的是这一文件的发文单位之一是西安市计划生育委员会。甘肃省嘉峪关市2002年规定违反计划生育政策无户籍者不予落户。

第二类,含糊处理。1998年的山西省公安厅《关于解决当前户口管理工作中几个突出问题的意见》中并没有对违反计划生育者的条款。许多地区也采取同样方法。

第三类,不追究。1998年内蒙古自治区公安厅规定任何单位和个人均不得自立限制超计划生育婴儿落户的政策。河南省公安厅1998年也明确把非婚生与计划生育外生育的婴儿列入随父母落户的范围内。

第四类,把婴儿与成人分开处理,经过处理后可以落户。1999年湖北省公安厅一方面规定不得限制非婚生与超计划生育婴儿落户;另一方面也规定对于在解决夫妻分居人员的户口时,对超计划生育者要先按照《湖北省计划生育条例》处理后才可以办理入户手续。2001年,郑州市人民政府规定对非婚生和超计划生育婴儿要经有关部门批准和认定后办理入户。2002年安徽省舒城县公安局对违反计划生育者的政策规定得比较清楚。在户籍改革中对超计划生育的,须经出生地乡镇计生部门审查同意,派出所凭计生部门证明办理入户手续,在农民农转非过程中,对超计划生育而造成多年未能及时落户的,必须先办理农业户口落户手续,再办理小城镇户口。1999年湖南省政府对违反计划生育出生的婴儿采取的是先落户,并及时将情况通报计划生育部门。甘肃省平凉市 2001 年允许计划外出生子女在接受处理后落户。宁夏回族自治区公安厅 1998 年规定非婚生婴儿凭公证,违反计划生育政策出生子女在接受处理后可以落户。

广东省广州市的处理方式比较具体,对父亲户口在本地、母亲户口在外地的子女,要求由母亲户口所在地办理常住户口登记,这等于把处理权交给母亲户口所在地。对母亲户口在本地的超计划生育子女,则要按照《广东省计划生育条例》有关规定处理后,才按政策入户口。

五、小城镇户籍管理制度改革中有关计划生育政策的衔接

为贯彻落实中共中央国务院《关于促进小城镇健康发展的若干意见》(中发〔2000〕11 号)以及国务院批转公安部《关于推进小城镇户籍管理制度改革意见的通知》(国发〔2001〕6 号)精神,国家计划生育委员会和公安部联合下发了《关于在全面推进小城镇户籍管理制度改革中做好计划生育工作的通知》(国计生发〔2001〕122 号),指出了小城镇户籍管理制度改革中有关计划生育政策的衔接问题。

(1)坚持既要保持现行生育政策的稳定性和连续性,又有利于小城镇健康发展的原则,妥善做好小城镇户籍管理制度改革中生育政策的衔接工作。经批准在小城镇落户的原属农业户口的育龄夫妻,应执行城镇居民的生育政策,但允许有一定的过渡期。各地可根据实际情况对在小城镇落户的原属农业户口的育龄夫妻生育政策过渡的具体时限做出规定,对成建制转为非农业户口的原属农业户口的育龄夫妻,可适当放宽过渡期。

(2)改进和完善基层人口生育计划管理和统计工作。育龄夫妻一般在其常住地申请安排生育。小城镇计划生育部门要及时把在小城镇落户的人员纳入人口计划管理,保证在小城镇落户的育龄夫妻能够按政策生育。

新生婴儿可选择在其父母一方常住户口所在地落户,并在其常住地统计出生。新生婴儿随父落户后,落户地计划生育部门应及时通报

其母户籍所在地的计划生育部门。

（3）独生子女的父母在其子女落户的县（市、区）计划生育行政管理部门或乡镇人民政府、街道办事处领取《独生子女父母光荣证》，并按照其户籍所在地规定享受有关奖励和优待。

对落户小城镇前计划外生育的夫妻，仍应按照其原户籍所在地的有关规定，征收社会抚养费。各地不得以计划外生育为由，限制农业户口的公民落户小城镇。

（4）小城镇计划生育部门要及时将在当地落户的育龄人群纳入管理和服务范围，加强与户口迁出地的联系。迁出地计划生育部门要及时向迁入地通报迁出人员的婚育情况；积极做好户口迁出人员的计划生育政策宣传，认真落实计划生育的政策措施，及时为其办理有关计划生育证明，不得借此乱收费。各地户政管理部门要积极支持、配合计划生育工作，及时协助计划生育部门了解有关户口登记以及迁移情况。

第六章　小城镇经济、社会管理政策法规

第一节　小城镇经济管理

一、小城镇经济管理政策指导

(1)1994年9月8日原建设部、原国家计委、国家体改委、国家科委、农业部、民政部关于印发《关于加强小城镇建设的若干意见》的通知,指出:党的十一届三中全会以来,农村经济体制改革不断深化,农村经济有了很大发展。广大农民自己动手,建设家园,乡镇企业异军突起,促进了原有小城镇的改造与发展,带动了一批新型小城镇的兴起,为我国农村加速发展第二、三产业,就地转移劳动力,繁荣经济,加强精神文明建设,创造了良好的基础条件。但是一些地方和部门,对小城镇建设认识不足、重视不够,缺乏统一规划和积极引导,盲目乱建、浪费土地的现象也时有发生。为贯彻落实党的十四届三中全会通过的中共中央《关于建立社会主义市场经济体制若干问题的决定》精神,切实加强小城镇建设工作,提出以下几个方面意见:

1)统一思想,提高认识,把小城镇建设作为一件大事来抓。

2)全面规划,依法管理,促进小城镇建设的健康发展。

3)深化改革,理顺体制,努力提高小城镇建设服务水平。

4)以科技为先导,提高小城镇建设的科技水平。

5)加强领导,抓好试点,推动小城镇整体水平的提高。

(2)中共中央、国务院下发的《关于促进小城镇健康发展的若干意见》(中发〔2000〕11号)中指出:完善小城镇政府的经济和社会管理职能要积极探索适合小城镇特点的新型城镇管理体制,建设职责明确、结构合理、精干高效的政府。理顺县、镇两级财政关系,完善小城镇的

财政管理体制。

(3)中共中央、国务院下发了《关于促进小城镇健康发展的若干意见》(中发〔2000〕11号)中指出:

1)积极培育小城镇的经济基础。要根据小城镇特点,以市场为导向,以产业为依托,大力发展特色经济,着力培育各类农业产业化经营的龙头企业,形成农副产品的生产、加工和销售基地。发挥小城镇功能和连接大中城市的区位优势,兴办各种服务行业,因地制宜地发展各类综合性或专业性商品批发市场。充分利用风景名胜及人文景观,发展旅游观光业。

2)注重运用市场机制搞好小城镇建设。各地要制定吸引企业、个人及外商以多种方式参与小城镇基础设施投资、建设和经营的优惠政策,多渠道投资小城镇教育、文化、卫生等公共事业,走出一条在政府引导下主要依靠社会资金建设小城镇的路子。国家要在农村电网改造、公路、广播电视、通信等基础设施建设方面给予支持。地方各级政府要重点支持小城镇镇区道路、给水排水、环境整治等公用设施和公益事业建设。

二、小城镇经济发展工作重点

2001年,各地、各部门要按照《关于促进小城镇健康发展的若干意见》的要求,从战略高度充分认识加快发展小城镇的重大意义,并结合本地和本部门的实际,尽快研究制定贯彻落实党中央、国务院文件精神的具体措施和意见,切实加强小城镇发展规划的编制和组织实施工作,重点发展已经具有一定规模、基础条件较好的建制镇,避免一哄而起和盲目攀比,注重合理使用、节约和保护资源,加大环境保护和治理的力度,为小城镇长期发展创造良好环境。发展小城镇,重点是繁荣小城镇经济。各地各部门在继续抓好小城镇规划和落实有关政策的同时,要把大力发展小城镇经济放到更加重要的位置。重点要抓好以下三点。

1. 大力发展以农副产品加工业为主的乡镇工业

进一步发挥小城镇连接城乡、原料资源丰富、劳动力充足的优势,加快发展农副产品加工业,积极探索合理的生产组织形式和利益分配机制,把农业生产的产前、产中、产后有机地联系起来,提高农业的比较经济效益和农民的收入水平。抓住国有企业战略改组的机遇,吸引技术、人才和相关产业向小城镇转移,积极运用先进实用技术改造生产工艺,开发适销对路的新产品,提高产品的技术含量和市场竞争能力,引导乡镇工业向小城镇和乡镇工业小区集中,避免重复建设,减少资源消耗和对环境的污染,逐步实现可持续发展。

2. 加快发展小城镇第三产业

(1)完善仓储、批发和零售贸易等市场设施,因地制宜发展各类综合性或专业性商品批发市场。适应农村居民生活水平提高、消费水平和消费方式不断变化的需求,加快发展小城镇商业零售业。通过采取与大中城市超市连锁等形式,发展商业连锁、物资配送、旧货调剂等。

(2)加快发展农业信息、农业科技、农村金融等为生产和生活服务的部门,提高服务质量和水平,逐步建立健全高效的资金融通体系、技术服务体系和信息传递机制。

(3)大力发展文化教育、广播电视、卫生体育、社会福利等事业,提高居民科学文化水平和素质。结合布局调整,把中小学校适当向小城镇集中,加强文化场馆等地建设。

(4)对拥有旅游等特色资源的小城镇,要充分利用各自的风景名胜及人文景观,合理开发旅游资源,把工作的重点放在完善配套设施、加强管理和改善环境上。

3. 积极发展特色农业

各地在发展小城镇经济中,要注意保护好基本农田和加强农业基础设施建设,充分发挥小城镇在发展优质高效农业生产和特色农业的生产等方面的优势,突出抓好良种繁育体系建设和各类先进适用农业技术试验示范基地建设,发展无公害及绿色食品等特色农业的生产,为推进农业和农村经济结构的战略性调整提供引导和示范。

三、小城镇经济发展的产业支撑

2013 年 3 月 27 日,李克强同志主持召开国务院常务会议,研究确定今年政府重点工作的部门分工,要求广泛征求各方意见,抓紧制定城镇化中长期发展规划,完善配套政策措施。与此同时,从中央到地方政府有关促进城镇化的各种规划在紧锣密鼓制定之中。据有关媒体报道,由国家发改委牵头编制的《全国促进城镇化健康发展规划(2011—2020年)》即将对外"亮相"。

自从十八大提出建设新型城镇化以来,如何建设新型城镇化成为社会关注的热点,然而,目前的讨论大多集中在户籍制度和土地制度改革上,对城镇化需要的产业支撑讨论较少。在中国国际经济交流中心举办的"新型城镇化:中国的现实选择"研讨会上,与会嘉宾一致认为,面对当前复杂严峻的经济形势,加快推进新型城镇化,培育新的经济增长点,是促进经济可持续发展和社会全面进步的关键措施,而城镇化要健康发展,一定要有产业来支撑。

我国城镇化建设发展过程中,有关小城镇经济发展产业支撑的政策、法规主要有:

(1)《中华人民共和国国民经济和社会发展第十二个五年规划纲要》第九章第五节强调促进中小企业发展。指出:大力发展中小企业,完善中小企业政策法规体系。促进加快转变发展方式,强化质量诚信建设,提高产品质量和竞争能力。推动中小企业调整结构。提升专业化分工协作水平。引导中小企业集群发展,提高创新能力和管理水平。创造良好环境,激发中小企业发展活力。建立健全中小企业金融服务和信用担保体系,提高中小企业贷款规模和比重,拓宽直接融资渠道。落实和完善税收等优惠政策,减轻中小企业社会负担。

(2)中共中央、国务院《关于促进小城镇健康发展的若干意见》(中发〔2000〕11号)指出:积极培育小城镇的经济基础。根据小城镇的特点,以市场为导向,以产业为依托,大力发展特色经济,着力培育各类农业产业化经营的龙头企业,形成农副产品的生产、加工和销售基地。要发挥小城镇功能和连接大中城市的区位优势,兴办各种服务行业,因地制宜地发展各类综合性和专业性商品批发市场。要充分利用风景名性及人文景观,发展观光旅游业。要通过完善基础设施建设,加强服务,减轻企业负担等措施,吸引乡镇企业进镇,鼓励农村新办企业向镇区集中。要抓住国有企业战略改组的机遇,吸引技术、人才和相关产业向小城镇转移。鼓励大中城市的工商企业到小城镇发展。

(3)中共中央《关于推进农村改革发展若干重大问题的决定》(中发〔2008〕16号)指出:统筹城乡产业发展,优化农村产业结构,发展农村服务业和乡镇企业,引导城市资金、技术、人才、管理等生产要素向农村流动。创新农村金融体制,放宽农村金融准入政策,加快建立商业性金融、合作性金融、政策性金融相结合,资本充足、功能健全、服务完善、运行安全的农村金融体系。加大对农村金融政策支持力度,拓宽融资渠道,综合运用财税杠杆和货币政策工具,定向实行税收减免和费用补贴,引导更多信贷资金和社会资金投向农村。

(4)中共中央国务院《关于加大统筹城乡发展力度进一步夯实农业农村发展基础的若干意见》指出:大力发展县域经济,抓住产业转移有利时机,促进特色产业、优势项目向县城和重点镇集聚,提高城镇综合承载能力,吸纳农村人口加快向小城镇集中。完善加快小城镇发展的财税、投融资等配套政策,安排年度土地利用计划要支持中小城市和小城镇发展。

(5)国务院《关于解决农民工问题的若干意见》(国发〔2006〕5号)提出:大力发展乡镇企业和县域经济,扩大当地转移就业容量。这是农民转移就业的重要途径。各地要依据国家产业政策,积极发展就业容量大的劳动密集型产业和服务业,发展农村二、三产业和特色经济,发展农业产业化经营和农产品加工业;落实发展乡镇企业和非公有制经济的政策措施,吸纳更多的农村富余劳动力在当地转移就业。有关部门要抓紧研究制定扶持县域经济发展的相关政策,增强县域经济活力。引导相关产业向中西部转移,增加农民在当地就业机会。积极引导东部相关产业向中西部转移,有利于促进农村劳动力就地就近转移就业,也有利于形成东中西良性互动、共同发展的格局。要在产业政策上鼓励大中城市、沿海发达地区的劳动密集型产业和资源加工型企业向中西部地区转移。中西部地区要在有利于节约资源和保护环境的前提下,主动承接产业转移,为当地农村劳动力转移就业创造良好环境。

（6）国务院《关于加快发展服务业的若干意见》（国发〔2007〕7 号）指出：服务业是国民经济的重要组成部分，服务业的发展水平是衡量现代社会经济发达程度的重要标志。我国正处于全面建设小康社会和工业化、城镇化、市场化、国际化加速发展时期，已初步具备支撑经济又好又快发展的诸多条件。加快发展服务业，提高服务业在三次产业结构中的比重，尽快使服务业成为国民经济的主导产业，是推进经济结构调整、加快转变经济增长方式的必由之路，是有效缓解能源资源短缺的"瓶颈"制约、提高资源利用效率的迫切需要，是适应对外开放新形势、实现综合国力整体跃升的有效途径。加快发展服务业，形成较为完备的服务业体系，提供满足人民群众物质文化生活需要的丰富产品，并成为吸纳城乡新增就业的主要渠道，也是解决民生问题、促进社会和谐、全面建设小康社会的内在要求。为此，必须从贯彻落实科学发展观和构建社会主义和谐社会战略思想的高度，把加快发展服务业作为一项重大而长期的战略任务抓紧抓好。

优化服务业发展结构，必须重点抓好以下三个方面：

1）大力发展面向生产的服务业，促进现代制造业与服务业有机融合、互动发展。细化深化专业分工，鼓励生产制造企业改造现有业务流程，推进业务外包，加强核心竞争力，同时加快从生产加工环节向自主研发、品牌营销等服务环节延伸，降低资源消耗，提高产品的附加值。优先发展运输业，提升物流的专业化、社会化服务水平，大力发展第三方物流；积极发展信息服务业，加快发展软件业，坚持以信息化带动工业化，完善信息基础设施，积极推进"三网"融合，发展增值和互联网业务，推进电子商务和电子政务；有序发展金融服务业，健全金融市场体系，加快产品、服务和管理创新；大力发展科技服务业，充分发挥科技对服务业发展的支撑和引领作用，鼓励发展专业化的科技研发、技术推广、工业设计和节能服务业；规范发展法律咨询、会计审计、工程咨询、认证认可、信用评估、广告会展等商务服务业；提升改造商贸流通业，推广连锁经营、特许经营等现代经营方式和新型业态。通过发展服务业实现物尽其用、货畅其流、人尽其才，降低社会交易成本，提高资源配置效率，加快走上新型工业化发展道路。

2）大力发展面向民生的服务业，积极拓展新型服务领域，不断培育形成服务业新的增长点。围绕城镇化和人口老龄化的要求，大力发展市政公用事业、房地产和物业服务、社区服务、家政服务和社会化养老等服务业。围绕构建和谐社会的要求，大力发展教育、医疗卫生、新闻出版、邮政、电信、广播影视等服务事业，以村和欠发达地区为重点，加强公共服务体系建设，优化城乡区域服务业结构，逐步实现公共服务的均等化。围绕小康社会建设目标和消费结构转型升级的要求，大力发展旅游、文化、体育和休闲娱乐等服务业，优化服务消费结构，丰富人民群众精神文化生活。服务业是今后我国扩大就业的主要渠道，要着重发展就业容量大的服务业，鼓励其他服务业更多吸纳就业，充分挖掘服务业安置就业的巨大潜力。

3）积极发展农村服务业。围绕农业生产的产前、产中、产后服务，加快构建和完善以生产销售服务、科技服务、信息服务和金融服务为主体的农村社会化服务体系。加大对农业产业化的扶持力度，积极开展种子统供、重大病虫害统防统治等生产性服务。完善农副产品流通体系，发展各类流通中介组织，培育一批大型涉农商贸企业集团，切实解决农副产品销售难的问题。加快实施"万村千乡"市场工程。加强农业科技体系建设，健全农业技术推广、农产品检测与认证、动物防疫和植物保护等农业技术支持体系，推进农业科技创新，加快实施科技入户工程。加快农业信息服务体系建设，逐步形成连接国内外市场、覆盖生产和消费的信息网络。加强农村金融体系建设，充分发挥农村商业金融、合作金融、政策性金融和其他金融组织的作用，发展多渠道、多形式的农业保险，增强对"三农"的金融服务。加快农机社会化服务体系建设，推进农机服务市场化、专业化、产业化。大力发展各类农民专业合作组织，支持其开展市场营销、信息服务、技术培训、农产品加工储藏和农资采购经营。改善农村基础条件，加快发展农村生活服务业，提高农民生活质量。推进农村水利、交通、渔港、邮政、电信、电力、广播影视、医疗卫生、计划生育和教育等基础设施建设，加快实施农村饮水安全工程，大力发展农村沼气，推进生物质能、太阳能和风能等可再生能源开发利用，改善农民生产生活条件。大力发展园艺业、特种养殖业、乡村旅游业等特色产业，鼓励发展劳务经济，增加农民收入。积极推进农村社区建设，加快发展农村文化、医疗卫生、社会保障、计划生育等事业，实施农民体育健身工程，扩大出版物、广播影视在农村的覆盖面，提高公共服务均等化水平，丰富农民物质文化生活。加强农村基础教育、职业教育和继续教育，搞好农民和农民工培训，提高农民素质，结合城镇化建设，积极推进农村富余劳动力实现转移就业。

（7）国务院《关于加快发展旅游业的意见》（国发〔2009〕41号）提出：在城镇化发展中实施乡村旅游富民工程。开展各具特色的农业观光和体验性旅游活动。在妥善保护自然生态、原居环境和历史文化遗存的前提下，合理利用民族村寨、古村古镇，建设特色景观旅游村镇，规范发展"农家乐"、休闲农庄等旅游产品。依托国家级文化、自然遗产地，打造有代表性的精品景区。积极发展休闲度假旅游。引导城市周边休闲度假带建设。

（8）国务院办公厅《关于当前金融促进经济发展的若干意见》（国办发〔2008〕126号）第八章第24条规定：放宽金融机构对中小企业贷款和涉农贷款的呆账核销条件。授权金融机构对符合一定条件的中小企业贷款和涉农贷款进行重组和减免。借款人发生财务困难、无力及时足额偿还贷款本息的，在确保重组和减免后能如期偿还剩余债务的条件下，允许金融机构对债务进行展期或延期、减免表外利息后，进一步减免本金和表内利息。

（9）住房和城乡建设部关于贯彻中共中央、国务院《关于促进小城镇健康发展的若干意见》的通知（建村〔2000〕191号）提出：统筹谋划人口分布、经济布局、国土利用和城镇化格局，引导人口和经济向适宜开发的区域集聚，保护农业和生态发展空间，促进人口、经济与资源环境相协调。对人口密集、开发强度偏高、资源环境负荷过重的部分城镇化地区要优化开发。对资源环境承载能力较强、集聚人口和经济条件较好的城镇化地区要重点开发。对具备较好的农业生产条件、以提供农产品为主体功能的农产品主产区，要着力保障农产品供给安全。对影响全局生态安全的重点生态功能区，要限制大规模、高强度的工业化城镇化开发。对依法设立的各级各类自然文化资源保护区和其他需要特殊保护的区域要禁止开发。

第二节　促进乡镇企业向小城镇集中发展

为积极引导乡镇企业向小城镇集中发展,促进我国工业化、城镇化和现代化进程,农业部、住房和城乡建设部、国土资源部联合下发了《关于促进乡镇企业向小城镇集中发展的通知》,指出乡镇企业向小城镇发展的意义、乡镇企业向小城镇发展的指导思想和发展目标、乡镇企业向小城镇发展的基本原则、乡镇企业向小城镇发展的各项工作及加强乡镇企业向小城镇发展的工作领导等内容。

一、乡镇企业向小城镇集中发展的重大意义

促进乡镇企业合理集聚、健康发展,是当前城乡经济社会结构战略性调整的一个重点。乡镇企业向小城镇集中发展,可以从根本上改变乡镇企业布局分散和重复建设问题,有利于生产力要素合理流动,科学配置;有利于发挥集聚效应和投资效益,节约土地和资源;有利于加快第三产业发展,更大规模地转移农村富余劳动力;有利于集中治理污染,解决环境保护和可持续发展问题;有利于加强对乡镇企业的管理和社会化服务体系的建立健全;有利于新型小城镇的建设与发展,逐步改变我国城乡分割的二元化结构。

各地要充分认识乡镇企业向小城镇集中发展的重要性、必要性和紧迫性,抓住机遇,开拓进取,扎实工作,制定扶持政策,适时引导乡镇企业向小城镇集中,对乡镇企业布局进行一次战略性调整。要把这项工作作为当前和今后一个时期发展乡镇企业和小城镇的一项重要任务,切实抓紧抓好,抓出成效。

二、乡镇企业向小城镇集中发展的基本原则

1. 坚持实事求是,因势利导的原则

乡镇企业分散布局有其历史的、社会的成因,由分散走向集中是

一个循序渐进的过程。要尊重客观规律,尊重农民和企业意愿,根据本地农村经济和社会发展的实际情况、发展水平和潜力、现有乡镇企业的数量和规模,采取切实可行的方法措施,因势利导,积极推进。要坚决杜绝不顾客观条件,采取行政命令,强制搬迁,加重农民和企业负担的做法。

2. 坚持因地制宜,分类指导的原则

各地乡镇企业发展不平衡,经济环境也不同。因此,要以市场需求为导向,以提高经济效益为中心,从实际出发,根据当地乡镇企业发展水平、经济基础、区位特点和资源条件,引导有条件的乡镇企业进行布局调整。要正确处理合理集聚与分散布局的关系。对于乡镇企业发展水平相对落后的地方,要坚持逐步完善基础设施条件,努力改善投资环境。新建企业和有条件的老企业要尽可能进入小城镇。鼓励偏远地区异地到小城镇兴办乡镇企业。支持科技型企业、外向型企业、有规模效益和有特殊行业要求的企业向小城镇集中。

3. 坚持规模适度,有序发展的原则

要符合小城镇发展的总体部署,注重向中心镇、重点镇和经济比较活跃的地区集聚,确保与整个小城镇的发展相协调。要注重原有基础上的发展与提高,处理好全面发展与重点建设的关系,突出重点,突出地方特色,注重实效,合理布局。防止不切实际,盲目攀比,铺摊子,扩规模。防止村村、乡乡都搞工业园区的低水平重复建设。进入小城镇的乡镇企业要符合国家产业政策和发展规划,大力培育地方特色产业、支柱产业、支撑企业和知名产品。要充分发挥本地区的资源优势、区位优势和市场优势,注重节约土地、节约资源、保护环境,推动一、二、三产业,人口、资源和环境,经济与社会协调发展。

三、乡镇企业向小城镇集中发展的工作重点

1. 制定科学合理的建设规划

乡镇企业向小城镇集中要根据当地乡镇企业的发展基础、自然资源及劳动力情况、市场状况等,统筹规划,科学论证,合理安排;要坚持

可持续发展的方针,综合协调生产与生活、经济建设与资源环境保护、近期建设与长期发展的关系。乡镇企业向小城镇集中建设规划要与当地小城镇建设规划、交通建设规划相结合,与土地利用总体规划、环境保护规划相衔接。企业用地选址要符合土地利用总体规划,注意节约用地和保护耕地,尽量利用荒丘、荒坡、荒地及其他非耕地、空闲地。要选择企业比较集中、基础设施条件较好、便于工业"三废"综合治理的区域,避免大量企业搬迁。要集中力量,建一片,用一片,成一片。要因地制宜,切实可行,防止贪大求洋和乱铺摊子。要严格按照规划组织实施,切实维护规划的严肃性、权威性和延续性。

2. 着力加强基础设施建设

既考虑现阶段生产、生活的需要,也考虑经济持续发展的需要,保证基础设施能力满足小城镇内企业扩大再生产和城镇不同阶段经济、社会、文化发展的需要。经济欠发达地区,要逐步达到通水、通路、通电、通信和平整土地"四通一平";经济发达地区,要具备良好的基础设施和通信条件,要逐步实现集中供电、供热、供水、排水及废水处理。基础设施建设要运用市场机制,逐步建立起政府、集体、个人共同投资的多元化投入机制,充分调动全社会建设小城镇的积极性。倡导统一规划下的业主开发和企业开发。采用股份合作、资产收益抵押等多种投融资方式,引导、鼓励中外企业、集体、个人特别是农民及社会各方面以多种形式参与基础设施和公用设施的投资、建设、管理和经营。有条件的地方,可以按照有关规定组建基础设施和公用设施建设投资公司,按照规范化的有限责任公司和股份有限公司模式运作,实行"谁投资,谁所有,谁经营,谁受益"的原则,分享投资和经营利益。对有收益的基础设施,可合理确定服务价格,实行有偿使用。鼓励相邻地区共建、共享某些基础设施,降低开发成本,提高投资效益。

3. 采取优惠的政策措施

各地要制定优惠政策,引导乡镇企业合理布局,鼓励乡镇企业向小城镇集中发展。对在小城镇投资兴办的乡镇企业,在一定期限内免征城镇建设配套费,在企业登记、税收、信贷、市场融资等方面给予倾斜。这些乡镇企业的职工,在小城镇有固定住所的,可以在小城镇落户,并根据本人意愿保留其土地承包经营权,也容许依法有偿转让。兴办第三产业的乡镇企业,可以享受国家关于税收和经贸方面的优惠政策。同时要发挥市场对资源配置的基础性作用,引导乡镇企业合理集聚。通过完善基础设施建设,加强服务,减轻企业负担等措施,吸引乡镇企业向小城镇集中。除少数不适宜在小城镇兴办的企业外,原则上农村新办企业都要建在小城镇。有条件的地区,要利用技术改造、扩建、重组等时机,推动现有分散布局的企业向小城镇逐步集中,特别是老企业的技术改造项目和传统产业的结构调整项目要逐步向小城镇转移。严禁国家产业政策禁止的项目、淘汰落后项目和污染环境项目进入小城镇。鼓励有条件的优势乡镇企业进入城镇兼并、收购小企业,组建企业集团,实现低成本快速扩张。

4. 培育主导支柱产业和特色产品

必须十分重视发挥地区产业优势和规模骨干企业的作用。正确处理劳动密集型、资源加工型产业与技术密集型、资本密集型产业的关系。经济欠发达地区应以劳动密集型和资源加工型产业为主,以发展农副产品加工业为主线,适当发展技术密集型产业;经济发达地区在大力开发技术密集型和资本密集型产业的同时,也要办好劳动密集型产业。要正确处理传统产业与高新技术产业的关系,把改造提升传统产业同发展高新技术产业结合起来。加快发展规模型、科技型、外向型和农业产业化型企业。重视和优先发展乡镇企业第三产业。按照地区经济发展水平和资源优势,选择和发展当地具有相对优势,在市场上具有一定竞争力的产业和产品,提高专业协作水平,培育和形成具有地方特色的主导产业,避免产业结构和产品结构趋同。

5. 依法解决建设用地

乡镇企业向小城镇集中建设用地要纳入当地土地利用总体规划,在严格执行规划和节约用地,切实保护耕地的前提下,保证乡镇企业向小城镇集中发展的必要用地。要在规范管理的基础上,推行土地置换和新增耕地指标折抵政策,切实解决乡镇企业发展用地。在土地利用总体规划的控制和指导下,推进建设项目补充耕地与土地开发整理复垦项目挂钩制度,实现耕地占补平衡,为乡镇企业向小城镇集中发展创造有利条件。加强农村集体产权制度建设,规范集体土地使用权行为,促进乡镇企业建设用地优化配置和集约利用。采取统一规划、统一征地、统一开发、统一出让的方式,加强乡镇企业建设用地管理,提高土地利用率和利用效益。

四、加强对乡镇企业向小城镇集中发展工作的领导

引导乡镇企业向小城镇集中,把发展乡镇企业与小城镇有机结合起来,促进工业化和城镇化协调发展,是党中央、国务院的一项战略决策。要切实加强领导,科学规划,精心组织实施。各地要在党委、政府的领导下,采取优惠政策引导,运用市场机制手段,引导小城镇以外的乡镇企业加快集中。各级乡镇企业、建设、国土资源行政管理部门要认真做好指导、组织、服务和协调工作,与财政、金融、税务、工商、交通、环保、技术监督、电信电力等部门密切配合,通力合作,各司其职,各负其责,努力创造良好环境,支持、促进乡镇企业向小城镇集中。乡镇企业行政管理部门对本区域内企业负有建设、开发、服务和管理的职责,要积极协调有关部门,制定扶持政策,营造良好的外部环境。同时,鼓励异地办企业,对于跨地区迁入小城镇的企业,保持隶属关系不变,所有制性质不变,允许在一定时期内统计渠道不变,税费交纳渠道不变。要改进和完善服务制度,强化服务功能,提高服务效率,简化手续,规范审批行为。鼓励发展人才培训、市场信息、物业管理、行业协会等各类为企业服务的中介组织,融管理于服务之中,降低企业生产成本。要坚决制止乱收费、乱检查、乱摊派违规行为,切实减轻企业负担。要坚持勤政、廉洁、高效的原则,做到办事公开、公正、公平,逐步实现小城镇建设与管理的规范化、制度化、法制化。

第三节　小城镇基本公共服务与社会保障管理

一、基本服务的概念

基本公共服务,是指建立在一定社会共识基础上,由政府主导提

供的,与经济社会发展水平和阶段相适应,旨在保障全体民生生存和发展最基本需求的公共服务。

基本公共服务主要有三个方面:

(1)底线生存服务,包括就业服务、社会保障、保障性住房等。

(2)基本发展服务,包括教育、医疗卫生、文化体育、民政等社会事业中的公益性领域。

(3)基本环境服务,包括公共交通、公用设施、公共安全等。

二、基本公共服务体系的建立

党的十六大以来,我国在关乎民生的就业服务、社会保障、教育、医疗卫生、文化设施等立法领域,正在逐步缩小城乡差距,努力建立健全覆盖城乡基本公共服务体系,实现城乡基本公共服务和社会管理均等化的目标。党的十七届五中全会做出了《关于加强和创新社会管理的决定》,进一步明确了加强和创新社会管理的指导思想、基本原则和目标任务,通过积极稳妥地推进社会管理理念、制度、体制、机制、方法创新,为经济和社会协调发展、为实现全面建设小康社会的总目标营造良好的社会环境。

国务院《关于印发国家基本公共服务体系"十二五"规划的通知》(国发〔2012〕29号)规定如下。

(一)指导思想和主要目标

1. 指导思想

高举中国特色社会主义伟大旗帜,以邓小平理论和"三个代表"重要思想为指导,深入贯彻落实科学发展观,把基本公共服务制度作为公共产品向全民提供,着力保障城乡居民生存发展基本需求,着力增强服务供给能力,着力创新体制机制,不断深化收入分配制度改革,加快建立健全符合国情、比较完整、覆盖城乡、可持续的基本公共服务体系,逐步推进基本公共服务均等化。

把基本公共服务制度作为公共产品向全民提供,是我国公共服务发展从理念到体制的创新。我国实行社会主义制度,公民都有获得基本公共服务的权利。保障人人享有基本公共服务是政府的职责,必须着眼制度设计、系统规划、整体推进,建立健全基本公共服务体系。基本要求是:

(1)以人为本,保障基本。从最广大人民群众的根本利益出发,立足我国社会主义初级阶段的基本国情,坚持尽力而为、量力而行,优先保障基本公共教育、劳动就业服务、社会保险、基本社会服务、基本医疗卫生、人口和计划生育、基本住房保障、公共文化体育等服务的提供,随着经济社会发展逐步扩大范围和提高标准。

(2)政府主导,坚持公益。牢牢把握基本公共服务的公益性质,明确政府的主体责任,完善公共财政体系,科学划分各级政府基本公共服务事权与支出责任,健全地方政府为主、统一与分级相结合的公共服务管理体制。加强立法、规划、投入、监管和政策支持,有效促进公平公正。

(3)统筹城乡,强化基层。打破行业分割和地区分割,加快城乡基本公共服务制度一体化建设,大力推进区域间制度统筹衔接,加大公共资源向农村、贫困地区和社会弱势群体倾斜力度,实现基本公共服务制度覆盖全民。把更多的财力、物力投向基层,把更多的人才、技术引向基层,切实加强基层公共服务机构设施和能力建设,促进资源共建共享,全面提高基本公共服务水平。

(4)改革创新,提高效率。完善财政保障、管理运行和监督问责机制,形成保障基本公共服务体系有效运行的长效机制。创新基本公共服务供给模式,引入竞争机制,积极采取购买服务等方式,形成多元参与、公平竞争的格局,不断提高基本公共服务的质量和效率。

2. 主要目标

今后一个时期,要把建立健全基本公共服务体系作为完善保障和改善民生制度安排、加快构建再分配调节机制的重大任务,并与全面建设小康社会战略目标和任务紧密衔接。"十二五"时期的主要目标是:

(1)供给有效扩大。政府投入大幅增加,基本公共服务预算支出占财政支出比重逐步提高。基本公共服务国家标准体系和标准动态调整机制逐步健全,各项制度实现全覆盖。创新公共服务供给方式,实现提供主体和提供方式多元化。

(2)发展较为均衡。资源布局更趋合理,优质资源共享机制加快建立,县(市、区)域内基本公共服务均衡发展基本实现,农村和老少边穷地区基本公共服务水平明显提高。

(3)服务方便可及。以基层为重点的基本公共服务网络全面建立,设施标准化和服务规范化、专业化、信息化水平明显提高,城乡居民能够就近获得基本公共服务。

(4)群众比较满意。城乡居民基本公共服务需求表达机制有效建立,服务成本个人负担比率合理下降,绩效评价和行政问责制度比较健全,社会满意度不断提高。

(二)主要任务

经过努力,"十二五"时期,覆盖城乡居民的基本公共服务体系逐步完善,推进基本公共服务均等化取得明显进展;到2020年实现全面建设小康社会奋斗目标时,基本公共服务体系比较健全,城乡区域间基本公共服务差距明显缩小,争取基本实现基本公共服务均等化。

1. 基本公共教育的重点任务

国家建立基本公共教育制度,保障所有适龄儿童、少年享有平等受教育的权利,提高国民基本文化素质。

重点巩固提高九年义务教育,基本普及高中阶段教育和学前一年教育,完善以政府为主导、多种方式并举的家庭经济困难学生资助政策,建立健全基本公共教育服务体系。

(1)九年义务教育。巩固九年义务教育普及成果,全面提高义务教育的质量和水平,着力推进义务教育均衡发展。统筹规划学校布局,推进义务教育学校标准化建设。保留必要的村小学和教学点,加强农村中小学寄宿制学校建设。提高农村义务教育阶段家庭经济困难寄宿生的生活费补助标准。将义务教育阶段的孤儿寄宿生全面纳入生活补助范围。公共教育资源重点向农村、边远、贫困、民族地区和革命老区倾斜,实行县(市、区)域内城乡中小学教师编制和工资待遇同一标准,以及教师、校长交流制度,逐步取消义务教育阶段重点校和重点班。以流入的全日制公办中小学为主,保证农民工随迁子女平等接受义务教育,并研究制定接受义务教育后在当地参加升学考试的办法。完善城乡义务教育学校的资源共建共享和对口交流支援制度。实施农村义务教育学生营养改善计划。巩固民族地区义务教育普及成果,推进双语教学。提高中小学教育信息化水平。全面实施素质教育,推进课程和教学方法改革,建立国家义务教育质量基本标准和监测制度,切实减轻中小学生课业负担。提高义务教育师资队伍能力水平,加强民族地区双语教师队伍建设。

(2)高中阶段教育。加强政府统筹,促进普通高中和中等职业教育协调发展。推动普通高中多样化发展,促进办学体制多元化,扩大优质资源。建立普通高中家庭经济困难学生国家资助制度。大力发展中等职业教育,坚持以服务为宗旨、以就业为导向,学校教育与职业培训并举,完善产学合作机制,全面推行工学结合、校企合作、顶岗实习的职业教育人才培养模式。加强职业教育教师队伍建设,鼓励技能型人才到职业学校从教。加强中等职业教育基础能力建设,建立健全职业教育质量保障体系。实行中等职业教育农村学生、城市家庭经济困难学生和涉农专业学生免学费政策,逐步实行中等职业教育免费制度。

(3)普惠性学前教育。建立政府主导、社会参与、公办民办并举的办园体制,构建覆盖城乡、布局合理的学前教育公共服务体系。为家庭经济困难儿童、孤儿和残疾儿童接受学前教育提供资助。大力发展公办幼儿园,鼓励优质公办幼儿园举办分园或合作办园。鼓励社会力量举办幼儿园,积极扶持民办幼儿园特别是面向大众、收费较低的普惠性民办幼儿园发展,采取政府购买、减免租金、以奖代补、派驻公办教师等方式,引导和支持民办幼儿园提供普惠性服务。根据居住区规划和居住人口规模,充分考虑农民工随迁子女接受学前教育的需求,配套建设城镇幼儿园。逐步完善县、乡、村学前教育网络,乡镇和大村独立建园,小村设分园或联合办园,人口分散地区举办流动幼儿园、季节班等。充分利用中小学布局调整富余的校舍和教师举办幼儿园

（班）。积极发展民族地区学前双语教育。加强幼儿教师队伍建设。

2. 劳动就业服务的重点任务

国家建立劳动就业公共服务制度，为全体劳动者就业创造必要条件，加强劳动保护，改善劳动环境，保障合法权益，促进充分就业和构建和谐劳动关系。

建立健全覆盖城乡的劳动就业公共服务体系，以高校毕业生、农村转移劳动力、城镇就业困难人员和零就业家庭为重点服务对象，全面提升就业全过程公共服务能力，努力创造平等就业机会，积极构建和谐劳动关系。

（1）就业服务和管理。完善并全面实施就业政策法规咨询、信息发布、职业指导和职业介绍、就业失业登记等免费服务，推进服务规范化和标准化，拓展服务功能。推进分类服务和管理，加快推行就业失业登记证实名制，尽快实现一人一证、全国通用。健全人力资源市场调查统计制度，建立全国就业信息监测制度，加强失业动态监测预警。完善就业援助政策，加大资金投入，完善税费减免、社会保险补贴、岗位补贴等办法，开发社区服务、养老服务、助残服务、交通协管、保洁、绿化等公益性岗位。加强公共就业服务网络建设，整合职业介绍和人才交流服务的公共资源，推动就业信息全国联网，提升就业创业和人才服务能力。

（2）职业技能培训。建立健全面向全体劳动者的职业培训制度，对城乡有就业要求和培训愿望的劳动者提供职业技能培训。对通过初次职业技能鉴定并取得职业资格证书或专项职业能力证书的，按规定给予一次性职业技能鉴定补贴。对未能升学的应届初高中毕业生等新成长劳动力普遍实行劳动预备制培训，给予培训费补贴，并对农村学员和城市家庭经济困难学员给予一定生活费补贴。加强职业技能培训经费统筹使用，提高效率和效益。加强职业技能培训能力建设，加大培训市场监管和资源整合力度，引导协调各类职业院校、培训机构有序开展职业技能培训，研究推进职业技能实训基地建设。

（3）劳动关系协调和劳动权益保护。全面推行劳动合同制度，着力提高小企业和农民工劳动合同签订率，扩大集体合同覆盖面。规范劳务派遣用工和企业裁员行为。全面推进实施劳动用工备案制度,加强对劳动用工的动态监管。健全企业薪酬调查和信息发布制度。完善企业工资决定机制和正常增长机制,积极稳妥推进工资集体协商工作。健全工资支付保障机制,完善最低工资和工资指导线制度,逐步提高最低工资标准。健全协调劳动关系三方机制,发挥政府、工会和企业作用。加强劳动保障监察执法力度,全面推进网格化、网络化管理,完善劳动案件办理协查制度。加强劳动人事争议调解仲裁服务体系建设,规范办案程序。建立健全重大集体劳动争议应急调处机制。

3. 社会保险的重点任务

国家建立基本养老保险、基本医疗保险、工伤保险、失业保险、生育保险等社会保险制度,保障公民在年老、疾病、工伤、失业、生育等情况下依法从国家和社会获得物质帮助的权利。

坚持广覆盖、保基本、多层次、可持续的方针,以增强公平性和适应流动性为重点,着力完善制度,扩大覆盖范围,逐步提高保障水平和统筹层次,建立健全覆盖城乡居民的社会保险体系。

(1)基本养老保险。以农民工、非公有制经济组织从业人员和灵活就业人员为重点,扩大职工基本养老保险覆盖面,将未参保集体企业退休人员全部纳入基本养老保险保障范围。推动机关事业单位养老保险制度改革。实现新型农村社会养老保险和城镇居民社会养老保险制度全覆盖,各地根据实际情况可以将两项制度合并实施。完善被征地农民基本生活保障制度,实行先保后征。实现基础养老金全国统筹,完善基本养老保险关系转移接续办法,逐步推进城乡养老保障制度有效衔接。建立健全与经济发展、工资增长和物价水平相适应的企业退休人员基本养老金正常调整机制,稳步提高新型农村社会养老保险和城镇居民社会养老保险基础养老金水平。

(2)基本医疗保险。扩大职工基本医疗保险制度覆盖范围,重点提高农民工、个体工商户和灵活就业人员参保率。巩固提高新型农村合作医疗参合率和城镇居民基本医疗保险参保率,逐步提高人均筹资标准和财政补助水平,鼓励有条件地区探索建立城乡统筹的居民基本医疗保险制度。全面推进基本医疗保险门诊统筹,将门诊常见病、多发病纳入保障范围,逐步提高门诊费用报销比例,基层医疗卫生机构门诊费用报销比例要明显高于医院。逐步提高医保基金最高支付限额和政策范围内住院费用报销比例,做好三项基本医疗保险待遇水平的衔接。提高儿童白血病、先天性心脏病等重大疾病医疗保障水平。探索建立重特大疾病保障机制,切实解决重特大疾病患者的因病致贫问题。完善基本医疗保险关系转移接续办法和医疗费用结算办法,全面实现统筹区域内和省内异地就医即时结算,逐步实现跨省异地就医结算。在确保基金安全和有效监管的前提下,鼓励以政府购买服务的方式,委托具有资质的商业保险机构经办各类医疗保障管理服务。

(3)工伤、失业和生育保险。健全预防、补偿、康复相结合的工伤保险制度,完善差别费率和浮动费率办法,适度提高待遇水平。将国有企业老工伤人员全部纳入工伤保险统筹管理。充分利用现有医疗和康复资源,加强工伤康复基地建设。完善失业保险制度,健全失业保险待遇正常调整机制,研究建立失业保险关系转移接续机制。完善生育保险制度,加强与基本医疗保险制度的衔接。以农民工、非公有制经济组织从业人员等为重点,扩大工伤、失业和生育保险覆盖面。积极探索建立农民意外伤害保障机制和覆盖城乡居民的生育保障机制。

4. 基本社会服务的重点任务

国家建立基本社会服务制度,为城乡居民尤其是困难群体的基本生活提供物质帮助,保障老年人、残疾人、孤儿等特殊群体有尊严地生活和平等参与社会发展。

着力健全以城乡最低生活保障制度为核心,以农村五保供养、自然灾害救助、医疗救助、流浪乞讨人员救助制度为主要内容,以临时救助制度为补充的社会救助体系。以扶老、助残、救孤、济困为重点,逐步拓展社会福利的保障范围,推动社会福利由补缺型向适度普惠型转变,逐步提高国民福利水平,加强优抚安置工作。

(1)社会救助。完善城乡最低生活保障制度,健全低保标准动态调整机制。采取多种措施提高老年人、残疾人、未成年人和重病患者的保障水平。建立低收入家庭认定体系,健全收入核查制度。加强城乡低保与最低工资、失业保险和扶贫开发等政策的衔接。将专项救助逐步延伸至低保边缘家庭,重点解决其医疗、教育、住房等方面的困难。加强医疗救助与基本医疗保险制度的衔接,逐步实行诊疗费用即时救助,降低医疗救助起付线,有条件的地方可以取消医疗救助起付线。健全自然灾害监测预警、评估调查、信息发布、应急救援和应急物资储备体系,完善救助技术标准和补助项目。完善临时救助制度。加强城市生活无着的流浪乞讨人员救助管理,加大流浪未成年人保护力度。

(2)社会福利。建立健全孤儿保障体系,合理确定孤儿养育标准,建立自然增长机制。拓展孤儿安置渠道,鼓励家庭养育。扩大福利机构收养能力。加强贫困和重度精神疾病患者收养和治疗服务。推动婚姻登记标准化和全国信息联网,推行婚姻免费登记。有条件的地方可向城乡基本生活困难家庭发放基本殡葬服务补贴,提供遗体运送、火化和绿色安葬等服务。加快实施免费公共服务。依托社区综合服务平台,为社区居民提供公益便民利民社区服务。

(3)基本养老服务。适应人口老龄化趋势,有条件的地方可发放高龄老年人生活补贴和家庭经济困难的老年人养老服务补贴。将符合条件的农村老人全部纳入农村五保供养范围,实行分散供养与集中供养相结合,适度提高供养标准。建立健全养老服务体系,鼓励居家养老,拓展社区养老服务功能,增强公益性养老服务机构服务能力,鼓励通过公建民营、民办公助等方式引导社会资本参与养老服务机构建设和管理运行。

(4)优抚安置。全面落实优抚对象各项优待政策,确保军人的抚恤优待与经济和社会发展相适应。实施残疾军人辅助改造。改善优抚设施条件,健全孤老优抚对象和重残退役军人集中供养制度。落实退役士兵安置改革各项政策,组织引导符合条件的退役士兵免费参加职业教育和技能培训。

5. 基本医疗卫生的重点任务

国家建立基本医疗卫生制度,为城乡居民提供安全、有效、方便、价廉的基本医疗卫生服务,切实保障人民群众身体健康。

　　按照人人享有基本医疗卫生服务的目标要求,加快建立健全公共卫生服务体系、城乡医疗服务体系、药品供应和安全保障体系,提高基本医疗卫生服务的公平性、可及性和质量水平。

　　(1)公共卫生服务。全面实施国家基本公共卫生服务项目,逐步提高人均基本公共卫生服务经费标准。实施国民健康行动计划,根据经济社会发展水平和疾病防治工作需要,逐步增加重大公共卫生服务项目。完善重大疾病防控、计划生育、妇幼保健等专业公共卫生服务网络,提高对严重威胁人民健康的传染病、慢性病、地方病、职业病和出生缺陷等疾病的监测、预防和控制能力。完善卫生监督体系,建立食品安全标准及风险评估、监测预警、应急处置体系和饮用水卫生监督监测体系。依托县级医院实施农村院前急救网络建设。加强突发公共事件紧急医学救援能力和突发公共卫生事件监测预警、应急处理能力建设。积极发展中医预防保健服务。

　　(2)医疗服务。完善区域卫生规划。按照"大病不出县"、"小病不出社区"的要求,加强以县级医院为龙头、乡镇卫生院和村卫生室为基础的农村三级医疗卫生服务网络建设,健全以社区卫生服务为基础、社区卫生服务机构、医院和预防保健机构分工协作的城市医疗卫生服务体系。扩大城乡医院对口支援力度,推行乡村卫生服务一体化管理。加快建立分级诊疗、双向转诊和全科医生首诊制度。巩固和完善国家基本药物制度,推进基层医疗卫生机构综合改革,建立多渠道补偿机制,完善人事分配制度、考核和激励机制。积极推动公立医院改革,完善医院管理体制、法人治理机制、补偿机制和医疗机构分类管理制度。加强医疗服务监管,制定实施鼓励医疗卫生人才到基层服务的政策措施。推动形成多元化办医格局。统筹利用中西医卫生资源,加强中医(民族医)医疗服务机构能力建设,提高综合医院和专科医院中西医结合的服务能力。

　　(3)药品供应和安全保障。建立和完善以国家基本药物制度为基础的药品供应保障体系。政府办基层医疗卫生机构集中采购、统一配送、全部配备使用和零差率销售基本药物,逐步将村卫生室纳入基本药物制度实施范围,鼓励在非政府办基层医疗卫生机构实施基本药物制度,推动其他医疗机构优先使用基本药物。完善基本药物价格形成机制和调整机制,动态调整基本药物目录。鼓励提供与使用中医药。完善基本药物报销办法,逐步提高实际报销水平。全面提高国家药品标准,建立健全基本药物质量评价标准。完善药品检验检测体系,实行国家基本药物全品种覆盖抽验和全品种电子监管,提升对基本药物从生产到流通全过程追溯的能力。健全药品安全应急体系,强化快速通报和快速反应机制,完善药品不良反应监测和发布制度。

6. 人口和计划生育的重点任务

国家建立人口和计划生育基本服务制度,为城乡居民提供计划生育、优生优育、生殖健康以及人口和计划生育信息等服务。

坚持计划生育基本国策,以计划生育服务和计划生育利益导向为重点,完善人口和计划生育服务体系,保障城乡育龄人群身心健康,促进人口长期均衡发展。

(1)计划生育服务。创新人口和计划生育服务理念和模式。增强基层服务机构服务能力,依法拓展服务范围,加大流动服务、上门服务工作力度。加强流动人口计划生育服务管理,建立流动人口现居住地计划生育技术服务保障机制。进一步落实计划生育技术服务项目免费制度,完善避孕药具发放等的服务管理办法。推进出生缺陷一级预防工作,实行孕前优生健康检查,将免费孕前优生健康检查试点覆盖到全国 31 个省(市、区)。加强出生人口性别比偏高综合治理,广泛宣传男女平等观念,制定实施有利于女孩健康成长和妇女发展的社会经济政策,在扶贫济困、慈善救助、贴息贷款、就业安排、项目扶持中对计划生育女儿户予以倾斜。探索建立计划生育公益金制度。推进人口和计划生育信息化建设。加强人口和计划生育科普知识宣传。

(2)计划生育奖励扶助。继续实施和完善农村部分计划生育家庭奖励扶助制度、"少生快富"工程和计划生育特别扶助三项制度,扩大范围并建立动态调整机制。完善独生子女父母奖励制度,探索建立独生子女父母老年扶助制度和长效节育奖励制度。

7. 基本住房保障的重点任务

国家建立基本住房保障制度,维护公民居住权利,逐步满足城乡居民基本住房需求,实现住有所居。

　　加大保障性安居工程建设力度,增加保障性住房供应,加快解决城镇居民基本住房问题和农村困难群众住房安全问题,建立健全基本住房保障制度。

　　(1)廉租住房和公共租赁住房。保障性住房实行分散配建和集中建设相结合。集中建设保障性住房,要优先安排在交通便利、基础设施齐全、公共事业完备、就业方便的区域。健全廉租住房保障方式,实行实物配租和租赁补贴相结合,多渠道筹集廉租住房房源。完善租赁补贴制度,通过发放租赁补贴增强低收入家庭在市场上承租住房的能力。重点发展公共租赁住房,逐步使其成为保障性住房的主体,并逐步实现与廉租住房统筹建设、并轨运行。面向有一定支付能力的城镇中低收入住房困难家庭,适当发展经济适用住房和限价商品住房。

　　(2)棚户区改造。全面推进城市和国有工矿棚户区、中央下放地方煤矿棚户区、国有林区棚户区和国有林场危旧房、国有垦区危房改造。稳步推进非成片棚户区、零星危旧房改造。逐步开展基础设施简陋、建筑密度大、集中连片的城镇旧住宅区综合整治,稳步实施“城中村”改造,改善基础设施条件,完善居住功能。

　　(3)农村危房改造。继续推进农村危房改造,合理确定补助对象和标准,优先帮助住房最危险、经济最贫困农户解决住房安全问题。落实建设基本要求,强化工程质量安全管理,完善档案管理和产权登记,推动农村基本住房安全保障制度建设。推进游牧民定居工程建设,提高建设质量和规范化水平。

　　(4)保障性住房管理。加快基本住房保障立法工作,做好廉租住房、公共租赁住房和经济适用住房等各类保障性住房的政策衔接。鼓励各地依法建立保障性住房投资机构。研究建立全国性和区域性个人住房贷款担保体系,支持中低收入家庭改善住房条件。建立健全多部门联动的收入(财产)和住房情况动态监管机制,制定公平合理、公开透明的保障性住房配租政策和监管程序,严格规范准入、退出管理和租费标准。加强棚户区改造项目管理,推进市政基础设施和公共服务设施配套建设。实施能力建设工程,建立健全保障性住房管理服务机构,提升住房保障管理人员素质,加强规范化管理。建立全国住房保障基础信息管理平台,促进全国住房保障业务系统互联互通。

8. 公共文化体育的重点任务

国家建立公共文化体育服务制度,保障人民群众看电视、听广播、读书看报、进行公共文化鉴赏、参加大众文化活动和体育健身等权益。

围绕建设社会主义核心价值体系和满足城乡居民精神文化需求的要求,坚持公益性、基本性、均等性、便利性,建立健全公共文化服务体系,扩大公共文化产品和服务的供给,推进全民健身公共服务体系建设。

(1)公益性文化。继续实施文化惠民工程,以农村基层和中西部地区为重点,加快公共文化基础设施建设。推进建立公共电子阅览室和未成年人公益性上网场所。促进城乡基层公共文化服务资源的共建共享。逐步实现公共文化场馆向全社会免费开放。推动文化科技卫生"三下乡"、"送欢乐下基层"等活动制度化,充分发挥流动文化服务车、流动电影放映车的作用。广泛开展社区文化、村镇文化、校园文化、家庭文化等群众性文化活动,积极开展面向农民工和残疾人等群体的公益性文化服务。完善公益性演出补贴制度。加大对地方特色和民族特色文化的支持力度。加大文化和自然遗产、非物质文化遗产保护力度,逐步提高面向公众开放、展示的水平。

(2)广播影视。加强农村基层广播电视和无线发射台站建设,全面解决20户以下已通电自然村"盲村"广播电视覆盖。加强直播卫星平台建设,在有线网络未通达、无线网络不能覆盖的农村地区开展直播卫星公共服务。提高少数民族语言广播影视节目译制、制作、播出及传播覆盖能力。继续推进农村电影数字放映,将观看爱国主义教育影片纳入中小学教育教学计划。鼓励电影企业深入城乡社区、厂矿等开展公益放映活动。积极推进国家应急广播体系建设。加强地面数字电视建设,逐步完成地面模拟信号向数字信号的转换,不断提高无线广播电视公共服务的质量和水平。

(3)新闻出版。广泛开展全民阅读活动,逐步扩大基本免费或低收费阅读服务范围。继续加强农家书屋和城乡阅报栏(屏)建设,合理规划布局建设农村和中小城市出版发行网点。推进公益性数字出版产品免费下载、阅读和使用。大力扶持少数民族出版物的翻译和出版，积极开展少数民族文字书、报刊赠送活动。

（4）群众体育。加强基层公共体育设施建设。大力推动公共体育设施向社会开放，健全学校等企事业单位体育设施向公众开放的管理制度。全面实施全民健身计划，健全基层全民健身组织服务体系，扶持社区体育俱乐部、青少年体育俱乐部和体育健身站（点）等建设，发展壮大社会体育指导员队伍，大力开展全民健身志愿服务活动。积极推广广播体操、工间操以及其他科学有效的全民健身方法，广泛开展形式多样、面向大众的群众性体育活动。建立国家、省、市三级体质测定与运动健身指导站，普及科学健身知识，指导群众科学健身。推动落实国家体育锻炼标准，加强学生体质监测，制定残疾人体质测定标准，定期开展国民体质监测。

9. 残疾人基本公共服务的重点任务

国家为残疾人提供适合其特殊需求的基本公共服务，营造残疾人平等参与的社会环境，为残疾人生活和发展提供稳定的制度性保障。

按照平等、参与、共享的原则，以重度残疾人、农村残疾人和残疾儿童为重点，优先发展社会急需、受益面广、效益好的残疾人基本公共服务，增强供给能力，健全残疾人社会保障体系和服务体系。

（1）残疾人社会保障。落实和完善贫困残疾人参加社会保险保费补贴政策，提高残疾人社会保险参保率和待遇水平。逐步将符合规定的残疾人医疗康复项目纳入基本医疗保险支付范围，逐步增加工伤保险职业康复项目。着力解决好重度残疾、一户多残、老残一体等特殊困难家庭的基本生活保障问题，做好低收入残疾人家庭生活救助。有条件的地方实施贫困残疾人生活补助和重度残疾人护理补贴制度。构建辅助器具适配体系，有条件的地方对重度残疾人适配基本型辅助器具给予补贴。

（2）残疾人基本服务。建立健全的、以专业康复和托养服务机构为骨干、社区为基础、家庭为依托的社会化残疾人康复、托养服务体系。加强残疾人服务设施建设，继续实施"阳光家园"计划，实施国家重点康复工程,建立残疾儿童抢救性康复救助制度。完善残疾学生助学政策,保障残疾学生和残疾人家庭子女免费接受义务教育,逐步实行残疾学生高中阶段免费教育,推进特殊教育学校标准化建设。加大残疾人就业促进和保护力度,开展多层次残疾人职业技能培训,为农村残疾人提供实用技术培训,落实残疾人按比例就业、安置残疾人单位税收优惠、残疾人个体就业扶持等政策。公共就业服务机构和残疾人就业服务机构免费为残疾人提供有针对性的职业介绍、职业指导等就业服务。将住房困难的城乡低收入残疾人家庭优先纳入基本住房保障制度。加强针对盲人和聋人特殊需求的公共文化服务,实行公共文化体育设施对残疾人优惠开放,扩大盲人读物出版规模。加快无障碍建设和改造,推进公共设施设备和信息交流无障碍,有条件的地方为有需求的贫困残疾人家庭无障碍改造提供补助,建立健全残疾预防体系。

(三)促进城乡、区域基本公共服务均等化

按照推进基本公共服务均等化和实施主体功能区规划、国家区域发展战略的要求,逐步建立城乡一体化的基本公共服务制度,促进区域基本公共服务均等化的体制机制,促进公共服务资源在城乡、区域之间均衡配置,缩小基本公共服务水平差距。

1. 促进城乡基本公共服务均等化

(1)加强城乡基本公共服务规划一体化。涉及公共服务的各类规划,要贯彻区域覆盖、制度统筹的原则要求,以服务半径、服务人口为基本依据,打破城乡界限,统筹空间布局,制定实施城乡统一的基本公共服务设施配置和建设标准。

(2)推进城乡基本公共服务制度衔接。以制度统一为切入点,抓紧制定和实施统筹城乡基本公共服务制度的工作目标和阶段任务。鼓励各地开展统筹城乡基本公共服务制度改革试点,有条件的可率先把农村居民纳入城镇基本公共服务保障范围;暂不具备条件的,要注重缩小城乡服务水平差距,预留制度对接空间。

(3)加大农村基本公共服务支持力度。进一步加大公共资源向农村倾斜力度,新增预算内固定资产投资要优先投向农村基本公共服务项目。制定并推行各类机构服务项目及其规范标准,提高农村基层公共服务人员专业化水平。鼓励和引导城市优质公共服务资源向农村延伸,包括充分利用信息技术和流动服务等手段,促进农村共享城市优质公共服务资源。

(4)以输入地政府管理为主,加快建立农民工等流动人口基本公共服务制度,逐步实现基本公共服务由户籍人口向常住人口扩展。结合户籍管理制度改革和完善农村土地管理制度,逐步将基本公共服务领域各项法律法规和政策与户口性质相脱离,保障符合条件的外来人口与本地居民平等享有基本公共服务。积极探索多种有效方式,对符合条件的农民工及其子女,分阶段、有重点地纳入居住地基本公共服务保障范围。

2. 促进区域基本公共服务均等化

(1)推进落实主体功能区基本公共服务政策。对优化开发区域和重点开发区域,要根据工业化、城镇化需要,加强基本公共服务能力建设,使基本公共服务设施布局、供给规模与人口分布、环境交通相适应。对限制开发和禁止开发区域,要加大财政转移支付力度和财政投入,保障不因经济开发活动受限制而影响基本公共服务水平的提高。

(2)加大困难地区基本公共服务支持力度。加大对贫困地区、革命老区、民族地区、边疆地区和集中连片特殊困难地区的基本公共服务财政投入和公共资源配置力度,政府基本公共服务投资项目优先向这些地区倾斜。鼓励发达地区采用定向援助、对口支援和对口帮扶等多种形式,支持这些地区发展基本公共服务,并形成有效机制。

(3)建立健全区域基本公共服务均等化协调机制。加强国务院各部门与省级政府间的磋商协调,保持区域间基本公共服务范围和标准基本一致,推动相关制度和规则衔接,做好投资、财税、产业、土地和人口等政策的配套协调。以健全地方政府为主、统一与分级相结合的公共服务管理体制,着力加强省级政府推进省域内基本公共服务均等化的统筹职能。适应区域一体化发展要求,完善现有各类区域协调机制,强化其促进区域内基本公共服务协作、资源共享、制度对接作用。

鼓励和倡导长三角、珠三角等发达地区率先实现基本公共服务一体化。

三、覆盖城乡居民的社会保障体系的建立

国务院于2012年6月14日以国发〔2012〕17号文批转了《社会保障"十二五"规划纲要》。规定如下：

1. 基本方针

高举中国特色社会主义伟大旗帜，以邓小平理论和"三个代表"重要思想为指导，深入贯彻落实科学发展观，坚持"广覆盖、保基本、多层次、可持续"的基本方针，以增强公平性、适应流动性、保证可持续性为重点，加快建立覆盖城乡居民的社会保障体系，使广大人民群众得到基本保障，共享经济社会发展的成果，促进社会主义和谐社会建设。基本要求是：

（1）更加注重保障公平。充分发挥社会保障再分配的调节功能，把人人享有基本社会保障作为优先目标，基本解决制度缺失问题，使人民群众都能享有相应的基本社会保障制度安排；逐步提高社会保障水平，使其与经济发展水平相适应；协调平衡各项社会保障制度的待遇水平，逐步缩小相关群体的保障水平差距，使广大人民群众平等共享经济社会发展成果。

（2）更加注重统筹城乡发展。以农民、农民工、被征地农民、城市无业人员和城乡残疾人等群体为重点，以促进城乡统筹、更好地适应流动性要求为目标，加快社会保障制度整合，提高统筹层次，推进制度规范，完善政策体系，做好各类制度的衔接和社会保险关系的转移接续工作，努力清除影响就业人员转移就业和享受各类社会保障待遇的障碍，维护参保人员权益。

（3）更加注重优质高效服务。加强社会保障的基础设施建设，健全服务网络，提高社会保障公共服务普及性。加大政府对社会保障公共服务体系建设的投入，加快信息化建设，改进服务手段，提高社会保障公共服务便利性；加快理顺社会保障管理服务的体制机制，建立全国统一的社会化管理服务体系和规范的管理服务流程，加强标准化建

设,提升服务质量,为广大群众提供均等化的社会保障公共服务。

(4)更加注重可持续发展。实行国家统一决策与分级管理相结合、公平与效率相结合、权利与义务相对应,明确划分社会保障事权,落实各级政府、用人单位和参保个人的主体责任,建立健全多渠道筹资机制,实现社会保障基金长期平衡。进一步加大调整财政支出结构的力度,稳步提高社会保障支出占财政支出的比重。继续做实企业职工基本养老保险个人账户,扩大全国社会保障基金规模,充实国家战略储备。加强风险预测,保证资金长期收支平衡,积极稳妥地推进基本养老保险基金投资运营,大力发展多层次社会保障体系,为应对人口老龄化高峰提供制度和资金保障。

2. 发展目标

未来五年社会保障事业发展的主要目标是:社会保障制度基本完备,体系比较健全,覆盖范围进一步扩大,保障水平稳步提高,历史遗留问题基本得到解决,为全面建设小康社会提供水平适度、持续稳定的社会保障网。

(1)制度建设。各项保障制度基本完备。机关事业单位养老保险制度改革稳步推进,已有各项保障制度不断完善。城乡统筹取得积极进展,多层次保障体系进一步完善。

(2)覆盖范围。基本养老保险、基本医疗保险保障人群实现基本覆盖。"十二五"期末,城镇基本养老保险参保人数达到 3.57 亿人,其中企业职工基本养老保险达到 3.07 亿人;新农合参保人数达到 4.5亿人。城乡基本医疗保险参保率在 2010 年基础上提高 3 个百分点。工伤保险参保人数达到 2.1 亿人,失业保险参保人数达到 1.6 亿人,生育保险参保人数达到 1.5 亿人。城乡最低生活保障实现应保尽保。

(3)保障水平。继续提高各项社会保险待遇水平。企业职工基本养老金、城镇居民社会养老保险和新农合基础养老金稳步增长。职工基本医疗保险、城镇居民基本医疗保险和新农合在政策范围内住院费用支付比例达到 75% 左右。城镇居民基本医疗保险和新农合门诊统筹覆盖所有统筹地区,稳步推进职工基本医疗保险门诊统筹。失业保险、工伤保险、生育保险待遇标准和城乡低保标准稳步提高,工伤伤残职工享有基本的职业康复服务。

(4)服务体系建设。覆盖全社会的劳动就业和社会保障公共服务网络基本形成,全国所有街道(社区)、乡镇(行政村)基本完成劳动就业和社会保障基层服务平台建设,行政村普遍实施劳动就业和社会保障协管员制度。县级以上(含县级)普遍建立布局合理、功能齐全、信息联网的社会保障基础服务设施。国家统一标准的社会保障卡持卡人数达到 8 亿人。纳入社区管理的企业退休人员比例达到 80%。社会养老服务体系和儿童福利服务体系更加完善,建立健全残疾人服务体系和农民工留守家属关爱服务体系。经常性社会捐助体系进一步完善,各乡镇(街道)基本建立经常性捐助站(点)和慈善超市。

3. 大力推进社会保障制度建设,基本解决制度缺失问题

(1)加快健全养老保险制度。实现新农合制度全覆盖,提高基础养老金水平。完善企业职工基本养老保险制度。建立城镇居民社会养老保险制度,在试点的基础上全面实施。研究制定因病或非因工死亡参保人员遗属领取丧葬补助金和抚恤金办法,以及因病或非因工致残完全丧失劳动力参保人员领取病残津贴办法。在试点的基础上,积极稳妥地推动机关事业单位养老保险制度改革。

(2)加快完善医疗、工伤、失业、生育保险制度体系。进一步完善职工基本医疗保险、城镇居民基本医疗保险、新农合制度,积极推进门诊统筹。加强工伤预防工作,深入推进以职业康复为重点的工伤康复工作,预防工伤和职业病的发生,努力让更多工伤职工重返工作岗位。注重强化失业风险防范功能,继续推进规范失业保险基金支出范围政策实施,建立预防失业、促进就业的长效机制。研究探索建立生育保障制度体系。

(3)实施应对人口老龄化的社会保障政策。实行有利于促进就业的社会保障政策,建立社会保障待遇水平与缴费情况相挂钩的参保缴费激励约束机制。立足当前,着眼长远,继续做实企业职工基本养老保险个人账户,研究弹性延迟领取养老金年龄的政策。积极稳妥地推进养老保险基金投资运营,实现基金保值增值。继续通过中央财政预算拨款、划拨国有资产、扩大彩票发行等渠道充实全国社会保障基金,为应对人口老龄化高峰做好准备。

（4）建立健全家庭养老支持政策。完善农村计划生育家庭奖励扶助制度和计划生育家庭特别扶助制度，完善和落实城镇独生子女父母老年奖励政策，建立奖励扶助金动态调整机制，鼓励有条件的地区在基本养老保险基础上，积极探索为独生子女父母、无子女和失能老人提供必要的养老服务补贴和老年护理补贴。

（5）健全残疾人社会保障制度。完善残疾人社会保障体系，将残疾人纳入覆盖城乡居民的社会保障体系并予以重点保护和特殊扶助，研究制定针对残疾人特殊困难和需求的社会保障政策措施，扩大残疾人社会保障覆盖面，提高残疾人社会保障待遇。建立贫困残疾人生活补助和重度残疾人护理补贴制度。

（6）大力发展补充保险。在建立健全各项基本社会保险制度的基础上，针对人们不同的社会保障需求，落实和完善税收支持政策，积极稳妥发展多层次社会保障体系。发展企业年金和职业年金，鼓励用人单位为劳动者建立补充养老保险；鼓励个人建立储蓄性养老保险；统筹考虑各类人群的补充医疗保险政策，逐步建立适合不同群体、分不同档次的补充医疗保险制度；鼓励发挥商业保险补充性作用。

（7）进一步健全社会救助制度。完善城乡最低生活保障制度，规范管理，实现应保尽保。合理确定低保标准和补助水平。进一步完善临时救助制度，帮助缓解低收入家庭突发性、临时性生活困难。完善城乡医疗救助制度，做好与基本医疗保险制度的衔接。

4. 加快城乡社会保障统筹，稳步推进保障制度和管理服务一体化建设

（1）统筹城乡社会保障体系。推进制度整合和城乡衔接，促进城乡一体化社会保障体系建设。研究制定城乡社会保险制度衔接办法，实行城乡居民养老保险统一经办管理。探索整合城乡基本医疗保险管理职能和经办资源，鼓励以政府购买服务的方式，委托具有资质的商业保险机构经办各类医疗保障管理服务。

（2）进一步提高统筹层次。稳步提高各项社会保险统筹层次，扩大基金调剂和使用范围，增强基金共济能力。全面落实企业职工基本养老保险省级统筹，实现基础养老金全国统筹。新农保实现省级管理。全面实现医疗、工伤、失业、生育保险地(市)级统筹,逐步建立省级基金调剂制度,积极推进省级统筹。

(3)切实做好社会保险关系转移接续工作。以农民工为重点,妥善解决人员流动过程中社会保险关系转移接续问题,实现制度的有效衔接。全面实施城镇企业职工基本养老保险关系转移接续办法。落实医疗保险关系转移接续办法,实现医疗保险缴费年限在各地互认,累计合并计算。以异地安置退休人员为重点,完善异地就医管理服务,探索建立参保地委托就医地进行管理的协作机制。统一社会保险信息管理标准,实现相关信息指标体系和编码体系全国统一,方便全国范围信息交换,适应人员流动需要。

5. 进一步扩大社会保障覆盖范围,基本养老、基本医疗保险保障人群实现基本覆盖

将符合条件的各类人群纳入制度体系,重点做好农民工、非公有制经济组织从业人员、灵活就业人员的参保工作。将大学生全部纳入城镇居民基本医疗保险制度。继续解决体制转轨的历史遗留问题,将各类关闭破产企业退休人员和困难企业职工纳入基本医疗保障体系,将未参保集体企业已退休人员纳入基本养老保险制度,将国有企业、集体企业"老工伤"人员全部纳入工伤保险统筹管理。强化新农保、新农合以及城镇居民基本医疗保险制度的政策激励机制,引导符合条件的人员积极参保、长期参保。完善被征地农民的社会保障政策,实行先保后征,应保尽保,切实保障他们的合法权益。研究明确公务员和参照公务员法管理事业单位人员工伤保险政策。研究制定残疾人参加各类社会保险和安置残疾人就业单位办理社会保险的优惠政策。加大资金支持力度,积极推进优抚对象、城乡残疾人和各类困难群体参加社会保险。

6. 逐步提高保障标准,增强保障能力

根据经济社会发展情况,逐步提高各项社会保障水平,缩小城乡、区域、群体之间的社会保障待遇差距。统筹建立基本养老金正常调整机制,继续提高企业退休人员基本养老金水平,提高新农保和城镇居民社会养老保险基础养老金标准。以基层医疗卫生机构为依托,普遍开展和推进城镇居民基本医疗保险、新农合门诊医疗费用统筹,逐步将门诊常见病、多发病纳入保障范围。逐步提高基本医疗保险最高支付限额和住院费用支付比例,均衡职工基本医疗保险、城镇居民基本医疗保险、新农合的待遇水平。逐步提高各级财政对新农保、城镇居民社会养老保险、城镇居民基本医疗保险和新农合的补助标准。进一步完善失业保险金申领发放办法,健全失业保险金正常调整机制。建立健全职业康复标准、劳动能力鉴定标准和伤残辅助器具配置标准。健全城乡低保标准动态调整机制,逐步提高城乡最低生活保障水平。

7. 建立健全社会救助体系,大力发展福利和慈善事业

(1)建立健全社会救助体系。完善以城乡低保制度为核心,以农村五保供养、灾害救助、医疗救助、住房救助、教育救助、流浪乞讨人员救助、殡葬救助为主要内容,以临时救助制度为补充,与慈善事业相衔接、统筹城乡、保障水平与经济社会发展水平相适应的社会救助体系,实现城乡社会救助全覆盖。进一步强化社会救助能力建设。进一步完善自然灾害救灾应急体系,提升灾害紧急救援能力,提高灾害救助水平。

(2)大力发展福利事业。以扶老、助残、救孤、济困为重点,逐步提高国民福利水平。坚持家庭、社区和福利机构相结合,逐步健全社会福利服务体系,加强老年人、残疾人、孤儿福利服务。贯彻落实《社会养老服务体系建设规划(2011—2015年)》,坚持政府主导、政策扶持、多方参与、统筹规划,加快养老服务体系建设,满足多元化养老服务需求。积极开展老年护理服务,建立居家养老三级服务网络;完善社区服务网络,加强社区福利设施建设;加快养老机构建设,加强养老机构标准化建设;加快养老护理员队伍建设。建立健全残疾人基本公共服务体系,为残疾人的生活和发展提供稳定的制度保障。以智力、精神、重度残疾人为重点对象,建立健全残疾人托养服务体系,加强精神卫生队伍建设,推动福利企业健康发展,做好辅助器具的研发生产装配企业资格认定以及假肢(矫形器)制作师职业资格考试和注册工作,提高残疾人福利水平,减轻残疾人家庭负担。

(3)大力发展慈善事业。建立与中国优秀传统文化及经济发展水平相一致,政府支持、社会举办、公众参与的具有中国特色的慈善事业发展体系,形成全社会人人参与的慈善事业新格局。完善慈善捐赠方面的政策法规和税收优惠政策,完善支持慈善事业发展的财政、彩票公益金等国家投入机制,规范慈善行业服务监管制度,提升慈善信息公共服务能力。发展经常性捐助站点和慈善超市,完善经常性社会捐助体系。完善慈善超市运行机制。

8. 加强社会保障管理与监督,提升管理服务水平

(1)严格基金监管。加强社会保障基金监督管理,维护基金安全。健全社会保险基金预算管理制度,规范基金收支,明确政府投入责任。完善基金监管政策法规,积极稳妥推进基本养老保险基金投资运营,进一步规范企业年金、职业年金市场化运营。大力推行社会保险基金网络监管软件应用,逐步实现现场监督检查与非现场监管相结合。指导社会保险基金和企业年金、职业年金基金管理机构加强内控和风险防范,实行规范运作,提高基金管理能力和运作水平,实现基金保值增值。建立社会保险基金和企业年金、职业年金管理情况报告制度和信息披露制度。建立行政监督与社会监督相结合的基金监管机制。

(2)进一步加强医疗保险基金支付管理。落实深化医药卫生体制改革的要求,强化医疗保障对医疗服务的监控作用,引导控制医疗服务费用,促进提高医疗服务水平。完善基本医疗保险定点医疗机构和定点零售药店协议管理制度,建立实施分级管理标准,全面推进基本医疗费用即时结算。加快实现医疗费用异地就医即时结算。推进实行按病种付费、总额预付、按人头付费等方式,深化医疗保险付费方式改革。探索建立医疗保险经办机构与医疗机构、药品供应商的谈判机制。完善基本医疗保险支付范围管理。完善基本医疗保险药品目录、医疗服务项目管理办法。

(3)改进和加强社会保障管理服务。加快社会保障规范化、信息化、专业化建设步伐,提高管理服务水平。健全管理机制,完善专业标准,规范业务规程,整合经办资源,提升管理手段。建立公民社会保险登记制度,实现登记管理模式从以单位为依托向以社区为依托、以个人为对象的转变。逐步实现统一受理社会保险参保登记、统一核定缴费基数和数额、统一征收社会保险费、统一社会保险稽核、统一查处社会保险违规行为,加强社会保障业务档案、数据、信息网络管理,保证资料和信息的完整、准确、安全。建立全国统一的社会化服务体系,加强基础服务设施建设,设立电脑查询、电话查询和个性化咨询服务,积极探索网上申报、缴费、结算。探索合理利用各种社会资源提供社会保障公共服务。进一步完善新农保金融服务,健全服务体系,规范服务方式,积极支持银行业金融机构申请代理新农保和城镇居民社会养老保险发放业务,创新支付结算方式,提供优质高效服务。

9. 强化基础保障,确保纲要实施

(1)加强社会保障法制建设。认真贯彻《中华人民共和国社会保险法》和《工伤保险条例》,修订《失业保险条例》和《社会保险费征缴暂行条例》,制定医疗保险、养老保险、社会保险经办管理服务和基金监督等法规,以及与法律法规相配套的部门规章。加快社会救助法和慈善法立法进程,建立养老服务准入、退出和监管制度,构建完善的社会保障法律体系。

(2)加大政府公共财政对社会保障的投入。明确各级政府在社会保障方面的责任,建立政府对社会保障的正常投入机制和不同层级政府间的分担机制。各级政府要调整财政支出结构,逐步提高社会保障支出占财政支出的比重。加大中央财政对社会保障体系建设的投入,巩固现有筹资渠道,积极开辟其他资金来源。适应社会保障事业快速发展需要,切实保障社会保险经办机构管理服务所需经费以及社会救助等机构所需经费。

(3)健全社会保障公共服务体系。遵循方便、安全、低成本的原则,整合基层公共服务功能,延伸基层公共服务网络,加强劳动就业和社会保障平台建设。按照精简、高效、统一的原则,完善社会保障组织体系。开展大规模的专业培训,不断提高社会保障系统工作人员履行职责和提供服务的能力。充分利用社会资源,采取政府购买服务的方式加强和改善基本公共服务,提高服务质量和效率。

(4)推行社会保障一卡通。以实现社会保障全国一卡通为目标,完善协调机制,建立统一标准,全面发行社会保障卡,实现社会保障卡跨险种、跨地区广泛应用。加快推进"金保工程"二期建设,建立全国统一的社会保障信息系统,并逐步与医疗卫生、社会福利、社会救助等社会保障相关信息系统做好衔接,实现协同共享,为一卡通提供高效、安全的技术支持保障。

(5)继续做大做强社会保障战略储备资金。按照"可操作、可持续、有增长"的原则,研究多渠道补充全国社会保障基金;依据现有制度安排,通过完善国有股减转持相关政策,做好国有上市公司追溯部分的国有股份划转工作和扩大彩票发行等渠道,进一步加大对全国社会保障基金的支持力度,充实全国社会保障基金。

(6)加强社会保障科学研究和宣传。进一步推动理论和科技创新,为社会保障事业发展提供系统的理论指导和科技支撑。建立社会保障专家库、资料库和基础数据库。重点开展社会保障资金中长期平衡等涉及全局和长远的发展战略、基础理论和重大政策研究,形成有中国特色的社会保障理论和政策体系。加强政策评估、技术标准、量化分析、预警预测与社会保险精算等专题研究,建立数据分析系统。大力推广科研成果应用,促进决策、管理、服务科学化。多渠道筹集资金,增加科研经费投入。加强社会保障政策宣传和舆论引导。

(7)加强社会保障国际交流与合作。加强社会保障领域双边、多边合作,适时批准适合我国国情的社会保障国际公约,积极参与国际劳工公约和建议书等国际劳工标准的制定。通过双边谈判,签订双边社会保险互免协议。立足国情,学习借鉴国际社会保障管理服务经验,提高处理和解决实际问题的能力,加强社会保障对外宣传。

(8)实施社会保障重大项目。按照事权划分责任,分级负担,加大投入,在充分利用现有资源的基础上,统筹实施基层劳动就业和社会保障综合服务平台、社会保障服务平台、工伤康复示范平台和社会保障人才队伍建设等重大项目。

1)基层劳动就业和社会保障综合服务平台建设。整合和利用现有资源,继续加强基层劳动就业和社会保障公共服务平台建设,完善服务设施。将社会保障业务信息网延伸到基层服务中心和服务站,为广大人民群众提供更加便捷、高效的服务。整合县级及县级以下社会保障公共服务功能,加强基层社会保障公共服务工作人员队伍建设。

2)社会保障服务平台建设。加强国家、省级、市级社会保障服务平台建设,统筹考虑国家级和省级异地就医结算平台建设,改善参保人员参保缴费、社会保险关系转移、待遇核发、社会保险档案管理、异地就医结算等经办服务条件。

3)社会保障信息化工程。围绕广泛推行社会保障一卡通,全面加快社会保障信息化建设。加快实施"金保工程"二期项目。依托国家电子政务网络,建立覆盖全国、联通城乡、安全可靠的社会保障业务信息网络和跨地区信息交换结算平台,建立多险种统管、跨区域接续、城乡一体化的社会保障经办服务系统。完善社会保障基金业务监管系统、宏观决策支持系统和12333电话咨询服务系统。提升数据中心水平。统筹规划建设灾备中心。形成全国统一的社会保障网络安全信任体系。

4)社会保险标准化工程。坚持以人为本、急用先立、上下联动、试点先行的基本工作原则。从现在起到2015年,基本建立起结构合理、层次分明、重点突出、科学适用的社会保险国家标准体系,行业标准、地方标准与国家社会保险标准协调配套,将社会保险服务、评价、管理等领域的全过程纳入标准化管理轨道,实现对关键环节和关键因素的有效监控,以标准化手段提升社会保险经办管理服务能力。"十二五"时期,按照人力资源和社会保障标准化建设总体要求,充分调动社会各方力量和资源,研究制定有关社会保险标准。

5)工伤康复示范平台建设工程。充分利用现有医疗和康复资源,以国家级和区域性工伤康复平台为示范引导,以地区级康复平台为基础,以购买服务为主要方式,以促进工伤职工职业康复为主要目标,研究逐步构建功能完备、分布合理的工伤康复新格局。国家级工伤康复示范平台要依托现有资源,按照面向全国、辐射周边的要求,建设成为集医疗康复、职业康复、人才培训、康复科研及假肢(矫形器)装配于一体的具有国际先进水平的大型综合性国家级工伤康复示范平台。区域性工伤康复示范平台依托所在省份现有资源进行建设,主要建设成立于所在省份,辐射区域内其他省份,并通过区域性工伤康复平台的示范作用,带动区域内其他省、区、市地区级康复平台发展的以职业康复为核心的综合性工伤康复示范平台。地区级康复平台立足本地,利用现有资源开展系统规范的工伤康复工作。不同层次的工伤康复平台协同推进,共同促进全国以职业康复为核心的工伤康复体系建设。

6)失业动态监测预警项目。为发挥失业保险预防失业的作用,依托基层人力资源和社会保障平台,建立健全统一的失业动态监测预警指标体系,配置必要设备,开发实用软件,加强人员培训和能力建设。争取到"十二五"期末,在所有省级单位和各区市及部分县(市),设立失业动态监测点,跟踪了解监测企业岗位变化、失业人员就业需求等动态情况,适时发布失业预警信息,并相应采取措施,预防和减少失业。

7)社会保障人才队伍建设工程。以中高级专业人才队伍建设为龙头,带动人才队伍建设工程的全面实施。力争用5年左右的时间,初步建设一支优秀的业务骨干队伍:培养100名左右掌握社会保险政策、精通经办业务的管理人才,培养1 000名左右社会保险经办相关专业领域的业务专家,培养10 000名左右岗位管理能手和业务标兵;利用现有资源特别是各级各类学校及其他教育机构,打造一批合格的人才教育培训基地,建立国家级高级管理和专业人才培训基地。同时,指导各地完善现有的干部培训设施,为开展分层次、分类别、多渠道、大规模、重实效的人才开发培训提供基础保障;基本完成专业教材的开发和师资的培养。开发学习支持服务系统,丰富教育培训手段,开展远程教育,构建统一的网上交流平台。

8)建立低收入家庭认定体系。加快建设全国低收入家庭认定体系,为落实针对低收入家庭的基本养老、基本医疗、基本住房、基本教育、最低生活保障等城乡困难家庭基本生活保障政策奠定坚实的基础。

9)抓好规划的贯彻实施。加快建立覆盖城乡居民的社会保障体系,是坚持立党为公、执政为民的具体体现,是推动科学发展、促进社会和谐的重要工作,是保增长、保民生、保稳定的重要任务。各地区和各部门要深刻认识加快完善社会保障体系的重要性和紧迫性,把全面实施规划纲要纳入重要议事日程。要抓紧制订本地区、本部门的具体实施方案和年度计划，加强领导、明确责任、分工协作、统筹协调、抓好落实。要加大重点项目立项和推进力度，加强对规划实施情况的动态监测与跟踪分析，及时发现和解决规划执行过程中存在的问题，定期组织对规划实施情况的检查，开展规划执行情况期中和期末评估，确保规划各项任务落到实处。

四、加强和创新社会管理

社会管理主要是政府和社会组织为促进社会系统协调运转，对社会系统的组成部分、社会生活的不同领域以及社会发展的各个环节进行组织、协调、指导、规范、监督和纠正社会失衡的过程。社会管理在广义上，是由社会成员组成专门机构对社会的经济、政治和文化事务进行的统筹管理；在狭义上仅指在特定条件下，由权力部门授权对不能划归已有经济、政治和文化部门管理的公共事务进行的专门管理。

社会管理的基本任务主要包括：协调社会关系、规范社会行为、解决社会问题、化解社会矛盾、促进社会公正、应对社会风险、维持社会和谐等方面。

中共中央国务院《关于加强和创新社会管理的意见》明确提出加强和创新社会管理的指导思想、基本原则和目标任务。

1. 指导思想

深入贯彻落实科学发展观，全面落实依法治国基本方略，坚持以人为本、执政为民，充分发挥党领导的政治优势，推动中国特色社会主义社会管理体系自我完善愈合发展，实现好、维护好、发展好最广大人民的根本利益。

2. 基本原则

加强和创新社会管理必须坚持正确方向，一切从实际出发，因地制宜，创造性地开展工作。一要坚持党委领导、政府主导；二要坚持统筹协调、源头治理；三要坚持以人为本、服务在先；四要坚持依法管理、综合施策；五要坚持科学管理、提高效能；六要坚持立足国情、改革创新。

3. 目标任务

紧紧围绕全面建成小康社会的总目标,牢牢把握最大限度激发社会活力、最大限度增加和谐因素、最大限度减少不和谐因素的总要求,完善党委领导、政府负责、社会协同、公众参与的社会管理格局,加强社会管理法律、制度、体制、机制、能力建设,完善基层社会管理服务,建设中国特色社会主义管理体系。以解决影响和谐稳定突出问题为突破口,通过协调社会关系、规范社会行为、化解社会矛盾和深入细致的群众工作,维护人民群众权益,促进社会公平正义,保持社会良好秩序,有效应对社会风险,为党和国家事业发展营造良好社会环境。

4. 相关政策

(1)中共中央《关于推进农村改革发展若干重大问题的决定》(中发〔2008〕16号)第三章指出:统筹城乡基础设施建设和公共服务,全面提高财政保障农村公共事业水平,逐步建立城乡统一的公共服务制度。统筹城乡劳动就业,加快建立城乡统一的人力资源市场,引导农民有序外出就业,鼓励农民就近转移就业,扶持农民工返乡创业。加强农民工权益保护,逐步实现农民工劳动报酬、子女就学、公共卫生、住房租购等与城镇居民享有同等待遇,改善农民工劳动条件,保障生产安全,扩大农民工工伤、医疗、养老保险覆盖面,尽快制定和实施农民工养老保险关系转移接续办法。统筹城乡社会管理,推进户籍制度改革,放宽中小城市落户条件,使在城镇稳定就业和居住的农民有序转变为城镇居民。推动流动人口服务和管理体制创新。扩大县域发展自主权,增加对县的一般性转移支付,促进财力与事权相匹配,增强县域经济活力和实力。推进省直接管理县(市)财政体制改革,优先将农业大县纳入改革范围。有条件的地方可依法探索省直接管理县(市)的体制。坚持走中国特色城镇化道路,发挥好大中城市对农村的辐射带动作用,依法赋予经济发展快、人口吸纳能力强的小城镇相应行政管理权限,促进大、中、小城市和小城镇协调发展,形成城镇化和新农村建设互促共进机制。

(2)国务院《关于解决农民工问题的若干意见》(国发〔2006〕5号)规定:把农民工纳入城市公共服务体系。输入地政府要转变思想观念和管理方式,对农民工实行属地管理。要在编制城市发展规划、制定公共政策、建设公用设施等方面,统筹考虑长期在城市就业、生活和居住的农民工对公共服务的需要,提高城市综合承载能力。要增加公共财政支出,逐步健全覆盖农民工的城市公共服务体系。

(3)上海市人民政府印发《关于加快新城发展的若干意见》对促进新城社会事业发展和社会管理创新做出如下规定:

1)提高新城公共服务保障能力。增强小区事务受理服务、卫生服务、文化活动"三个中心"的功能,逐步增加生活服务、矛盾调处、平安建设等服务内容,落实市建设财力对新城"三个中心"建设的补贴政策。同步规划建设新城养老等社会福利配套设施,落实市建设财力对新增养老床位的补贴政策。加强新城体育场、游泳池、健身房等公共体育设施建设,实现小区公共运动场全覆盖。按照标准同步配套建设幼儿园、中小学。新建住宅小区按照规定要求,配足养老服务、小区服务、居(村)委会等公共服务设施。公共项目按照标准建设应急避难场所。民用建筑按照民防工程规划,同步配建地下民防工程。

2)加快新城社会事业功能性项目建设。优先支持重大功能性社会事业项目落户新城。研究对新城优质教育资源布局的支持政策。"十二五"期间,每个新城至少新增一所示范性优质高中。落实"5+3+1"三级医院建设项目补贴政策,确保 2012 年建成运营,并研究对新城三级医院运营的支持政策。加快推进艺术中心、文化遗址、影视基地、影剧院等一批文化设施项目建设。支持新城发展体育赛事、体育健身和体育休闲产业,引导体育消费。鼓励和支持中心城区科研院所等机构落户新城。

3)积极吸引各类人才向新城集聚。研究制定有利于人才向新城集聚的政策。对在重点产业园区就业、所在企业属于本市重点发展行业,且在新城有稳定居所的各类人才,研究优化其申办居住证、户籍的操作办法。加大公共租赁住房(含单位租赁房)的建设和供应力度,鼓励新城探索实施有利于集聚人才的住房政策。

4)加强和创新新城社会管理。把加强和创新社会管理放在新城建设的突出位置,建立健全党委领导、政府负责、社会协同、公众参与的社会管理体制。建立党和政府主导的维护群众权益机制,形成科学有效的利益协调、诉求表达、矛盾调处、权益保障机制,构建社会矛盾源头治理体系。把更多资源投向基层,夯实基础,强化小区自治和服务功能,构建以小区党组织为核心,居委会、业委会、社会组织等共同参与的新型小区管理和服务体系。加强对来沪人员的管理和服务,建立健全实有人口动态管理机制。建立健全应急管理体系,提高危机管理能力。

第四节　小城镇民主法治与精神文明

建设有中国特色的社会主义,作为一项前无古人的宏伟大业,既需要有发达的物质文明,又需要有高度的社会主义精神文明。社会主义精神文明是建设有中国特色社会主义的重要内涵和重要动力。加强社会主义精神文明建设,必须以邓小平建设有中国特色社会主义理论为指导,全面贯彻党的基本路线和基本方针,以经济建设为中心,以提高全体人民的思想道德和科学文化素质为目标,坚持实事求是,有序推进。

人民代表大会作为国家权力机关,对加强社会主义精神文明建设负有重要使命和责任。这项工作的侧重点是加强民主法制建设,以发展社会主义民主法制来促进社会主义精神文明建设。

一、加强社会主义民主法制建设是实现社会主义精神文明建设目标的重要手段和基本条件

社会主义民主法制建设是社会主义精神文明建设的重要组成部分。它与社会主义精神文明建设相互依存,相互促进。它是社会主义精神文明建设和整个社会主义现代化建设顺利进行的基本条件和重要保证。没有健全的社会主义民主和法制,就没有成功的社会主义精神文明建设。

1. 社会主义精神文明建设的广泛参与性需要由民主法制来保证

社会主义精神文明建设既是以全体人民为对象,也是以全体人民

为主体。社会主义民主越发展,人民群众对精神文明建设的参与越广
泛,精神文明建设就越全面,越有效,也就越能体现社会主义精神文明
建设的性质。要使人民群众广泛参与精神文明建设,只靠党和政府的
号召不行,只靠群众本身的参与热情也不行,还必须有社会主义民主
法制。社会主义的民主法制是人民群众当家做主,实现人民群众历史
主体性的重要保证。它赋予人民群众对社会生活的广泛参与权利,并
要求每个公民切实履行自己对社会生活的参与义务。这种权利和义
务既是以国家意志的形式为依据的,又是以国家意志为保证来贯彻执
行的。它不以领导人的改变而变更,也不以领导人个人看法的变化而
变化。因此,社会主义民主法制越发展、越健全,人民群众在社会主义
精神文明建设中的主体性越可靠,社会主义精神文明建设就越能成为
人民群众广泛参加的持久活动。

2. 社会主义精神文明建设的有序性需要由法制来规范

社会主义精神文明建设是社会主义现代化建设总体工程中的一
个子系统,同时它本身又是一个高度复杂的系统工程。社会主义精神
文明建设能否有序和有效地开展起来,一方面需要处理好它的外部关
系;另一方面又需要处理好它的内部关系。而处理好这些关系,必须
在党的基本理论和基本路线的指导下,辩证地认识问题和处理问题。
但是,单纯地依靠人们的理智在工作中具体地把握还不够。只有把对
这些关系的把握和处理纳入法制轨道,社会主义精神文明建设才能最
大限度地避免"打乱仗",合乎其内在规律稳定有序地向前推进。

3. 社会主义精神文明建设的实效性需要民主法制来强化

社会主义精神文明建设是全体人民主动地学习和适应新的生产
方式和生活方式的长期历史过程。它既是一种教育活动,也是一种制
度化、习俗化过程。通过制度化、习俗化,社会主义精神文明的普遍性
要求和教育成果不断转化为人们的社会行为和习惯。作为制度化过
程,它首先是社会主义法制建设。通过社会主义法制建设,社会主义
精神文明的基本原则和一般性要求成为国家意志,被强制性地贯彻到
人们的社会活动当中,并带动整个制度化、习俗化过程的深入发展。
不依靠民主和法制,国家意志就不能对社会主义精神文明建设发挥全

面的支持作用,精神文明建设就很难深入人们行为方式和道德标准变革的领域,教育成果就很难得到巩固。一个无法可依、有法不依的社会,肯定是一个思想滑坡、政治腐败、道德秩序混乱的社会。而要建设一个思想活跃、政治清明、道德秩序井然的社会,首先必须形成依法治国的局面。

总之,社会主义民主法制是社会主义精神文明建设的宝贵政治资源和重要优势。我们必须充分认识和发挥民主法制对精神文明建设的重要促进和保障作用。

二、运用社会主义法制促进社会主义精神文明建设

1. 以法制形式确立社会主义精神文明的战略地位

社会主义精神文明建设是一项长期的战略大计,并将贯穿于改革开放和现代化建设的全过程。为了使这项长期性建设真正到位,并得到一贯的坚持,必须以法制的形式把它的战略地位明确和固定起来,使之不因领导人的改变而改变,不因领导人的看法和注意力的改变而改变。为了使社会主义精神文明建设在实现我党宏伟目标的整个过程中充分发挥思想保证、智力支持和精神动力的作用,把社会主义精神文明建设作为整个国民经济和社会发展的规划与计划的重要组成部分,提交人民代表大会审议批准,使之具有法律效力是很必要的。以法制的形式确立社会主义精神文明建设的战略地位,不只是一个简单的原则性规定。它包括许多具体内容,如在处理精神文明建设与物质文明建设的关系时应把握哪些基本原则,如何保持全社会对精神文明建设的投入与整个国民经济的增长保持同步,如何利用物质利益等杠杆对整个社会做出明确而有力的导向,引导好企业、家庭和个人行为,使全体社会成员都重视精神文明建设。对此,需要进行深入的调查研究,使法制关于精神文明建设战略地位的规定具体而系统。

2. 以法制的强制力保证全社会对社会主义精神文明建设的投入

精神文明建设是覆盖全社会的系统工程,在制定和实施这个工程中,政府起着主导作用,但不能只靠政府,家庭教育、学校陶冶、社会要求都起着极为重要的作用。对精神文明建设的投入应与这种建设格

局相适应。由于精神文明建设,尤其是思想道德建设所要解决的是人的精神世界的问题,所以,对它投入的效益不像物质文明建设那样明显和快捷。针对机制上的这种脆弱性,对精神文明建设的投入更要依靠法制。

对精神文明建设的投入也同对物质文明建设的投入一样,它包括政府、企业和个人。我们大体可以作这样的基本分工:离物质生产过程较远的思想道德建设和由单个部门和企业无法承担的长期开发及具有较大战略意义的工作,应由政府投入;在与人们的物质生活过程直接相关的领域,应主要靠市场调节下的企业和家庭投入;在介于两者之间的领域,应由政府、企业、家庭共同投入。政府的建设性投入要与国民经济和社会发展计划中所确定的精神文明建设目标相适应,经常性投入要随财政收入的增加而增长。对企业、家庭和个人在精神文明建设上的投入,在制定法规、规章、政策时,要充分考虑市场机制的作用。总之,要通过法制创造一个政府投入、企业投入、家庭投入相结合,法制、政策导向与市场导向相互补充的精神文明建设投入机制。

3. 以法制手段促进社会主义精神文明实效的提高

精神文明建设的直接目标是净化和完善人们的精神世界。但人的精神世界不是封闭的。意识来源于人的社会实践。现实的社会存在对人们的精神生活具有决定性的意义。因此,解决人们精神世界的问题不能从精神到精神,从教育到教育。必须把教育与管理很好地结合起来,把自律和他律结合起来,通过管理,使人们主动地习惯和适应新的生产方式和生活方式,从而在新的生产方式和生活方式的基础上,把思想意识提高到新的层次,进入新的境界。通过持之以恒的严格管理,他律的东西就会逐渐地转化为自律的东西。张家港市精神文明建设的经验之一就是通过《文明市民守则》来严管重罚;新加坡的社会管理也是以严字当头,有力地促进了精神文明建设的实效性。就本质而言,实行科学、严格的社会管理,也就是加强民主法制的过程。管理必须在法制的框架和要求下进行,是法制的具体展开。就文化领域来说,管理的目的是繁荣。这与在文学艺术和学术上提倡"百花齐放、百家争鸣"是不矛盾的。因此,要以科学的严格的社会管理为目标,进一步细化民主集中制和关于人们社会行为的具体法律规定,加大执法力度。各级党委、人大、政府要根据全国全省的建设目标,结合实际抓紧制定和完善诸如公共场所管理、市场契约管理、文化市场管理等方面的法规、规章、制度,以及厂规校规、市民守则、乡规民约等项管理条例,强化对人们社会行为的约束。

4. 以法制方式规范人民群众对社会主义精神文明建设的广泛参与

社会主义现代化建设是亿万人民群众自己的事业。人民既是物质文明建设的主体,也是精神文明建设的主体。只有广泛吸引群众参与,使群众在参与中接受教育,在受教育中发挥创造精神,才能使精神文明建设具有持久旺盛的生命力和持续深入的推动力。

近几年来,一些单位或哗众取宠,或仅陶醉于小圈子,搞所谓的"名人文明"、"名星文明"、"沙龙文明"等,对广大人民群众对精神文明的要求视而不见、不屑一顾。这种由少数人自己"炒"自己的所谓精神文明建设活动,显然是与社会主义精神文明的本质特征背道而驰的。为保证人民群众广泛参与社会主义精神文明建设,并坚持为人民服务的方向,必须制定完备的法律和法规体系,对各方面、各阶层干部群众如何参与精神文明建设,应履行哪些职责和义务,做出明确的规定。

整个精神文明建设活动都要依法办事,努力坚持"二为"方向。对文化艺术团体深入城市、农村、部队等基层要有明确规定。要把人民群众参与精神文明建设的情况作为评价、考核一个地方、一个部门、一些领导工作成绩的重要指标。

三、处理好以民主法制促进社会主义精神文明建设过程中的几个关系

1. 处理好破与立的关系,坚持重在建设

社会主义精神文明建设是一个破旧立新的过程,破与立的关系将贯穿于新时期社会主义精神文明建设的整个过程。如何处理这一关系,是以民主法制促进社会主义精神文明建设时必须解决好的一个基本问题。

当前,我国社会主义精神文明建设的实际情况是,随着改革和发展的深入,传统的计划经济体制正在被社会主义市场经济体制所取

代,与传统的经济体制相联系的旧的思维方式和思想道德正在失去其存在的基础。另一方面,与社会主义市场经济相适应的思维方式和思想道德还远远没有建立和确立起来。因此,不论是就科学和教育而言,还是就思想文化战线的情况而言,新时期精神文明建设的主要矛盾是立而不是破。必须把精神文明建设的着重点放在"立"的方面。重在建设,反映了社会主义精神文明建设的客观规律。它要求我们必须紧紧地围绕社会主义经济建设这个中心,面对改革开放的新情况,着眼于发展社会主义市场经济的新环境,建构社会主义精神文明的基本范畴,把握其运行规律,并搞好立法、立规。有关社会主义精神文明建设方面的立法一定着眼新的历史条件下我们应该怎样、能够怎样,并如何保证其实现的问题。如果能够把反映社会主义市场经济要求的思想原则、道德规范、行为准则确立起来,并使广大人民群众自觉地遵从,那么,民主法制工作对精神文明建设就是有成绩的。

2. 正确处理惩罚与引导的关系,坚持重在规范

以法律的手段,促进社会主义精神文明建设,既要讲惩罚,对违法现象严惩不贷,又要积极引导。这两个方面互相影响,互相支持。讲法制,不能没有惩罚。特别是在社会秩序比较混乱的时期,惩罚必不可少。但惩罚并不是目的。真正的目的是让人们懂得应该做什么,不应该做什么。因此,搞好正面引导,即加强规范,尤其重要,更体现法制和精神文明建设的目的性。可以说,以民主法制的惩罚作用促进精神文明属于消极方面;规范引导,告诉人们应该和必须怎样才是其积极方面。有关精神文明建设的法律法规建设要着重在规范上去加强。对若干属于人们基本行为的问题应通过立法明确应该怎样,不应该怎样,及其后果。在此基础上,要结合实施普法工作,把有关精神文明建设的若干法律法规条文普及到全体社会成员。只要广大干部群众了解并认同了社会主义精神文明的基本规范,整个社会的道德秩序和健康的精神生活就可以真正建立起来。

3. 正确处理坚持社会主义方向与继承借鉴、创新的关系,实行重在坚持

改革开放以来,社会主义精神文明建设在经济建设的带动下,已经走出了封闭、半封闭的误区。实践证明,在改革开放的环境下,于精神文明建设中实行古为今用、洋为中用不难形成势头,但要做得好,即在继承、借鉴和创新中坚持社会主义方向,却是很不容易的。目前,从书刊到影视作品,从匾牌到广告,从人的言谈到社会风气,崇洋复古现象随处可见,封建文化和西方资本主义文化污染对人们特别是青少年的人生观和价值观产生了严重腐蚀,精神文明建设的方向问题已经比较突出。在这个问题上,我们的教训一是坚持社会主义方向的力度不够,缺乏得力措施;二是不能坚持不懈地抓,缺乏系统性、经常性。要解决这个问题,必须切实实行重在坚持的方针。为此,要坚持不懈地抓教育。正因为精神文明建设是渐进的过程,所以更贵在坚持不懈。既要抓行政管理,又要实行法制规范。要对书刊出版、影视制作、匾牌命名和广告用语,以及人们的交际规则进行严格的管理和必要的立法,确保精神文明建设坚持社会主义方向。

4. 正确处理普及和提高的关系,坚持重在普及

社会主义精神文明建设也是一个普及与提高辩证统一的过程。如何处理普及与提高的关系,是一个关系精神文明建设水平和质量的重要问题。与此相适应,以民主法制手段促进精神文明建设,也必须处理好这个问题。

就法制这一特殊手段来说,普及是主要方面。这是因为,所谓普及,就是要求社会成员在精神文明建设方面都要做到。只有全体公民都应当做到的东西才能成为法律上的规范。而属于提高性的要求,如发扬共产主义风格等,则是不能提升为法律规范的。因此,围绕精神文明建设的普及性要求,加强立法,是以法制促进精神文明建设的主要任务。要把重在普及作为这方面工作的一条重要方针加以贯彻。

坚持重在普及,必须认真研究社会主义市场经济运行规律,把它内在的基本的规则提升为基本伦理道德规范。这里包括竞争和协作两大方面。从竞争方面说,首先要诚实守信。没有诚实守信,就没有契约,也就没有市场经济;从协作方面说,个人与个人,个人与集体是分不开的,每个公民都应当承担必要的社会责任。见死不救不符合社会主义市场经济条件下做人的基本要求。对诸如此类的东西,要进行立法,让人们去遵守。

5. 正确处理灌输与示范的关系,坚持重在示范

社会主义精神文明建设作为全体社会成员的学习过程,它是灌输与示范的统一。向干部群众灌输新思想、新观念是必要的。但更要发挥体现新思想、新观念的人和事的示范作用。由于典型人、典型事的教育作用比灌输更生动、更直观、更易接受,所以,在以民主法制手段促进精神文明建设的过程中,应重在示范。所谓重在示范,首先是领导干部、立法人员、执法人员,以及人大代表要率先遵纪守法,遵守社会公德,遵守道德准则,自重、自省、自警、自励,树立公正、廉洁、文明的形象,使自己的一言一行就是精神文明。所有国家机关的公务员都要做社会主义精神文明的楷模,在促进精神文明建设中尽到自己的职责。作为工人阶级先进分子的共产党员和作为党的得力助手的共青团员,在社会主义精神文明建设中理所当然地应起先锋模范作用。

四、小城镇的民主法制、精神文明建设

中共中央、国务院《关于促进小城镇健康发展的若干意见》(中发〔2000〕11 号)指出:搞好小城镇的民主法制建设和精神文明建设要健全民主监督机制,依法行政。大力提高镇区居民和进镇农民的思想道德水平和科学文化素质。

小城镇是农业社会向工业社会演化过程中农村与城市的结合体,其经济社会发育程度存在着中间性、主体来源的多渠化和素质的多层性。因此,要加快小城镇的建设,实现农村经济可持续发展,就必须关注其民主法制和精神文明建设。农村可持续发展要求实现经济、社会、环境全面发展,物质文明和精神文明齐头并进。因此,在农村的发展过程中既要重视经济发展,也要重视社会发展,大力加强民主法制和精神文明建设。

(一)从贯彻落实"三个代表"重要思想的高度,进一步提高对加强小城镇精神文明建设的重要性的认识

"三个代表"的重要思想不仅从根本上回答了在改革开放和发展

社会主义市场经济的条件下,建设一个怎样的党和怎样建设的重大问题,而且充分体现和发展了邓小平同志关于"两手抓,两手都要硬"的重要思想,是新时期两个文明建设的重要指导方针。

加快小城镇发展步伐,加强小城镇精神文明建设,是贯彻和实践"三个代表"重要思想的重要任务之一。加强小城镇精神文明建设,可以改善投资环境,拉动经济增长,为发展先进生产力创造有利条件;加强小城镇精神文明建设,通过创造优美环境,开展丰富多彩的活动,提高文化品位,以此来影响人、教育人、鼓舞人,为先进文化的发展奠定物质基础;加强小城镇精神文明建设,从群众认可的事情抓起,使群众在建设中受益,体现了广大人民群众的根本利益。因此我们要从实践"三个代表"重要思想的高度来认识小城镇精神文明建设的重要性,增强加快小城镇发展步伐的紧迫感和责任感。

中共中央《关于农业和农村工作若干重大问题的决定》指出:"发展小城镇,是带动农村经济和社会发展的一个大战略。"小城镇位于城乡接合部,它一头连接农村,一头连接大中城市,既是农村一定区域政治经济文化与社会发展的中心,又是吸纳接受大中城市辐射并传导到农村的枢纽。加快发展小城镇,加强小城镇精神文明建设,是带动农村两个文明建设健康协调发展的有效途径,是推进经济市场化、乡村城镇化、城市现代化的必然要求和必由之路。

实践证明,加快小城镇发展,是解决现阶段我国农村一系列深层次矛盾,优化农村经济结构,缩小工农差别和城乡差别,促进城乡经济社会协调发展的有效途径。为此,我们要用发展的眼光看问题,站在改革开放、加快发展的高度上来认识加强小城镇精神文明建设的重要意义,进一步坚定发展小城镇的信心和决心,下大力气抓好小城镇建设工作。

(二)突出重点,注重实效,切实提高小城镇精神文明建设整体水平

加强小城镇精神文明建设必须服从服务于经济建设这个中心,大力提高镇区居民和进镇农民的思想道德水平和科学文化素质,努力实现小城镇经济和社会的全面协调发展。这既是小城镇精神文明建设的指导思想,也是小城镇精神文明建设的根本任务。

在加强小城镇精神文明建设中重点抓好以下几项工作：

1. 抓基础建设，为小城镇的精神文明建设创造良好环境

精神文明建设和物质文明建设一样，都重在建设。在精神文明建设过程中，一定要坚持重在建设的原则，积极探索精神文明建设和物质文明建设相结合的好形式、好办法，把精神文明建设的内容和形式很好地统一起来，下大力气抓好硬件和基础设施建设，不断完善城市的功能，为开展精神文明建设奠定良好的基础。

随着农村经济的发展和城乡一体化进程的加快，对小城镇功能和作用的要求会越来越高。小城镇的基础设施建设一定要着眼于未来，尽可能做到高起点、综合配套、功能齐全。对小城镇的工业区域建设，要统筹安排、综合开发，注意整体效益的发挥，绝不能零敲碎打、顾此失彼。文化、教育、卫生、住宅等社会公益事业的建设，也要与整个小城镇建设协调一致，做到同步规划、同步实施、同步发展。在进行小城镇的各项建设中必须始终注意抓好小城镇的环境卫生整治。

2. 抓居民教育，不断提高广大群众的思想道德素质和科学文化素质

加强思想道德建设，是精神文明建设的核心内容，是培育"四有"新人的根本措施。在小城镇建设实际工作中，要有针对性地搞好思想教育活动。要深入开展"公民道德建设年"活动和"倡导文明新风、营造良好发展环境、建设美好家园"活动，倡导文明健康的社会风尚；要广泛深入开展爱国主义、集体主义、社会主义教育，引导人们树立正确的世界观、人生观、价值观。要加强民主法制教育，综合运用教育、行政、法律等手段，规范人们的行为。要加强对小城镇居民的科学知识、科学思想、科学方法、科学精神的教育，把小城镇建设成为科技教育中心和科技培训基地。要注意培养小城镇居民的市场意识和商品意识，引导小城镇居民以市场为导向，以效益为中心，以调整产业结构为手段，增强他们的致富本领。要普及与人们的日常生活密切相关的自然科学、医疗卫生、科学健身和生老病死知识，引导人们崇尚科学、反对迷信，养成科学文明健康的生活方式。

3. 抓载体建设，努力搞好各种创建活动

加强小城镇精神文明建设要切实搞好创建工作，结合创建文明行业、文明街、文明单位、十星级文明小康户评比等活动,在大力加强小城镇基础设施建设的同时,广泛开展群众性精神文明创建活动。要组织群众开展健康向上、喜闻乐见、丰富多彩的文化体育活动,努力满足人们休闲娱乐、强身健体、增长知识的需求。要注重发挥小城镇精神文明建设对广大农村居民群众的辐射带动作用,以优美的环境、优质的服务、文明的言行潜移默化影响、教育群众,引导他们改变陈旧的生活方式和思维方式,进而自觉提高自身修养,做文明人、办文明事。要不断探索促进精神文明建设创建活动深入开展的有效形式,继续搞好科技、卫生、文化活动,发挥城镇对农村精神文明建设的带动作用,促进城乡两个文明建设的协调发展。要把开展创建文明行业活动作为小城镇精神文明建设的重要内容,努力提高"窗口"行业的服务质量,特别是要加强直接为农民群众服务的行业和部门的职业道德建设。要开展"创文明行业、树行业新风"活动和"机关建设年"活动,抓好执法部门的廉政建设,继续推行社会服务承诺制,实行政务公开,制定行业、岗位服务规范,完善各种便民措施,为不断提升小城镇的建设和管理水平服务。

(三)进一步加强对小城镇精神明建设的领导

搞好小城镇精神文明建设,要建立和完善领导责任机制,真正形成党委统一领导,各职能部门齐抓共管的工作局面。党政一把手要亲自抓,负总责,对小城镇精神文明建设的整体部署和事关全局的重大问题,要认真研究解决。工会、共青团、妇联等群众团体组织,要发挥各自的优势,积极组织和参与小城镇精神文明建设。

第七章 小城镇文化建设政策法规

城镇化体系建设的一项重要任务,就是要满足人民群众日益增长的文化需求,大力推进公共文化配套设施建设,完善城镇公共文化服务体系,弘扬社会主义先进文化,精心打造宜居城镇、生态城镇、文明城镇。

中共中央《关于推进农村改革发展若干重大问题的决定》(中发〔2008〕16号)提出:推进广播电视村村通、文化信息资源共享、乡镇综合文化站和村文化室建设、农村电影放映、农家书屋等重点文化惠民工程,建立稳定的农村文化投入保障机制。加强农村文物、非物质文化遗产、历史文化名镇名村保护。

第一节 小城镇社区文化建设

社区文化建设是一项"民心工程",是当前实践"三个代表"重要思想,加强思想文化阵地建设,全面建设小康社会奋斗目标的一个重要举措。社区文化建设是一项艰辛的、细致的、持久的工程,只有扎扎实实、一步一个脚印,才能抵达理想的彼岸。

一、社区文化的概念与特点

社区文化是指在一定的区域范围内,在一定的社会历史条件下,社区成员在社区社会实践中共同创造的具有本社区特色的精神财富及其物质形态。社区文化本质上是一种家园文化,具有社会性、开放性和群众性的特点。发展社区文化,可以强化社区群众的主人翁意识,倡导特有的健康的民风民俗,增强社区居民的归属感,维系社区良好的人际关系,提高居民的生活质量。

社区文化的特点主要包括:

（1）文化与社区不能割裂。文化是在一定的空间范围和时间向度上生成的，社区是文化的土壤，社区结构的形成端赖于文化的制约，文化的孕育和传承又存在于社区的社会活动和生活工作之中。

（2）社区文化对居民的素质影响力越来越明显，具体体现在以下几个方面：

1）价值导向性。加强社区精神要素的质量，充分发挥思想政治教育功能，对于促进人们正确世界观、人生观、价值观的形成有着极为重要的作用。

2）情感归属性。对本社区和人群集合的认同、喜爱和依恋等心理感觉，对于人们健康心理的形成有很大帮助，也有利于其社会化的正常进行。

3）行为引导性。在社区发展中，社会凝聚力不断增强，因此，任何背离社区文化的行为必然会遭到社区居民的反对，这对人们行为无疑是一种约束力。

4）教育实践性。社区教育是社区文化建设的重要组成部分。

二、社区文化的内容

具体来说，社区文化可以包括环境文化、行为文化、制度文化和精神文化四个方面的内容。

1. 环境文化

社区环境是社区文化的第一个层面。它是由社区成员共同创造、维护的自然环境与人文环境的结合，是社区精神物质化、对象化的具体体现。它主要包括社区容貌、休闲娱乐环境、文化设施、生活环境等。通过社区环境，可以感知社区成员理想、价值观、精神面貌等外在形象。如残疾人无障碍通道设施可以充分体现社区关怀、尊重生命、以人为本的社区理念。当然，怡人的绿化园林、舒心的休闲布局、写意的小品园艺等都可以营造出理想的环境文化氛围。现在很多社区积极导入环境识别系统（CIS），用意也基于此。

2. 行为文化

行为文化也被称为活动文化，是社区成员在交往、娱乐、生活、学习、经营等过程中产生的活动文化。通常所说的社区文化都是指这一类的社区文化活动。这些活动实际上反映出社区的社区风尚、精神面貌、人际关系范式等文化特征,它如社区之"手",动态地勾勒出社区精神、社区理想等。如"中国城市文明第一村"深圳市莲花北村的物业管理者——万厦居业公司,自1994年以来,就在该小区组织开展了300多场大中型社区文化活动,涉及娱乐、健身等各个方面,如广场交响音乐会、元旦千人舞会、重阳节文艺会演、趣味家庭运动会、游泳比赛、新春长跑等。

3. 制度文化

制度文化是社区成员在生活、娱乐、交往、学习等活动过程中形成的,与社区精神、社区价值观、社区理想等相适应的规章制度、组织机构等。它们对保障社区文化持久、健康地开展具有一定的约束力和控制力。制度文化可以粗略地分为两大类:一类是物业管理企业的各种规章制度;另一类是社区的公共制度。企业的规章制度和社区的公共制度都可以反映出社区价值观、社区道德准则、生活准则等。如奖罚分明可以体现出社区的严谨风格,规劝有加可以体现出社区的人性感悟,条分缕析可以反映出社区的细腻规矩等。为保障社区文化活动深入持久地开展下去,现在很多小区物业管理部门都成立了专门社区文化部,负责社区文化活动建设工作。社区文化部在引导、扶植的基础上成立各种类型的社区文化活动组织,如艺术团、协会、表演队等,同时还对社区文化活动开展的时间、地点、内容、方式、程序等予以规范。

4. 精神文化

精神文化是社区文化的核心,是社区独具特征的意识形态和文化观念,包括社区精神、社区道德、价值观念、社区理想、行为准则等。这是社区成员价值观、道德观生成的主要途径。环境文化、行为文化、制度文化都属于精神文化的外在体现。这里,特别将那些指向性强烈、精神性突出的活动等也算作精神文化建设的范畴,如社区升旗仪式、评选文明户、学雷锋演讲等。由于精神文化具有明显的社区特点,所以往往要多年积累,逐步形成。

三、社区文化工作制度

1. 建立社区文化工作制度目的

建立社区文化工作制度的目的是为城镇社区文化活动的组织工作提供指导。

2. 社区文化工作制度的主要内容

(1)管理处每年至少组织一次(或若干次)大型的社区文化活动。

(2)社区活动负责人根据以往经验和具体情况,于年初拟订本年度社区文化活动计划,报管理处主任审批。

(3)管理处主任根据实际情况予以同意或做适当调整后,报总经理批准。

(4)活动开展前,先征询各用户意见,并根据意见结果,拟定活动实施方案,报管理处主任审批。

(5)将具体实施方案征询业主委员会意见并报其审批或备案。

(6)物业部组织、协调其他部门完成活动前的准备工作,并负责及时向用户及有关单位发出举办活动的通知。

(7)根据开展活动的形式,物业部负责安排有关人员做好安全防范工作,防止意外事件发生。

3. 社区活动负责人主要职责

(1)全面负责社区活动工作,协助做好物业管理和精神文明建设的宣传工作。

(2)负责拟定社区活动的工作计划和工作制度,报管理处主任审核。

(3)根据工作计划制定社区活动方案,报管理处主任或总经理审核,根据审批要求,组织实施,并做好"社区活动记录"。

(4)负责组织开展与业主、租户的联谊活动和体育比赛,加强与业主的沟通。

(5)负责对文体场所及其设备设施进行管理,落实各项管理规定和员工岗位职责,协助办公室对本部门工作人员进行专业培训。

4. 社区活动工作人员主要职责

(1)负责对文娱体育场所及其设备设施进行管理。

(2)负责对活动场所的宾客进行登记和指引,按标准收费并及时上缴营业款。

(3)负责完成公司和管理处安排的参观、来访以及各类会议的准备工作。

(4)负责监督检查社区活动场所及设备和器具的清洁、绿化工作。

(5)负责登记每天服务项目的营业情况。

(6)服从社区活动负责人的工作安排。

5. 社区文体活动开展与组织要领

(1)根据审批过的文体活动计划,主管于每次活动前半个月,制定出一个详细活动组织方案及相关物品采购计划,呈报管理处主任、公司总经理审批。

(2)管理处主任应召集各部门主管讨论文体活动组织方案的可行性、奖品设置情况及活动经费的落实情况。

(3)管理处主任应提前10天召开有关组织人员的筹备会议,落实文体活动组织的具体事宜,如各类比赛的裁判工作会议、文艺演出活动的主持人会议等。

(4)应提前1个星期,将举办文体活动通知以海报形式张贴在社区公告栏、宣传栏内,对于重要文体活动,应做到每家每户均通知到。

(5)提前1个星期做好以下准备工作:

1)文体活动场地准备。

2)奖品及所需物品准备。

3)组织人员分工准备。

4)活动场地所需设施设备的准备。

(6)管理处主任于每次活动举办前2～3天,召集相关组织人员,做一次模拟组织安排或相关演练工作,确保文体活动组织工作无漏项。

(7)文体活动举办当天,管理处人员应全部调整好班次,相关组织人员均应进入活动场地,进行现场布置及相关工作安排。

(8)在整个文体活动组织与进行过程中,管理处主任必须亲自抓各项工作,确保组织工作质量。

6. 社区文体活动注意事项

(1)举办各类文体活动必须选定有经验、活动能力强的主持人。

(2)社区文体活动举办时间一般安排在周六、日或重大节日来临前两天。

(3)保安主管应制定详细的人流组织与疏散方案,并亲临现场具体落实。

(4)机电维修主管应确保活动场地的设施设备良好,并做好应急方案与处理措施。

(5)开展文体活动时应注意防火、防盗、防打架斗殴或其他治安防范工作。

(6)文体活动一般在晚上十点以前停止,以不影响小区居民正常休息为原则。

(7)社区内举办的各项文体活动应确保内容健康、积极、合法,有益于住户身心健康。

四、社区文化设施管理办法

为了加强社区文化设施管理,充分发挥社区文化设施的功能,满足人民群众的基本文化需求,促进城市公共文化服务体系建设,根据《公共文化体育设施条例》和国家有关规定,制定了社区文化设施管理办法。由文化部负责全国社区文化设施的监督管理,区(市、县)级以上地方政府文化行政部门负责本行政区域内社区文化设施的监督管理。

1. 社区文化设施的概念

社区文化设施,是指在城市街道和社区设置的,集书报刊借阅、时政法制科普教育、文艺演出活动、数字文化信息服务、公共文化资源配送和流动服务、体育健身和青少年校外活动等功能于一体的社区文化中心和社区文化活动室。

社区文化设施以社区全体居民为服务对象,以老年人、未成年人、残疾人等为服务重点,提供基本公共文化服务,具有社会公益性质。社区文化设施管理单位属于非营利性文化机构。

2. 社区文化设施的规划和建设

(1)文化部会同有关部门组织制定全国社区文化设施建设规划和标准,并对其实施情况进行监督检查。

社区文化设施建设以各级人民政府为主导,鼓励企事业单位、社会团体、个人等社会力量参与建设。

(2)社区文化设施建设应纳入当地国民经济和社会发展计划,与当地经济社会发展水平相适应,建设规模应符合国家有关规定;应纳入当地城市建设规划,社区文化设施建设使用国有土地的,经依法批准可以划拨方式取得。

(3)城市居住区和新建小区住宅必须配套建设文化设施,配建的文化设施与住宅同步规划、同步建设和同时投入使用。

(4)城市居住区和新建小区住宅,应从开发投资中提取1%,用于公共文化设施建设,且须符合《中华人民共和国城乡规划法》、《公共文化体育设施条例》和《城市居住区规划设计规范》关于各种公共配套设施的规范要求。

居住区(10 000～16 000 户,30 000～50 000 人)文化活动中心应按建筑面积4 000～6 000 平方米,用地面积按8 000～12 000 平方米,小区(3 000～1 000 户,10 000～15 000 人)文化活动中心按建筑面积400～600 平方米,用地面积按400～600 平方米进行规划设计。

(5)旧城区社区文化设施达不到标准和要求的,可以通过改扩建或置换、租赁、共享等方式,配置设备器材图书,完善功能,提高配套程度,达到相应标准要求。

(6)社区文化设施应位于交通便利、人口集中、便于群众参与活动的区域。社区文化中心(街道文化站)的选址、设计、功能安排等应征得上一级文化行政部门的同意,一般不设在街道办公场所内。

(7)社区文化中心基本功能空间应包括:多功能活动厅、书刊阅览室、健身活动室、展览陈列室、培训教室、文化信息资源共享工程基层点和管理用房,以及室外活动场地、宣传栏等配套设施。建筑面积应在300平方米以上,占地面积在500平方米以上,并满足通信、排水、消防的要求。

(8)社区文化设施应配置开展公共文化服务必需的设备、器材和图书等文化资源,并有计划地予以更新、充实。

社区文化设施和设备必须按照国家有关规定办理资产登记及相关手续,依法管理,确保国有资产安全、完整和有效使用。

(9)因城市建设规划须拆除社区文化设施或者改变其功能、用途的,应依照国家有关法律、法规的规定择地重建。经批准拆除或改变其功能、用途的,应当坚持先建后拆或拆建同时进行的原则,重新建设的一般不能小于原有规模。做出决定前,应广泛听取群众的意见,并征得文化行政部门同意,报区(市、县)人民政府批准。

3. 社区文化设施的设置和服务

(1)社区文化中心原则上按街道办事处范围设置,以政府为主举办。社区文化活动室原则上按社区居委会范围设置,应与社区内机关、团体、部队、企事业单位的文化设施,以及民政部门社区服务中心和社区服务站等设施建设统筹考虑,配套建设,共建共享。

(2)政府设立的街道文化站应逐渐转型为社区文化中心。在人口较多、服务半径较大,社区文化活动中心难以覆盖的社区,可适当设置社区文化活动室或增设社区文化活动中心。人口规模大于10万人的街道办事处,应增设社区文化中心。人口规模小于3万人的街道办事处,其社区文化中心的设置由区(市、县)文化行政部门确定。

(3)社区文化中心一般由政府设立,也可按照平等、竞争、择优的原则,通过公开招标等方式确定社区文化中心举办者,鼓励社会力量参与。

(4)社区文化中心、社区文化活动室是专有名称,未经政府文化行政部门批准,任何机构或设施不得以社区文化中心、社区文化活动室命名。

(5)社区文化中心、社区文化活动室提供以下公共文化服务:

1)举办各类展览、讲座,提供图书报刊借阅服务,普及科学文化知识;传递经济信息,为当地经济建设服务。

2)组织开展丰富多彩的、群众喜闻乐见的文体活动和广播、电影放映活动;指导群众业余文艺团队建设,辅导和培训群众文艺骨干。

3)协助区(市、县)文化馆、图书馆等文化单位配送公共文化资源,开展流动文化服务,保证公共文化资源进村入户。

4)建成全国文化信息资源共享工程基层服务点,开展数字文化信息服务。

5)协助区(市、县)文化行政部门开展文物和非物质文化遗产的宣传保护等工作。

6)受区(市、县)文化行政部门的委托,协助做好文化市场管理及监督工作。发现重大问题或事故,依法采取应急措施并及时上报。

(6)社区文化设施应完善内部管理制度,建立、健全服务规范,并根据其功能、特点向公众开放,保障其设施用于开展文明、健康的文化体育活动。

任何单位或者个人不得以出租等形式擅自改变设施功能或用途,如需调剂或改变其功能、用途的,须经区(市、县)人民政府同意,并且依照法律、法规及相关政策办理手续。

(7)社区文化设施应悬挂标识牌,各功能空间也应有相应标识,并应在醒目位置标明服务内容、开放时间和注意事项。

4. 社区文化设施建设的人员和经费

(1)社区文化设施应根据所承担的职能任务、服务人口、居民需要,按照精干、效能的原则设置工作岗位。社区文化中心(街道文化站)应配备专职人员进行管理,同时也可招募社区志愿者辅助管理文化中心(街道文化站)事务。

(2)政府举办的社区文化中心(街道文化站)负责人应具有大专以上学历或具备相当于大专以上文化程度,热爱文化事业,善于组织群众开展文化活动,具备开展群众文化工作的业务能力和管理水平。文化中心(街道文化站)负责人可由街道办事处任命或聘任,事先应征求区级文化行政部门的意见。

(3)社区文化中心(街道文化站)从业人员应具有文化部门颁发的职业资格,须接受文化行政部门或专业机构的培训,通过文化行政部门或委托的有关部门组织的相应考试、考核,取得职业资格或岗位培训证书。

文化中心(街道文化站)从业人员可根据本人的学历条件、任职年限、工作业绩和业务水平等申报相应的专业技术资格。

(4)政府举办的社区文化中心(街道文化站)须定编定岗,实行聘用制和岗位目标管理责任制,建立绩效考核、解聘辞聘等项制度。在岗人员退休或被调离、辞退后,应及时配备相应人员,确保文化中心正常工作不受影响。

非政府举办的社区文化中心,实行自主用人制度。

(5)文化行政部门负责对社区文化中心和社区文化活动室从业人员进行定期培训。各级文化培训机构、群艺馆、文化馆、图书馆、艺术学校、艺术院团等具体承担人员培训任务。

(6)社区文化设施建设、维修、日常运转和业务活动所需经费,应列入市、区人民政府基本建设投资计划和财政预算,不得随意核减或挪用。中央、省、市级财政可对社区文化设施建设和内容建设予以经费补助。

(7)鼓励企业、社会团体、个人捐赠或资助社区文化设施。依法向社区文化设施捐赠财产的,捐赠人可按照有关法律规定享受优惠。

5. 社区文化设施建设的检查和考核

(1)区(市、县)文化行政部门负责定期对社区文化设施建设、管理和服务等情况实施日常监督和管理,建立健全监督考核制度,实行信息公示和奖惩制度。

社区文化设施建设情况应纳入全国和地区性文化先进单位评选和复查的考核指标体系。

(2)群众艺术馆、文化馆、图书馆等文化单位在职责范围内,对社区文化中心和社区文化活动室的公共文化服务工作进行业务指导和辅导。

(3)政府文化部门应建立社会民主监督制度,定期收集社区居民的意见和建议,将公众满意度作为考核社区文化中心和社区文化活动室从业人员业绩的重要标准。

(4)对在社区文化设施建设、管理和保护工作中做出突出贡献的文化中心及其从业人员,由区(市、县)以上人民政府或有关部门给予奖励。

(5)社区文化设施管理单位有下列行为之一的,由文化行政部门,依据职责,按照《公共文化体育设施条例》,依法查处:

1)未按规定的最低时限对公众开放的。

2)未公示其服务项目、开放时间等事项的。

3)未在醒目位置标明设施的使用方法或者注意事项的。

4)开展与社区文化设施功能、特点不相适应的服务活动的。

5)违反《公共文化体育设施条例》规定出租社区文化设施的。

五、社区文化设施建设资金管理

1. 社区文化建设资金管理办法

为规范和加强城市社区文化中心(文化活动室)设备购置专项资金管理,财政部、文化部制定了《城市社区文化中心(文化活动室)设备购置专项资金管理办法》,规定:

(1)专项资金由中央财政设立,从中央专项彩票公益金中安排。

(2)专项资金主要对中西部地区已建成且具有一定规模、配有专人管理、常年开展文化活动的城市社区文化中心(文化活动室)开展业务活动所需设备购置经费予以定额补助;对东部地区在社区文化中心(文化活动室)建设工作中取得突出成绩的省份予以奖励。

(3)专项资金开支范围:

1)结合全国文化信息资源共享工程建设需求,用于接入互联网和购置服务器、电脑和投影仪等共享工程设备。

2)用于购置桌椅、书架、电视机、音响和乐器等开展业务活动的基本设备。

(4)中西部地区专项资金定额补助:

1)社区文化中心12万元,其中文化信息资源共享工程设备购置5万元,基本业务设备购置7万元。

2)社区文化活动室5万元,其中文化信息资源共享工程设备购置2.5万元,基本业务设备购置2.5万元。

（5）东部地区奖励资金具体数额根据每年工作情况和资金总量确定。

（6）中西部地区各省级财政部门会同文化部门负责审核汇总本地区已建成城市社区文化中心（文化活动室）情况，按照专项资金补助标准确定当年申请中央财政专项资金预算额度，撰写申请文件并填写《城市社区文化中心（文化活动室）设备购置专项资金申报表》，于每年4月30日前联合向财政部和文化部申报。凡越级上报或单方面上报的申请均不予受理。

（7）东部地区各省级财政部门会同文化部门对上年度本地区城市社区文化中心（文化活动室）建设情况进行总结，提出奖励资金申请额度，于每年4月30日前将申请文件上报财政部和文化部。

（8）文化部负责审核汇总中西部地区年度资金申请文件，提出专项资金分配建议，同时根据东部地区上年度项目实施情况提出本年度是否予以奖励以及奖励经费分配建议，汇总后将分配方案报财政部。

（9）财政部对文化部报来的分配方案进行审核后会同文化部下达专项资金预算。

（10）各地财政厅（局）、文化厅（局）应密切配合，严格按照政府采购有关规定，规范设备购置工作。

（11）文化信息资源共享工程相关设备购置由各地文化厅（局）根据文化部全国文化信息资源建设管理中心确定的备选设备参数及详细目录，选择适合本地区的方案统一组织实施。基本业务设备购置，由各地根据本地区实际情况，采取适当方式自行组织实施。

（12）各地应加强对已购设备的维护和管理，提高使用效益，切实发挥已购设备的功能和作用。

（13）文化部应按照彩票公益金管理办法，于每年6月底前，向社会公告上一年度本部门彩票公益金的使用规模、资助项目、执行情况和实际效果等。

（14）对专项资金购置设备形成的固定资产，应按照国家资产管理有关规定切实加强管理，防止国有资产流失。财政部、文化部将适时对专项资金使用、设备购置和使用情况进行督查。

（15）各地要切实做好资金使用的监督检查工作,凡有下列行为之一的,财政部将暂停核批补助资金,收回已拨经费,并根据有关规定追究相关人员的责任：

1)虚报项目规划数量,骗取补助资金。

2)擅自改变补助项目内容。

3)截留、挤占、挪用专项资金。

4)未按照政府采购、国库集中支付、国有资产管理有关规定执行。

5)因管理不善,造成国家财产浪费和损失。

2. 从城市住房开发投资中提取社区公共文化设施建设资金的实施办法

为规范城市住房开发项目社区公共文化设施建设资金的提取、使用和管理,促进城市社区建设,根据中共中央办公厅国务院办公厅《关于加强公共文化服务体系建设的若干意见》(中办发〔2007〕21 号),湖南省娄底市人民政府办公室制定了《娄底市从城市住房开发投资中提取社区公共文化设施建设资金实施办法》(娄政办发〔2011〕10 号),该办法规定：

（1）凡在娄底中心城区范围内有住房开发投资的房地产开发项目,其建设单位均应提取社区公共文化设施建设资金。

（2）城市住房开发项目社区公共文化设施建设资金按住房开发投资的 1%提取,提取方法为:住房建筑面积乘以娄底中心城区上年度住房平均建设成本再乘以 1%。娄底中心城区年度住房平均建设成本由市住房和城乡建设局定期测算并公布。

（3）城市住房开发项目社区公共文化设施建设资金由市住房和城乡建设局在建设单位申请办理建筑工程施工许可证时代收。

（4）城市住房开发项目社区公共文化设施建设资金实行财政专户管理,主要用于文化、科技、体育等公共文化设施建设。由市住房和城乡建设局、市财政局商相关部门制订资金年度使用计划,报市人民政府审批后实施。

（5）纪检(监察)、财政、审计等部门在各自职责范围内对城市住房开发项目社区公共文化设施建设资金的提取、使用、管理情况进行监督检查。

(6)国家机关工作人员在城市住房开发项目社区公共文化设施建设资金的提取、使用、管理中违反有关规定的,依法依规予以处理;构成犯罪的,移送司法机关依法追究刑事责任。

(7)中共娄底市委娄底市人民政府《关于进一步推进城市社区建设的意见》(娄发〔2005〕6号)第九条"凡建筑面积在5 000平方米以上的,开发商要按0.3%的比例提供社区用房,或按提供办公用房的建安造价实行货币量化"的规定同时停止执行。

六、提高社区文化建设效果的措施

1. 转变观念,充分重视社区文化建设事业

大力推进小城镇社区文化建设,对于提高人民群众的思想道德素质、法制观念和生活质量,扩大社会主义文化影响,维护社会稳定,促进经济和社会的发展,具有十分重要的意义。因此我们必须切实转变"先经济发展后文化建设、重经济轻文化"的错误观念,提高对社区文化建设的重要性和紧迫性认识,同心协力,在组织、政策、经费、人员上采取有力措施,切实帮助解决小城镇社区文化建设中存在的困难和问题,全面推进社区文化建设事业。

2. 以人为本,切实抓好社区文化队伍建设

建立健全由相关职能部门参加的社区文化教育工作委员会,建章立制,明确职责,经常性地开展工作,指导协调社区宣传、教育、科普、体育、文化、娱乐等文化工作。

巩固、壮大现有社区文化活动团体,并在此基础上,充分挖掘驻社区企业、单位、学校、部队的文化潜力,成立青年、少年、企事业单位、部队文体活动组织,构筑老、中、青、少四梯次,居民文化、企业文化、校园文化、军营文化相结合的全面发展的社区文化活动网络。

及时发现、培育热心社区文化事业并有一技之长的文化骨干队伍,在精神和物质上予以鼓励,充分调动文化骨干的积极性、主动性和创造性,通过文化骨干的"传、帮、带"作用,扩大社区文化的影响力,提高社区文化的品位和档次。

3. 与时俱进，努力探索社区文化建设新路子

在文化内容上力求丰富多彩。可以是居民文化、校园文化，也可以是企业文化、军营文化；可以是文体活动，也可以是科普法制教育；可以是传统的民族的，也可以是现代的国际的。在文化活动的形式上应不拘一格。可以是宣传窗、书报栏的宣传，可以是广场演出、卡拉OK比赛，可以是有奖征文、趣味体育竞赛，也可以是模拟法庭辩论、专家授课等。要坚持与时俱进，不断创新，处理好一般与特色的关系，以一般为基础，创特色文化；处理好传统与现代的关系，充分挖掘传统文化的资源优势，同时大胆吸收、借鉴国际国内的优秀文化成果，加强县与县、省与省社区之间的文化交流，不断在内容和形式上提升社区文化的内涵和水准。

坚持政府引导、市场化运作和社区资源整合三管齐下为手段，不断完善社区文化建设多元化融资体系，保障社区文化建设运作协调，不断强化社区文化阵地建设。在保证财政预算对社区文化建设的投入且每年有所增加的基础上，着重加大政策对社区文化建设的扶持力度，坚持谁投资谁受益。如社会投资文化项目的建设用地可按规定享受优惠政策；对公益性文化设施建设和相关配套项目、用地实行行政划拨，指标优先安排；对投资公益性文化设施建设的企业和个人，在税收上予以优惠，在精神和物质上予以奖励等。通过政府引导、政策扶持、市场化运作不断吸引社会资本对社区文化建设的投资，完善社区文化建设多元化融资体系，确保社区文化建设有钱办事。与此同时，充分调动、整合驻区单位已有的文化设施资源，形成以社区文化中心为基础，驻区单位文化设施联动的社区文化活动阵地，实现资源共享、文化共建、共同发展。

坚持以制度促规范，以制度促发展，不断完善社区文化建设各项规章制度。健全目标责任制，做到各部门、各单位创建目标明确，分工合理，协调统一；完善考核奖惩制，奖优惩劣，确保社区文化建设不断争优创新，深化发展；引入督导检查制，督促引导社区文化健康运作，积极向上；创建人才激励制，鼓励文化骨干努力多出精品，多出优秀文化成果。

第二节　小城镇公共文化建设

一、公共文化的概念

公共文化是指由政府主导、社会参与形成的普及文化知识、传播先进文化、提供精神食粮，满足人民群众文化需求，保障人民群众基本文化权益的各种公益性文化机构和服务的总和。

二、公共文化服务

公共文化服务，是指政府公共服务的重要内容。它是指以政府部门为主的公共部门提供的、以保障公民的基本文化生活权利为目的、向公民提供公共文化产品与服务的制度和系统的总称，包括公共文化服务设施、资源和服务内容，以及人才、资金、技术和政策保障机制等方面内容。

为了提高上海市社区公共文化服务水平，保障人民群众基本文化权益，繁荣和发展公共文化事业，根据国家有关法律、行政法规的规定，上海市第十三届人民代表大会常务委员会第三十七次会议通过了《上海市社区公共文化服务规定》。指出：

对于行政区域内各级人民政府及其文化行政等部门或者社会力量向社区居民提供的公共文化设施（以下统称社区公共文化设施）和公益性文化服务活动应符合下列规定：

（1）社区公共文化服务坚持政府主导、社会参与、均衡发展、方便群众的原则，坚持把发展公益性文化事业作为保障人民基本文化权益的主要途径。

（2）各级人民政府领导本行政区域内的社区公共文化服务工作，制定公共文化服务发展规划，将其纳入本级国民经济和社会发展规划，并将社区公共文化服务工作所需经费列入本级财政预算。

（3）市文化行政部门是本市社区公共文化服务工作的主管部门。区、县文化行政部门负责本行政区域内的社区公共文化服务工作。

发展改革、经济信息化、教育、科技、农业、财政、规划国土资源、新闻出版、旅游、体育、司法、民政、卫生等行政部门依据各自职责，协同做好社区公共文化服务工作。

(4)社区公共文化设施建设经费、运行经费和社区公共文化活动经费纳入区县、乡镇人民政府财政预算予以保障，市级财政给予适当补贴。

区县、乡镇人民政府应当按照建设规模、服务项目、服务人口确定每年对社区文化活动中心的财政投入数量，并不断加大对社区公共文化服务的经费投入。

(5)社区公共文化设施的设置应当按照城乡规划的要求，符合《城市居住地区和居住区公共服务设施设置标准》。

1)社区公共文化设施的建设选址，应当符合人口集中、交通便利的原则。

2)社区公共文化设施的设计和建设，应当符合实用、安全、科学、美观等要求，并落实方便残疾人使用的无障碍措施。

(6)各街道和乡、镇的行政区域内应当设置一个社区文化活动中心；常住人口超过十万人的，可以根据实际情况增设分中心。各居(村)民委员会所辖区域内应当设置一个居(村)民综合文化活动室；常住人口超过五千人的行政村，可以根据实际情况设置两个以上综合文化活动室。

社区文化活动中心的基本配置应当符合上海市有关规定，由市和区、县文化行政部门按照规定进行监督检查。

(7)街道办事处和乡、镇人民政府具体负责本行政区域内社区公共文化设施的管理工作，承担以下职责：

1)社区公共文化设施的设置。

2)社区文化活动中心的日常运行管理。

3)为社区公共文化设施的运行提供保障。

4)对社区公共文化设施提供公共文化服务的情况进行监督。

居(村)民委员会负责所辖区域内居(村)民综合文化活动室的日常运行管理。

(8)鼓励社区文化活动中心实行社会化、专业化运作。

街道办事处和乡、镇人民政府按照公平、公正的程序,择优确定社区文化活动中心的运行单位。

街道办事处和乡、镇人民政府应当与社区文化活动中心运行单位签订协议,确定双方的权利义务,明确社区文化活动中心运行的具体要求。

社区文化活动中心运行单位应当是具有独立法人资格的非营利性机构,并具备以下条件:

1)有开展公共文化服务工作的能力。

2)有与开展公共文化服务工作相适应的专业人员。

3)有健全的管理制度。

居(村)民综合文化活动室可以结合各自特点,实行居民自我管理,建立适合当地实际的公共文化服务运行机制。

(9)市文化行政部门应当制定社区公共文化服务规范和标准。

社区文化活动中心和居(村)民综合文化活动室应当完善服务条件,建立管理制度,开展文明、健康的公共文化活动,保障公众基本文化权益。

(10)社区文化活动中心应当为公众提供文艺演出、书报阅读、展览展示、影视放映、上网服务、体育健身、学习培训、科学普及、健康教育、法制宣传、国防教育、非物质文化遗产传承、心理辅导等各类公益性服务,并为社区开展其他公益性活动提供服务和支持。

社区文化活动中心应当通过征询公众意见等形式,了解公众对服务内容的需求,开展具有社区特色的公共文化活动。

居(村)民综合文化活动室应当根据实际情况,为居民、村民提供形式多样的文化服务,为居民、村民开展各类文化活动提供便利。

(11)各级人民政府及其文化行政部门可以采取购买服务、项目补贴或者奖励等方式,鼓励和支持各类企业事业单位、文化团体、社区群众文化团队和个人为社区提供公共文化服务,丰富社区居民文化生活;鼓励和支持本市文联、社联等群众团体发挥优势,参与社区公共文化服务。

（12）支持社区居民在公园、绿地、广场等公共场所开展健康有益的公共文化活动。文化行政部门、街道办事处和乡镇人民政府应当依据各自职责，对自行组织的群众文化活动给予支持和引导，满足居民的基本文化需求。

居民参加社区公共文化活动，应当遵守相关规定和社会公德，避免影响其他居民的正常工作和生活。

（13）社区公共文化设施应当根据老年人、未成年人和残疾人等群体的特殊需求，提供有针对性的公共文化服务。

（14）有关政府部门和服务机构可以依托社区公共文化设施开展面向社区的相关服务，也可以依托其他公共设施开展社区公共文化活动，促进社区公共设施的资源共享。

社区公共文化设施应当为群众文化团队参与社区公共文化服务提供便利。

（15）社区公共文化设施应当适应科技进步和社会发展，运用新媒体、新技术为公众提供公共文化服务。

社区文化活动中心应当实现光纤接入和无线局域网覆盖，方便公众上网。

（16）社区公共文化设施应当每天向公众开放，开放时间应当与公众的工作时间、学习时间适当错开。国家法定节假日和学校寒暑假期间，应当适当延长开放时间，并增设相应的文化服务项目。社区文化活动中心每周累计开放时间不少于五十六个小时。

鼓励有条件的社区公共文化设施延长开放时间。

社区公共文化设施的开放时间、服务项目等应当向公众公示。

社区公共文化设施因维修等原因需要暂时停止开放的，应当提前七日向公众公示。

（17）社区公共文化设施内按照国家规定设置的基本公共文化服务项目，应当免费向公众开放。

除国家规定的基本公共文化服务项目外，社区公共文化设施内设置的其他文化服务项目可以适当收取费用，收费项目和标准应当经政府有关部门批准，并向公众公示。

(18)社区文化活动中心向公众开放用于公共文化服务的面积应当不少于使用面积的百分之九十。

居(村)民综合文化活动室向公众开放用于公共文化服务的面积应当不少于使用面积的百分之九十五。

(19)任何单位和个人不得擅自拆除社区公共文化设施或者改变其功能、用途,不得挤占、挪用、出租社区公共文化设施。

因城乡建设确需拆除社区公共文化设施或者改变其功能、用途的,有关人民政府在做出决定前应当听取社区居民的意见,组织专家论证,并征得上一级人民政府文化行政部门的同意,报上一级人民政府批准。

经批准拆除社区公共文化设施或者改变其功能、用途的,应当坚持先建设后拆除或者建设、拆除同时进行的原则。重新建设的社区公共文化设施的建筑面积不得少于原有的建筑面积。

(20)市和区、县文化行政部门应当会同相关部门,对社区文化活动中心提供公共文化服务的情况进行评估考核,也可以委托社会专业机构进行评估考核,并逐步建立居民满意度测评机制。

市和区、县文化行政部门应当定期通过报刊、网站等媒体,向社会公开评估考核和测评结果。

(21)市和区、县文化行政部门应当建立社区公共文化服务信息平台,公布社区公共文化服务工作经费投入和使用情况、考核评估结果、奖惩情况,公示社区公共文化设施目录,并为公众提供公共文化服务指导信息。

(22)各级人民政府及其文化等有关行政部门应当加强社区公共文化服务人员队伍建设。

街道办事处和乡、镇人民政府应当为社区文化活动中心配备专职工作人员。社区文化活动中心专业岗位工作人员的资格应当符合国家相关规定。

市和区、县文化行政部门应当定期对社区公共文化服务从业人员进行业务培训,支持社区公共文化设施的工作人员参加技能培训,并与街道办事处和乡、镇人民政府共同做好社区公共文化专业技术人员的职称评聘工作,提高服务水平和能力。

(23)鼓励和组织志愿者根据社区特点和实际需求,参与社区公共文化服务。

(24)鼓励企业事业单位、社会团体、其他组织和个人通过设立专项基金、资助项目、赞助活动、提供设施等多种形式参与社区公共文化服务。

鼓励企业事业单位、社会团体、其他组织和个人向社区公共文化事业捐赠财产。向社区公共文化事业捐赠财产的,依法享受税收优惠。

(25)任何单位和个人发现违反本规定的行为,可以向文化行政部门或者其他相关部门投诉。接到投诉的部门应当按照规定程序进行调查、核实,予以处理。

(26)各级人民政府及其文化行政部门对开展社区公共文化服务工作成绩显著的单位和个人,按照国家和本市有关规定给予表彰和奖励。

(27)违反本规定的行为,法律、行政法规已有规定的,从其规定。

(28)社区公共文化设施有下列行为之一的,由文化行政部门责令限期改正;造成严重后果的,对直接负责的主管人员和其他直接责任人员,依法给予行政处分:

1)未按照规定的最低开放面积对公众开放的。

2)未公示收费项目价格的。

3)对国家规定的免费公共文化服务项目实行收费的。

(29)挤占、挪用社区公共文化设施的,由文化综合执法部门责令限期改正,没收违法所得,并处五千元以上三万元以下的罚款;对直接负责的主管人员和其他直接责任人员,依法给予行政处分。

(30)擅自拆除社区公共文化设施或者改变其功能、用途的,由文化行政部门责令限期改正;拒不改正的,对直接负责的主管人员和其他直接责任人员,由其上级行政主管部门依法给予行政处分;构成犯罪的,依法追究刑事责任。

三、公共文化服务体系

十八届三中全会上,中共中央《关于全面深化改革若干重大问题的决定》公布之后，"构建现代公共文化服务体系"的新提法，引人注目。在中共中央《关于全面深化改革若干重大问题的决定》中许多方面提到现代体系的概念，现代公共文化服务体系实际上是现代化国家治理体系组成部分，要把它纳入现代化国家治理体系考虑，也是现代化国家治理能力的必备要素。

公共文化服务体系，面向大众的公益性的文化服务体系。主要包括先进文化理论研究服务体系、文艺精品创作服务体系、文化知识传授服务体系、文化传播服务体系、文化娱乐服务体系、文化传承服务体系、农村文化服务体系七个方面。

公共文化服务体系的建设主要包括两个方面：

(1)建设公共文化服务网络。以大型公共文化设施为骨干，以社区和乡镇基层文化设施为基础，加强图书馆、博物馆、文化馆、美术馆、电台、电视台等公共文化基础设施建设。建设一批代表国家文化形象的重点文化设施，完善大中城市公共文化设施，在巩固现有图书馆、文化馆的基础上，基本实现乡镇有综合文化站，行政村有文化活动室，在中西部及其他老少边穷等地广人稀地区配备流动文化服务车。

(2)建设公共文化服务的各项工程。一是广播电视村村通工程。二是全国文化信息资源共享工程。三是社区和乡镇综合文化站工程。建设公共文化服务体系，对于建设和谐文化、构建社会主义和谐社会具有重要的意义。

四、公共文化体育设施

公共文化体育设施，是指由各级人民政府举办或者社会力量举办的，向公众开放用于开展文化体育活动的公益性的图书馆、博物馆、纪念馆、美术馆、文化馆(站)、体育场(馆)、青少年宫、工人文化宫等的建筑物、场地和设备。

1. 公共文化体育设施管理单位

公共文化体育设施管理单位，是指负责公共文化体育设施的维护，为公众开展文化体育活动提供服务的社会公共文化体育机构。

公共文化体育设施管理单位必须坚持为人民服务、为社会主义服务的方向,充分利用公共文化体育设施,传播有益于提高民族素质、有益于经济发展和社会进步的科学技术和文化知识,开展文明、健康的文化体育活动。

任何单位和个人不得利用公共文化体育设施从事危害公共利益的活动。

2. 公共文化体育设施规划与建设

根据 2003 年 8 月 1 日实行的《公共文化体育设施条例》(国务院第 382 号令)规定:

(1)国务院发展和改革行政主管部门应当会同国务院文化行政主管部门、体育行政主管部门,将全国公共文化体育设施的建设纳入国民经济和社会发展计划。

县级以上地方人民政府应当将本行政区域内的公共文化体育设施的建设纳入当地国民经济和社会发展计划。

(2)公共文化体育设施的数量、种类、规模以及布局,应当根据国民经济和社会发展水平、人口结构、环境条件以及文化体育事业发展的需要,统筹兼顾,优化配置,并符合国家关于城乡公共文化体育设施用地定额指标的规定。

公共文化体育设施用地定额指标,由国务院土地行政主管部门、建设行政主管部门分别会同国务院文化行政主管部门、体育行政主管部门制定。

(3)公共文化体育设施的建设选址,应当符合人口集中、交通便利的原则。

(4)公共文化体育设施的设计,应当符合实用、安全、科学、美观等要求,并采取无障碍措施,方便残疾人使用。具体设计规范由国务院建设行政主管部门会同国务院文化行政主管部门、体育行政主管部门制定。

(5)建设公共文化体育设施使用国有土地的,经依法批准可以以划拨方式取得。

(6)公共文化体育设施的建设预留地,由县级以上地方人民政府土地行政主管部门、城乡规划行政主管部门按照国家有关用地定额指标,纳入土地利用总体规划和城乡规划,并依照法定程序审批。任何单位或者个人不得侵占公共文化体育设施建设预留地或者改变其用途。

因特殊情况需要调整公共文化体育设施建设预留地的,应当依法调整城乡规划,并依照前款规定重新确定建设预留地。重新确定的公共文化体育设施建设预留地不得少于原有面积。

(7)新建、改建、扩建居民住宅区,应当按照国家有关规定规划和建设相应的文化体育设施。

居民住宅区配套建设的文化体育设施,应当与居民住宅区的主体工程同时设计、同时施工、同时投入使用。任何单位或者个人不得擅自改变文化体育设施的建设项目和功能,不得缩小其建设规模和降低其用地指标。

3. 公共文化体育设施的使用和服务

《公共文化体育设施条例》(国务院第 382 号令)规定:

(1)公共文化体育设施管理单位应当完善服务条件,建立、健全服务规范,开展与公共文化体育设施功能、特点相适应的服务,保障公共文化体育设施用于开展文明、健康的文化体育活动。

(2)公共文化体育设施应当根据其功能、特点向公众开放,开放时间应当与当地公众的工作时间、学习时间适当错开。

公共文化体育设施的开放时间,不得少于省、自治区、直辖市规定的最低时限。国家法定节假日和学校寒暑假期间,应当适当延长开放时间。

学校寒暑假期间,公共文化体育设施管理单位应当增设适合学生特点的文化体育活动。

(3)公共文化体育设施管理单位应当向公众公示其服务内容和开放时间。公共文化体育设施因维修等原因需要暂时停止开放的,应当提前 7 日向公众公示。

(4)公共文化体育设施管理单位应当在醒目位置标明设施的使用方法和注意事项。

(5)公共文化体育设施管理单位提供服务可以适当收取费用,收费项目和标准应当经县级以上人民政府有关部门批准。

(6)需要收取费用的公共文化体育设施管理单位,应当根据设施的功能、特点对学生、老年人、残疾人等免费或者优惠开放,具体办法由省、自治区、直辖市制定。

(7)公共文化设施管理单位可以将设施出租用于举办文物展览、美术展览、艺术培训等文化活动。

公共体育设施管理单位不得将设施的主体部分用于非体育活动。但是,因举办公益性活动或者大型文化活动等特殊情况临时出租的除外。临时出租时间一般不得超过 10 日;租用期满,租用者应当恢复原状,不得影响该设施的功能、用途。

(8)公众在使用公共文化体育设施时,应当遵守公共秩序,爱护公共文化体育设施。任何单位或者个人不得损坏公共文化体育设施。

4. 公共文化体育设施的管理和保护

《公共文化体育设施条例》(国务院第 382 号令)规定:

(1)公共文化体育设施管理单位应当将公共文化体育设施的名称、地址、服务项目等内容报所在地县级人民政府文化行政主管部门、体育行政主管部门备案。

县级人民政府文化行政主管部门、体育行政主管部门应当向公众公布公共文化体育设施名录。

(2)公共文化体育设施管理单位应当建立、健全安全管理制度,依法配备安全保护设施、人员,保证公共文化体育设施的完好,确保公众安全。

公共体育设施内设置的专业性强、技术要求高的体育项目,应当符合国家规定的安全服务技术要求。

(3)公共文化体育设施管理单位的各项收入,应当用于公共文化体育设施的维护、管理和事业发展,不得挪作他用。

文化行政主管部门、体育行政主管部门、财政部门和其他有关部门,应当依法加强对公共文化体育设施管理单位收支的监督管理。

(4)因城乡建设确需拆除公共文化体育设施或者改变其功能、用途的,有关地方人民政府在做出决定前,应当组织专家论证,并征得上一级人民政府文化行政主管部门、体育行政主管部门同意,报上一级人民政府批准。

涉及大型公共文化体育设施的,上一级人民政府在批准前,应当举行听证会,听取公众意见。

经批准拆除公共文化体育设施或者改变其功能、用途的,应当依照国家有关法律、行政法规的规定择地重建。重新建设的公共文化体育设施,应当符合规划要求,一般不得小于原有规模。迁建工作应当坚持先建设后拆除或者建设拆除同时进行的原则。迁建所需费用由造成迁建的单位承担。

5. 公共文化体育设施的法律责任

《公共文化体育设施条例》(国务院第 382 号令)规定:

(1)文化、体育、城乡规划、建设、土地等有关行政主管部门及其工作人员,不依法履行职责或者发现违法行为不予依法查处的,对负有责任的主管人员和其他直接责任人员,依法给予行政处分;构成犯罪的,依法追究刑事责任。

(2)侵占公共文化体育设施建设预留地或者改变其用途的,由土地行政主管部门、城乡规划行政主管部门依据各自职责责令限期改正;逾期不改正的,由做出决定的机关依法申请人民法院强制执行。

(3)公共文化体育设施管理单位有下列行为之一的,由文化行政主管部门、体育行政主管部门依据各自职责责令限期改正;造成严重后果的,对负有责任的主管人员和其他直接责任人员,依法给予行政处分:

1)未按照规定的最低时限对公众开放的。

2)未公示其服务项目、开放时间等事项的。

3)未在醒目位置标明设施的使用方法或者注意事项的。

4)未建立、健全公共文化体育设施的安全管理制度的。

5)未将公共文化体育设施的名称、地址、服务项目等内容报文化行政主管部门、体育行政主管部门备案的。

(4)公共文化体育设施管理单位,有下列行为之一的,由文化行政主管部门、体育行政主管部门依据各自职责责令限期改正,没收违法所得,违法所得 5 000 元以上的,并处违法所得 2 倍以上 5 倍以下的罚款;没有违法所得或者违法所得 5 000 元以下的,可以处 1 万元以下的

罚款;对负有责任的主管人员和其他直接责任人员,依法给予行政处分:

1)开展与公共文化体育设施功能、用途不相适应的服务活动的。

2)违反本条例规定出租公共文化体育设施的。

(5)公共文化体育设施管理单位及其工作人员违反本条例规定,挪用公共文化体育设施管理单位的各项收入或者有条件维护而不履行维护义务的,由文化行政主管部门、体育行政主管部门依据各自职责责令限期改正;对负有责任的主管人员和其他直接责任人员,依法给予行政处分;构成犯罪的,依法追究刑事责任。

第三节 小城镇历史文化资源保护

推进城镇化发展,尤其要注重对历史文化资源的传承与保护。一些古老的历史文化村镇是华夏民族几千年文化的积淀,有着悠久的历史文化底蕴,保护好这些历史文化资源,就是在延续民族文化、展示传统风貌。当前,有的地区在推进城镇化发展中,片面追求经济效益、过度商业运作,不惜拆毁大片历史街区、历史建筑、历史人文景观、历史名人故居等,直接造成城镇化建设的"建设性破坏"后果。2002年以来,国家连续颁发了《中华人民共和国文物保护法》(2013年修正)、国务院《关于加强文化遗产保护的通知》、《城市紫线管理办法》、《关于加强对城市优秀近现代建筑规划保护的指导意见》等法律法规,对历史文化资源保护实施了严格的法律保护措施,确保珍贵的历史文化资源在城镇化进程中得到延续和发展。

一、历史文化名城与历史文化街区保护

《中华人民共和国文物保护法》(2013年修正)规定:保存文物特别丰富并且具有重大历史价值或者革命纪念意义的城市,由国务院核定公布为历史文化名城。保存文物特别丰富并且具有重大历史价值或者革命纪念意义的城镇、街道、村庄,由省、自治区、直辖市人民政府核定公布为历史文化街区、村镇,并报国务院备案。历史文化名城和历史文化街区、村镇所在地的县级以上地方人民政府应当组织编制专门

的历史文化名城和历史文化街区、村镇保护规划,并纳入城市总体规划。历史文化名城和历史文化街区、村镇的保护办法,由国务院制定。

《中华人民共和国文物保护法》(2013年修正)规定:各级人民政府制定城乡建设规划,应当根据文物保护的需要,事先由城乡建设规划部门会同文物行政部门商定对本行政区域内各级文物保护单位的保护措施,并纳入规划。

国务院《关于加强文化遗产保护的通知》(国发〔2005〕42号)强调在城镇化发展中加强历史文化名城(街区、村镇)的保护工作,指出要进一步完善历史文化名城(街区、村镇)的申报、评审工作。已明确的历史文化名城(街区、村镇)的,地方人民政府要认真制定保护规划,并严格执行。在城镇化过程中,要切实保护好历史文化环境,把保护优秀的乡土建筑等文化遗产作为城镇化发展战略的重要内容,把历史文化名城(街区、村镇)的保护规划纳入城乡规划。相关重大建设项目,必须建立公示制度,广泛征求社会各界意见。国务院有关部门要对历史文化名城(街区、村镇)的保护状况和规划实施情况进行跟踪监测,及时解决有关问题;历史文化名城(街区、村镇)的布局、环境、历史风貌等遭到严重破坏的,应当依法取消其称号,并追究有关人员的责任。

《城市紫线管理办法》(2004年2月1日起执行)第三条规定:在编制城市规划时应当划定保护历史文化街区和历史建筑的紫线。第七条规定:编制历史文化名城和历史文化街区保护规划,应当包括征求公众意见的程序。审查历史文化名城和历史文化街区保护规划,应当组织专家进行充分论证,并作为法定审批程序的组成部分。第十二条规定:历史文化街区内的各项建设必须坚持保护真实的历史文化遗存,维护街区传统格局和风貌,改善基础设施、提高环境质量的原则。历史建筑的维修和整治必须保持原有外形和风貌,保护范围内的各项建设不得影响历史建筑风貌的展示。

二、历史文化风貌区与优秀历史建筑保护

《上海市历史文化风貌区和优秀历史建筑保护条例》(2002年7月25日上海市第十一届人民代表大会常务委员会第四十一次会议通过,

自 2003 年 1 月 1 日起施行)(以下简称"本条例")规定如下。

1. 历史文化风貌区和优秀历史建筑的法律界定

(1)历史建筑集中成片,建筑样式、空间格局和街区景观较完整地体现上海某一历史时期地域文化特点的地区,可以确定为历史文化风貌区。

(2)建成三十年以上,并有下列情形之一的建筑,可以确定为优秀历史建筑:

1)建筑样式、施工工艺和工程技术具有建筑艺术特色和科学研究价值。

2)反映上海地域建筑历史文化特点。

3)著名建筑师的代表作品。

4)在我国产业发展史上具有代表性的作坊、商铺、厂房和仓库。

5)其他具有历史文化意义的优秀历史建筑。

(3)历史文化风貌区的初步名单,由市规划管理部门研究提出,并征求市房屋土地管理部门、市文物管理部门和所在区县人民政府的意见,经专家委员会评审后报市人民政府批准确定。优秀历史建筑的初步名单,由市规划管理部门和市房屋土地管理部门研究提出,并征求市文物管理部门、建筑所有人和所在区县人民政府的意见,经专家委员会评审后报市人民政府批准确定。在市人民政府批准确定前,应当将历史文化风貌区和优秀历史建筑的初步名单公示征求社会意见。

(4)依法确定的历史文化风貌区和优秀历史建筑不得擅自调整或者撤销。确因不可抗力或者情况发生变化需要调整或者撤销的,应当由市规划管理部门和市房屋土地管理部门提出,经专家委员会评审后报市人民政府批准。

(5)城市建设中发现有保护价值而尚未确定为优秀历史建筑的建筑,经市规划管理部门和市房屋土地管理部门初步确认后,可以参照本条例的有关规定采取先予保护的措施,再按照本条例第十条规定的程序报批列为优秀历史建筑。

2. 历史文化风貌区和优秀历史建筑的管理权设定

(1)市规划管理部门负责本市历史文化风貌区和优秀历史建筑保

护的规划管理。区、县规划管理部门按照本条例的有关规定,负责本辖区历史文化风貌区保护的规划管理。市房屋土地管理部门负责本市优秀历史建筑的保护管理。区、县房屋土地管理部门按照本条例的有关规定,负责本辖区优秀历史建筑的日常保护管理。优秀历史建筑的所有人和使用人,应当按照本条例的规定承担保护责任。

(2)市和区、县人民政府对本行政区域内的历史文化风貌区和优秀历史建筑负有保护责任,应当提供必要的政策保障和经费支持。

(3)设立历史文化风貌区和优秀历史建筑保护专家委员会。专家委员会按照本条例的规定负责历史文化风貌区和优秀历史建筑认定、调整及撤销等有关事项的评审,为市人民政府决策提供咨询意见。

3. 历史文化风貌区保护措施设定

在历史文化风貌区核心保护范围内进行建设活动,应当符合历史文化风貌区保护规划和下列规定。

(1)不得擅自改变街区空间格局和建筑原有的立面、色彩。

(2)除确需建造的建筑附属设施外,不得进行新建、扩建活动,对现有建筑进行改建时,应当保持或者恢复其历史文化风貌。

(3)不得擅自新建、扩建道路,对现有道路进行改建时,应当保持或者恢复其原有的道路格局和景观特征。

(4)不得新建工业企业,现有妨碍历史文化风貌区保护的工业企业应当有计划迁移。

4. 优秀历史建筑的保护措施设定

(1)市规划管理部门应当会同市房屋土地管理部门提出优秀历史建筑的保护范围和周边建设控制范围,经征求有关专家和所在区、县人民政府的意见后,报市人民政府批准。

(2)在优秀历史建筑的保护范围内不得新建建筑;确需建造优秀历史建筑附属设施的,应当报市规划管理部门审批。市规划管理部门审批时,应当征求市房屋土地管理部门的意见。

(3)在优秀历史建筑的周边建设控制范围内新建、扩建、改建建筑的,应当在使用性质、高度、体量、立面、材料、色彩等方面与优秀历史建筑相协调,不得改变建筑周围原有的空间景观特征,不得影响优秀历史建筑的正常使用。

5. 法律责任设定

（1）擅自或者未按批准的要求，在历史文化风貌区或者优秀历史建筑的保护范围、周边建设控制范围内进行建设活动的，由市规划管理部门或者区、县规划管理部门按照《上海市城乡规划条例》和《上海市拆除违法建筑若干规定》的有关规定处理。

（2）未按建筑的具体保护要求设置、改建相关设施，擅自改变优秀历史建筑的使用性质、内部设计使用功能，或者从事危害建筑安全活动的，由市房屋土地管理部门或者区、县房屋土地管理部门责令其限期改正，并可以处该优秀历史建筑重置价百分之二以上百分之二十以下的罚款。

（3）违反规定，擅自迁移优秀历史建筑的，由市规划管理部门责令其限期改正或者恢复原状，并可以处该优秀历史建筑重置价一到三倍的罚款；擅自拆除优秀历史建筑的，由市房屋土地管理部门或者区、县房屋土地管理部门责令其限期改正或者恢复原状，并可以处该优秀历史建筑重置价三到五倍的罚款。

（4）对优秀历史建筑的修缮不符合建筑的具体保护要求或者相关技术规范的，由市房屋土地管理部门或者区、县房屋土地管理部门责令其限期改正、恢复原状，并可以处该优秀历史建筑重置价百分之三以上百分之三十以下的罚款。

三、加强文化遗产保护

我国是历史悠久的文明古国。在漫长的岁月中，中华民族创造了丰富多彩、弥足珍贵的文化遗产。党中央、国务院历来高度重视文化遗产保护工作，在全社会的共同努力下，我国文化遗产保护取得了明显成效。与此同时，也应清醒地看到，当前我国文化遗产保护面临着许多问题，形势严峻，不容乐观。为了进一步加强我国文化遗产保护，继承和弘扬中华民族优秀传统文化，推动社会主义先进文化建设，国务院决定从 2006 年起，每年六月的第二个星期六为我国的"文化遗产日"。

国务院《关于加强文化遗产保护的通知》(国发〔2005〕42号)规定：

1. 充分认识保护文化遗产的重要性和紧迫性

文化遗产包括物质文化遗产和非物质文化遗产。物质文化遗产是具有历史、艺术和科学价值的文物，包括古遗址、古墓葬、古建筑、石窟寺、石刻、壁画、近代现代重要史迹及代表性建筑等不可移动文物，历史上各时代的重要实物、艺术品、文献、手稿、图书资料等可移动文物；以及在建筑式样、分布均匀或与环境景色结合方面具有突出普遍价值的历史文化名城(街区、村镇)。非物质文化遗产是指各种以非物质形态存在的与群众生活密切相关、世代相承的传统文化表现形式，包括传统口技、传统表演艺术、民俗活动和礼仪与节庆、有关自然界和宇宙的民间传统知识和实践、传统手工艺技能等以及与上述传统文化表现形式相关的文化空间。

我国文化遗产蕴含着中华民族特有的精神价值、思维方式、想象力，体现着中华民族的生命力和创造力，是各民族智慧的结晶，也是全人类文明的瑰宝。保护文化遗产，保持民族文化的传承，是联结民族情感纽带、增进民族团结和维护国家统一及社会稳定的重要文化基础，也是维护世界文化多样性和创造性，促进人类共同发展的前提。加强文化遗产保护，是建设社会主义先进文化，贯彻落实科学发展观和构建社会主义和谐社会的必然要求。

文化遗产是不可再生的珍贵资源。随着经济全球化趋势和现代化进程的加快，我国的文化生态正在发生巨大变化，文化遗产及其生存环境受到严重威胁。不少历史文化名城(街区、村镇)、古建筑、古遗址及风景名胜区整体风貌遭到破坏。文物非法交易、盗窃和盗掘古遗址古墓葬以及走私文物的违法犯罪活动在一些地区还没有得到有效遏制，大量珍贵文物流失境外。由于过度开发和不合理利用，许多重要文化遗产消亡或失传。在文化遗存相对丰富的少数民族聚居地区，由于人们生活环境和条件的变迁，民族或区域文化特色消失加快。因此，加强文化遗产保护刻不容缓。地方各级人民政府和有关部门要从对国家和历史负责的高度，从维护国家文化安全的高度，充分认识保护文化遗产的重要性，进一步增强责任感和紧迫感，切实做好文化遗产保护工作。

2. 加强文化遗产保护的指导思想

坚持以邓小平理论和"三个代表"重要思想为指导,全面贯彻和落实科学发展观,加大文化遗产保护力度,构建科学有效的文化遗产保护体系,提高全社会文化遗产保护意识,充分发挥文化遗产在传承中华文化,提高人民群众思想道德素质和科学文化素质,增强民族凝聚力,促进社会主义先进文化建设和构建社会主义和谐社会中的重要作用。

3. 加强文化遗产保护的基本方针

物质文化遗产保护要贯彻"保护为主、抢救第一、合理利用、加强管理"的方针。非物质文化遗产保护要贯彻"保护为主、抢救第一、合理利用、传承发展"的方针。坚持保护文化遗产的真实性和完整性,坚持依法和科学保护,正确处理经济社会发展与文化遗产保护的关系,统筹规划、分类指导、突出重点、分步实施。

4. 加强文化遗产保护的总体目标

通过采取有效措施,文化遗产保护得到全面加强。到2010年,初步建立比较完备的文化遗产保护制度,文化遗产保护状况得到明显改善。到2015年,基本形成较为完善的文化遗产保护体系,具有历史、文化和科学价值的文化遗产得到全面有效保护;保护文化遗产深入人心,成为全社会的自觉行动。

5. 着力解决物质文化遗产保护面临的突出问题

(1)切实做好文物调查研究和不可移动文物保护规划的制定实施工作。加强文物资源调查研究,并依法登记、建档。在认真摸清底数的基础上,分类制定文物保护规划,认真组织实施。国务院文物行政部门要统筹安排世界文化遗产、全国重点文物保护单位保护规划的编制工作,省级人民政府具体组织编制,报国务院文物行政部门审查批准后公布实施。国务院文物行政部门要对规划实施情况进行跟踪监测,检查落实。要及时依法划定文物保护单位的保护范围和建设控制地带,设立必要的保护管理机构,明确保护责任主体,建立健全保护管理制度。其他不可移动文物也要依据文物保护法的规定制定保护规划,落实保护措施。坚决避免和纠正过度开发利用文化遗产,特别是将文物作为或变相作为企业资产经营的违法行为。

(2)改进和完善重大建设工程中的文物保护工作。严格执行重大建设工程项目审批、核准和备案制度。凡涉及文物保护事项的基本建设项目,必须依法在项目批准前征求文物行政部门的意见,在进行必要的考古勘探、发掘并落实文物保护措施以后方可实施。基本建设项目中的考古发掘要充分考虑文物保护工作的实际需要,加强统一管理,落实审批和监督责任。

(3)切实抓好重点文物维修工程。统筹规划、集中资金,实施一批文物保护重点工程,排除重大文物险情,加强对重要濒危文物的保护。实施保护工程必须确保文物的真实性,坚决禁止借保护文物之名行造假古董之实。要对文物"复建"进行严格限制,把有限的人力、物力切实用到对重要文物、特别是重大濒危文物的保护项目上。严格工程管理,落实文物保护工程队伍资质制度,完善从业人员管理制度,建立健全各类文物保护技术规范,确保工程质量。

(4)加强历史文化名城(街区、村镇)保护。进一步完善历史文化名城(街区、村镇)的申报、评审工作。已确定为历史文化名城(街区、村镇)的,地方人民政府要认真制定保护规划,并严格执行。在城镇化过程中,要切实保护好历史文化环境,把保护优秀的乡土建筑等文化遗产作为城镇化发展战略的重要内容,把历史名城(街区、村镇)保护规划纳入城乡规划。相关重大建设项目,必须建立公示制度,广泛征求社会各界意见。国务院有关部门要对历史文化名城(街区、村镇)的保护状况和规划实施情况进行跟踪监测,及时解决有关问题;历史文化名城(街区、村镇)的布局、环境、历史风貌等遭到严重破坏的,应当依法取消其称号,并追究有关人员的责任。

(5)提高馆藏文物保护和展示水平。高度重视博物馆建设,加强对藏品的登记、建档和安全管理,落实藏品丢失、损毁责任追究制。实施馆藏文物信息化和保存环境达标建设,加大馆藏文物科技保护力度。提高陈列展览质量和水平,充分发挥馆藏文物的教育作用。加强博物馆专业人员培养,提高博物馆队人员伍素质。坚持向未成年人等特殊社会群体减、免费用开放,不断提高服务质量和水平。

(6)清理整顿文物流通市场。加强对文物市场的调控和监督管理,依法严格把握文物流通市场准入条件,规范文物经营和民间文物收藏行为,确保文物市场健康发展。依法加强文物商店销售文物、文物拍卖企业拍卖文物的审核备案工作。坚决取缔非法文物市场,严厉打击盗窃、盗掘、走私、倒卖文物等违法犯罪活动。严格执行文物出入境审核、监管制度,加强鉴定机构队伍建设,严防珍贵文物流失。加强国际合作,对非法流失境外的文物要坚决依法追索。

6. 积极推进非物质文化遗产保护

(1)开展非物质文化遗产普查工作。各地区要进一步做好非物质文化遗产的普查、认定和登记工作,全面了解和掌握非物质文化遗产资源的种类、数量、分布状况、生存环境、保护现状及存在的问题,及时向社会公布普查结果。3年内全国基本完成普查工作。

(2)制定非物质文化遗产保护规划。在科学论证的基础上,抓紧制定国家和地区非物质文化遗产保护规划,明确保护范围,提出长远目标和近期工作任务。

(3)抢救珍贵非物质文化遗产。采取有效措施,抓紧征集具有历史、文化和科学价值的非物质文化遗产实物和资料,完善征集和保管制度。有条件的地方可以建立非物质文化遗产资料库、博物馆或展示中心。

(4)建立非物质文化遗产名录体系。进一步完善评审标准,严格评审工作,逐步建立国家和省、市、县非物质文化遗产名录体系。对列入非物质文化遗产名录的项目,要制订科学的保护计划,明确有关保护的责任主体,进行有效保护。对列入非物质文化遗产名录的代表性传人,要有计划地提供资助,鼓励和支持其开展传习活动,确保优秀非物质文化遗产的传承。

(5)加强少数民族文化遗产和文化生态区的保护。重点扶持少数民族地区的非物质文化遗产保护工作。对文化遗产丰富且传统文化生态保持较完整的区域,要有计划地进行动态的整体性保护。对确属濒危的少数民族文化遗产和文化生态区,要尽快列入保护名录,落实保护措施,抓紧进行抢救和保护。

7. 明确责任,切实加强对文化遗产保护工作的领导

(1)加强领导,落实责任。地方各级人民政府和有关部门要将文化遗产保护列入重要议事日程,并纳入经济和社会发展计划以及城乡规划。要建立健全文化遗产保护责任制度和责任追究制度。成立国家文化遗产保护领导小组,定期研究文化遗产保护工作的重大问题,统一协调文化遗产保护工作。地方各级人民政府也要建立相应的文化遗产保护协调机构。要建立文化遗产保护定期通报制度、专家咨询制度以及公众和舆论监督机制,推进文化遗产保护工作的科学化、民主化。要充分发挥有关学术机构、大专院校、企事业单位、社会团体等各方面的作用,共同开展文化遗产保护工作。

(2)加快文化遗产保护法制建设,加大执法力度。加强文化遗产保护法律法规建设,推进文化遗产保护的法制化、制度化和规范化。抓紧制定和起草与文物保护法相配套的部门规章和地方性法规。抓紧研究制定保护文化遗产知识产权的有关规定。要严格依照保护文化遗产的法律、行政法规办事,任何单位或者个人都不得做出与法律、行政法规相抵触的决定;各级文物行政部门等行政执法机关有权依法抵制和制止违反有关法律、行政法规的决定和行为。严厉打击破坏文化遗产的各类违法犯罪行为,重点追究因决策失误、玩忽职守,造成文化遗产破坏、被盗或流失的责任人的法律责任。充实文化遗产保护执法力量,加大执法力度,做到执法必严,违法必究。因执法不力造成文化遗产受到破坏的,要追究有关执法机关和有关责任人的责任。

(3)安排专项资金,加强专业人才队伍建设。各级人民政府要将文化遗产保护经费纳入本级财政预算,保障重点文化遗产经费投入。抓紧制定和完善有关社会捐赠和赞助的政策措施,调动社会团体、企业和个人参与文化遗产保护的积极性。加强文化遗产保护管理机构和专业队伍建设,大力培养文化遗产保护和管理所需的各类专门人才。加强文化遗产保护科技的研究、运用和推广工作,努力提高文化遗产保护工作水平。

　　(4)加大宣传力度,营造保护文化遗产的良好氛围。认真举办"文化遗产日"系列活动,提高人民群众对文化遗产保护重要性的认识,增强全社会的文化遗产保护意识。各级各类文化遗产保护机构要经常举办展示、论坛、讲座等活动,使公众更多地了解文化遗产的丰富内涵。教育部门要将优秀文化遗产内容和文化遗产保护知识纳入教学计划,编入教材,组织参观学习活动,激发青少年热爱祖国优秀传统文化的热情。各类新闻媒体要通过开设专题、专栏等方式,介绍文化遗产和保护知识,大力宣传保护文化遗产的先进典型,及时曝光破坏文化遗产的违法行为及事件,发挥舆论监督作用,在全社会形成保护文化遗产的良好氛围。

　　与此同时,国务院有关部门也要切实研究解决自然遗产保护中存在的问题,加强自然遗产保护工作。

第八章 小城镇教育管理政策法规

　　教育政策是一个政党和国家为实现一定历史时期的教育发展目标和任务，依据党和国家在一定历史时期的基本任务、基本方针而制定的关于教育的行动准则。

　　城镇化是我国的重大发展战略，城镇化的过程就是生产要素向城镇聚集的过程，也是教育资源向城镇聚集的过程。随着农村居民的教育支出能力提高及对子女接受良好教育的强烈需求，"教育移民"成为当前或今后一段时间内城镇化进程中人口迁移的一种模式。因此，城镇化建设要以建设好城镇学校、优化教育资源配置为突破口，把发展城镇与发展教育相结合，推动新型城镇化发展。达到"建好办好一所学校，吸引一批人进城镇，拉动一批消费，带动一方经济社会发展"的目的。

第一节　城镇化背景下的义务教育

　　《中华人民共和国义务教育法》是国家实行九年义务教育制度的根本大法。国家统一实施的所有适龄儿童、少年必须接受的教育，是国家必须予以保障的公益性事业。实施义务教育，不收学费、杂费。国家建立义务教育经费保障机制，保证义务教育制度实施。《中华人民共和国义务教育法》1986 年 4 月 12 日由第六届全国人民代表大会第四次会议通过，1986 年 7 月 1 日起施行。新《中华人民共和国义务教育法》由第十届全国人民代表大会常务委员会第二十二次会议于 2006 年 6 月 29 日修订通过，自 2006 年 9 月 1 日起施行。

　　2011 年，我国城镇人口 6.91 亿人，农村人口 6.57 亿人，城镇人口首次超过农村人口，城镇化率达到 51.27％。城镇化是我国社会结构的一个历史性巨变，对经济社会各方面都产生了深刻影响。作为事关国计民生的农村义务教育,在城镇化进程中经受了前所未有的影响,发生着重大变革。党的十八大报告指出,要坚持走中国特色城镇化道路,"均衡发展九年义务教育"。准确把握城镇化与农村义务教育的关系,科学应对城镇化背景下农村义务教育面临的各种挑战和问题,是贯彻落实科学发展观、促进农村义务教育持续健康发展的必然要求。

一、义务教育的性质

《中华人民共和国义务教育法》(2006年修订)明确了我国义务教育的公益性、统一性和义务性。这是义务教育的三个基本性质。

1. 公益性

所谓公益性,就是明确规定"不收学费、杂费"。公益性和免费性是联系在一起的。对农村而言,从2006年到2007年全部免除学费、杂费;对城市而言,从2008年秋季学期开始,在全国范围内全部免除城市义务教育阶段学生学杂费。实际上,免除义务教育阶段的杂费,涉及很大的财政问题。国家下决心解决这个问题。

2. 统一性

统一性是贯穿始终的一个理念。在新法中,从始至终强调在全国范围内实行统一的义务教育,这个统一包括要制定统一的义务教育阶段教科书设置标准、教学标准、经费标准、建设标准、学生公用经费的标准等。这些与统一相关的内容以不同的形式反映到法律的修改中来。

如《中华人民共和国义务教育法》(2006年修订)第四条规定:凡具有中华人民共和国国籍的适龄儿童、少年,不分性别、民族、种族、家庭财产状况、宗教信仰等,依法享有平等接受义务教育的权利,并履行接受义务教育的义务。

3. 义务性

义务性又叫强制性。让适龄儿童、少年和青年接受义务教育是学校、家长和社会的义务。谁不履行这个义务,谁就要受到法律的制裁或处理。家长不送学生上学,家长要承担责任;学校不接收适龄儿童、少年上学,学校要承担责任;政府不提供相应的条件,也要受到法律的规范。如修订的义务教育法第七条规定:义务教育实行国务院领导,省、自治区、直辖市人民政府统筹规划实施,县级人民政府为主管理的体制。

二、城镇化促进农村义务教育改革与发展

1. 农村义务教育的特点

新世纪以来快速推进的城镇化历程,对农村义务教育的作用呈现出以下特点:

(1)全面性。城镇化对农村义务教育的布局、内容、手段乃至思想观念等各个方面都产生了深刻影响。

(2)差异性。有些地方城乡义务教育已无实质性区别,有些地方则鲜受城镇化触动,还重复着传统的教育方式。

(3)长远性。城镇化进程方兴未艾,对农村义务教育的影响将长期存在。

2. 城镇化对农村义务教育的推动作用

近年来,党中央、国务院在推进城镇化过程中,一直把农村义务教育作为优先领域,防止出现农村义务教育凹陷,着力推进教育公平。可以说,城镇化对农村义务教育的改革发展产生了多方面推动作用。

(1)明显改善了农村义务教育学校办学条件。在城镇化和社会主义新农村建设的大背景下,近年来各地开展了较大规模的农村学校布局调整,总体上优化了农村教育资源配置,特别是改善了农村小学办学条件。与2001年相比,2010年全国农村小学生人均教学及辅助用房面积从2.8平方米提高到3.5平方米,体育场馆面积和教学自然实验仪器达标学校分别从46.8%、45.5%提高到54.6%、50.4%。崭新的校园校舍、鲜艳的五星红旗、朗朗的读书声,成了各地农村靓丽的风景线。

(2)整体提高了农村义务教育教师队伍素质。教师队伍建设是提高教育质量的根本环节。在追赶城镇学校的过程中,各地逐步辞退安置了一批代课人员,补充了一批合格教师,优化了农村中小学教师队

伍结构。2010 年,我国农村小学、初中专任教师合格率分别为 99.4％、98.4％,分别比 2001 年提高 3.0 和 11.3 个百分点。

(3)初步催生了农村义务教育现代化雏形。在城镇化进程中,城市先进的教育理念、办学思想、管理模式逐步向农村辐射。伴随着农村中小学现代远程教育工程的实施,农村初中普遍建设了计算机教室,小学安装了卫星接收设施,教学点配备了光盘播放设备。于是,粉笔加黑板不再是教学的唯一形式,互联网渐成农村学生学习、通信、交流的重要载体。

(4)持续提升了农村义务教育质量和国民素质。越来越多的学校开齐开足了国家规定的课程,如农村小学英语课的开设率从 2001 年的 20％提高到 2010 年的 90％以上。许多学校建立了较为完善的管理制度,学生文体活动普遍变得丰富起来。农村义务教育巩固率和毕业生升学率持续提高,特别是 2011 年我国"两基"目标的全面实现,大大促进了人民群众文化素质的提升,也为世界全民教育做出重要贡献。

三、城镇化对农村义务教育带来问题和挑战

在农村人口向城镇流动过程中,一方面,农村学龄人口向城镇转移,为农村孩子接受更加公平、更高质量的教育创造了机会;另一方面农村地区人口减少,农村学校较快撤并,造成一系列值得关注的问题。

1. 学生上学路程普遍变远

城乡人口结构变化直接影响农村教育规划和布局结构。2001 年至 2010 年,全国小学由 49.1 万所减少到 25.7 万所,其中农村占减少总量的 87.6％。初中由 6.7 万所减少到 5.5 万所,其中农村占减少总量的 91.7％。在学校撤并之后,一些非寄宿学生上学要起早摸黑,部分学生上学来回甚至要走 3 个小时。

2. 学生上学交通安全存在隐患

农村实行集中办学后,很多学生需要乘坐交通工具上学。由于农村道路条件较差,车况良莠不齐,交通状况复杂,交通违法现象时有发生,学生上学放学路途安全难以得到保障。2011 年全国有学生上学接

送车辆 28.5 万辆,其中符合国家标准的校车只有 2.9 万辆,占 10.2%。

3. 寄宿制学校办学条件不到位

由于撤并学校过快,农村寄宿生大量增加,一些地方寄宿制学校生活管理人员缺乏,床铺紧张,食堂简陋,厕位不足,没有澡堂,冬季取暖和夏季防暑等条件跟不上。2010 年全国 3 046 个县级单位中,302 个县生均学生宿舍面积小于 1 平方米,占 9.9%;741 个县小于两平方米,占 24.3%。

4. 进城务工人员子女教育面临新情况

城镇化进程中出现了大量随迁子女和农村留守儿童。2011 年义务教育阶段随迁子女和留守儿童人数分别为 1 260.7 万人、2 200.3 万人,分别占义务教育阶段学生总数的 8.4%、14.7%。农村留守儿童问题不存在大的制度障碍,对他们主要应加强关爱。相比之下,随迁子女带来的问题比较复杂。一方面,随迁子女义务教育应予保障,让他们与城镇儿童同在蓝天下共同成长进步;另一方面,过多的随迁子女流入某些大城市,导致这些城市教育资源紧张、不堪重负。随迁子女接受义务教育后在输入地参加中高考是大势所趋,然而这个问题牵涉面广,不同利益群体提出不同诉求,解决起来难度较大。

四、城镇化呼唤农村义务教育的公平和质量

如今,我国已经进入城镇化发展新阶段。城镇化必然推动农村社会向城市社会演变,但绝不是以城市文明替代农村文明。农村义务教育是农村的希望,应当成为"为农"服务的教育。当前,我国农村义务教育在全面普及后正进入一个新的时期,面临着推进公平、提高质量的双重任务,迫切需要按照党的十八大报告的要求,"大力促进教育公平,合理配置教育资源,重点向农村、边远、贫困、民族地区倾斜"。

1. 做好城镇化背景下的农村义务教育工作要处理的各项关系

做好城镇化背景下的农村义务教育工作,要处理好几个关系。

(1)城乡统筹与倾斜农村的关系。应在实行城乡一致的拨款标准、建设标准、教师编制标准的基础上,用更多的精力、更大的财力、更

优惠的政策,促进农村义务教育的改革发展。

(2)全面推进与重点突出的关系。均衡发展义务教育当然要均衡配置校舍、设备等资源,但合理配置教师资源是重中之重。要努力通过提高教师质量来提升农村义务教育质量,让当地的孩子不仅进得来、留得住,而且学得好。

(3)统一要求与因地制宜的关系。义务教育的发展方向和基本标准,全国可有统一要求。但更重要的是,各地必须依据本地省情、市情、县情推动工作,善于以多样性应对问题的复杂性。

2. 做好城镇化背景下的农村义务教育的工作重点

当前和今后一段时期,应突出抓好以下重点工作。

(1)大力开展农村义务教育学校标准化建设。按照国务院《关于深入推进义务教育均衡发展的意见》,各地应进一步完善义务教育阶段学校办学标准,对校园校舍、仪器配备、师资配置等方面提出明确具体要求。通过开展学校标准化建设,改善农村薄弱学校办学条件,缩小城乡学校差距。加强农村寄宿制学校管理,按照国家或省级标准,为其配备教室、学生宿舍、食堂、饮用水设备、厕所、浴室等设施,配备必要的管理、服务人员及专兼职心理健康教师。至2020年,全国所有农村义务教育学校都应达标。

(2)切实规范农村义务教育学校布局调整。做好农村中小学布局调整不仅关系农村义务教育的可持续发展,更关系着农民群众和农村学生的切身利益。为此,必须认真贯彻国务院办公厅《关于规范农村义务教育学校布局调整的意见》,既考虑城镇化进程、城乡人口流动、学龄人口变化等因素,又兼顾当地农村经济社会发展状况、贫困家庭负担、教育条件保障、地理环境及交通状况等因素,把方便学生就近上学作为布局调整的首要前提。要严格撤并学校程序,确因生源减少等原因撤并学校,当地政府必须严格履行方案制定、论证、公示、报批等程序。

(3)真正办好必要的村小和教学点。首先,应建立村小和教学点经费保障机制,提高村小和教学点的学生人均公用经费标准。其次,发挥远程教育功能,按照国家规定标准配备多媒体教学设备,开发和输送数字化优质课程教学资源。最后,学区中心学校要统筹所管辖和辐射教学点的课程安排和教师配置,保证教学点开设国家规定的课程,不让教学点成为低水平的代名词。

(4)全面提高农村义务教育学校教师整体素质。有了好的教师,才会有好的教育。为此,首先要改善教师的初次配置,采取有效措施鼓励新招聘的优秀大学毕业生到农村任教。新增高级岗位指标优先安排农村学校,动员一批高素质人才应聘农村教师。其次,要尽快实行城乡统一的中小学编制标准,对农村小规模学校和教学点编制适当放宽,确保各学科教师的合理配置。最后,逐步实行县级教育部门统一聘任校长,促进校长、教师在一定区域内合理交流,建立和完善鼓励城区校长、教师到农村学校任职、任教机制。建设农村艰苦边远地区教师周转宿舍,设立村小和教学点教师岗位津贴,探索出台提高农村教师待遇的各种有效政策措施,提升农村教师职业吸引力。

(5)继续深化农村义务教育课程教学改革。在城镇化进程中,农民群众对子女接受优质教育的愿望十分强烈。因此,必须大力提高教育质量。农村义务教育课程必须满足国家义务教育的整体要求,不能靠因陋就简、降低要求来贴近农村。同时,为增强课程的适应性和感染力,课程应体现农村的特点,在一定程度上反映当地的生产、生活、文化实际,教学中则既要充分利用农村的优势资源,又要让学生有机会与城镇同龄人交流。

(6)不断完善进城务工人员子女就学的政策措施。强化输入地政府管理责任,将随迁子女义务教育纳入区域发展规划。建立随迁子女义务教育经费保障机制,按照随迁子女实际人数拨付教育经费。大力挖掘公办教育资源,以全日制公办学校为主保障随迁子女就学。各地应克服困难,尽快拿出科学合理、公平务实的随迁子女义务教育后在输入地升学的具体办法。对于留守儿童工作,应纳入社会管理创新体系之中,构建学校、家庭和社会各界广泛参与的关爱网络。统筹协调留守儿童教育管理工作,实行普查登记制度和结对帮扶制度。优先满足留守儿童进入寄宿制学校的需求,加强心理健康教育,建立留守儿童安全保护预警与应急机制。

(7)认真做好学生接送车辆安全管理工作。认真落实《校车安全管理条例》,切实保障学生上下学交通安全。各地要通过增设农村客运班线及站点、增加班车班次、设置学生专车等方式,满足学生的乘车需求。公共交通不能满足学生上学需要的,要组织提供校车服务。推动各部门落实校车安全管理部际联席会议职责,开展专项督查,督促落实责任。完善相关标准和规范,修订、制订、发布各类技术标准,既对过渡期做好实事求是的安排,又从长远上明确校车管理工作规范和要求。

五、《中华人民共和国义务教育法》(2006 年修订)对民族地区普及义务教育的特殊规定

(1)在入学年龄上适当放宽。《中华人民共和国义务教育法》(2006 年修订)规定,凡年满六周岁的儿童,不分性别、民族、种族,应当入学接受规定年限的义务教育。条件不具备的地区,可以推迟到七周岁入学。

(2)在推行义务教育的步骤上制定符合实际的规划。《中华人民共和国义务教育法》(2006 年修订)规定省、自治区、直辖市根据本地区的经济、文化发展情况,确定推行义务教育的步骤。实施义务教育全国分为三类地区,第三类地区是经济、文化不发达的地区,要随着经济的发展,争取在 20 世纪末大体上普及初等义务教育。1987 年国家教委发布的《关于九省区教育体制改革进展情况的通报》规定,九省区普及九年制义务教育一般分为三到四类地区。从边远地区的实际情况出发,有的地方还可以分为五类或六类地区。要以乡为单位,确定具体的实施步骤和进度,以条件定发展。个别教育基础薄弱、条件很差的少数民族地区,还可以根据居住分散、交通不便等特点,在保证办好重点寄宿学校的前提下,采取灵活多样的方式,进行扫盲、脱盲或以培养合格的小学毕业生为重点。1992 年印发的《关于加强民族教育工作若干问题的意见》还提出,要抓紧普及初等义务教育,杜绝新文盲的产生;在少数办学确有困难的地方,可以先普及初等义务教育,至少先做到一户有一个合格的小学毕业生。

（3）经费上采取特殊措施。《中华人民共和国义务教育法》（2006年修订）规定：少数民族地区，贫困、边远地区等，已实行免收杂费的，仍按原有规定执行。国家在初级中等学校和部分小学（主要是有困难的少数民族地区，其他贫困地区和需要寄宿就读的地区）实行助学金制度。具体办法和标准，由各地自定。

（4）实施"国家贫困地区义务教育工程"，其中主要针对少数民族地区的九省区的资助项目将在 1998 年启动，该项"工程"的目标是首先保证项目县普及 6 年小学教育，在此基础上兼顾一部分地区普及 9 年义务教育。这项"工程"的实施，对民族地区普及义务教育将会产生很大的推动作用。

（5）利用世界银行贷款项目帮助少数民族发展基础教育。目前已实施了四次，共覆盖 400 个贫困县，其中少数民族贫困县 360 个左右。

（6）在评估项目和指标要求上实事求是。1994 年国家教委发布《普及义务教育评估验收暂行办法》，规定对已经普及初等教育，但居住特别分散的边疆地区、深山区、牧区等，因自然条件不利、达到《普及义务教育评估验收暂行办法》第七条规定的"评估项目和指标要求"确有困难的，省、自治区可对初级中等教育阶段入学率、辍学率、完成率的要求做适当调整，并报国家教育委员会批准。

第二节　以教育为重心牵引城镇化建设

一、充分认识教育在城镇化进程中的作用

1. 教育在城镇化过程中的带动功能

教育对城镇化发展的直接作用是推动城镇人口规模扩大，拉动城镇非农产业发展。间接作用就是促进农民生产方式的转变，促进农村剩余劳动力向城镇稳定转移。农村人口向城市转移的倾向与其受教育水平存在着正相关关系，受教育年限越长、程度越高，对职业身份意识和职业的非农业化倾向越强烈，城镇化对他们的吸引力也更加明显，进入城镇的"回流率"也更低。在我市的一些调查中，年轻的、受教

育程度较高的新生代农民进城愿望更强烈。教育是拉动经济最有力、最"环保"的"绿色引擎"。城镇优质教育吸引了农村学生进城就读,将带动几名家庭成员在城镇就业、生活、消费,形成以教育为核心的小产业链,带动了城镇房地产开发、餐饮、交通、文化、信息等产业的快速发展。

2. 教育在城镇化过程中的聚集功能

"以产业集聚带动人口集聚"是目前推进城镇化的共识。由于我市城镇的资源禀赋、承载能力和市场空间极为有限,政府可作为的空间和效果都将有限。在对农村居民进城落户意愿调查中,80%农村居民进城镇落户或居住是为了子女接受良好教育,在集镇买房或租房为子女上学的现象尤为普遍,鉴于集镇买房和生活的成本相对较低,在集镇实现身份转变是比较现实并受到中低层收入的农村居民的欢迎。因此,政府在重点镇、中心村造就一所教育质量堪与城市优质学校媲美的小学和中学,其所带来的人口集聚效应将远远快于并高于由产业集聚带来的人口集聚效应。

3. 教育在城镇化过程中的塑造功能

城镇化进程中,"新市民"的文明意识、独立意识、环境意识、主人翁意识等都会显得与城镇不适应,教育应该发挥其塑造、教化功能,对实现进城农村居民"市民化"、提高市民素质、增强城镇发展后劲、促进城市文明和谐起到积极作用,尤其是社区教育在城镇化战略中,有其独特的区域、人文优势,通过宣传、引导、培训、督促等各种手段提高他们的城市文明素质,强化其城镇主人翁意识,为精神文明建设起到示范和带头作用。

二、农村与小城镇教育存在的问题

近年来,随着农村和小城镇经济的发展,农村和小城镇教育状况有了显著改善,取得了较大成就,但总体来看,农村与小城镇教育的发展水平还很落后,由此,"十二五"期间,解决城镇教育学校数量不足、容量不够、布局不合理、发展不均衡、建设不配套等问题是各级政府的当务之急。

1. 农村与小城镇教育发展严重滞后

农村与小城镇教育发展严重滞后表现在两个方面：

（1）农村与小城镇教育的条件与教育质量严重滞后于城市教育。农村与小城镇教育的办学条件和教育质量虽有较大的提高，但相对于城市仍然非常落后。直至目前，农村与小城镇教育改革和发展的重点是提高适龄儿童的入学率，以及校舍改造等基本办学设施的建设。这也是教育行政部门验收农村与小城镇中小学校是否合格的主要标准。即使这样，农村与小城镇教育的办学条件也只能满足学科教学的基本需要，离全面推进素质教育的要求相去甚远。同时，农村与小城镇中小学教师的社会地位和工资待遇得不到保障，部分农村与小城镇教师处在"半工半读"状态，严重影响了教育质量的提高。

（2）农村与小城镇教育严重滞后于农村经济与社会发展的需要。进入 20 世纪 90 年代中期以来，农村与小城镇丰富的人力资源变成了沉重的人口负担。解决农村与小城镇人口过剩问题的根本出路有两条：一是大力发展科技型农业，调整农业生产结构；二是大力发展乡镇企业，壮大乡镇企业规模，提高乡镇企业科技含量，带动第三产业发展。从目前情况来看，制约农村与小城镇发展的两大主要因素是资金匮乏和科技人才严重不足，而最深层的原因则集中在后一个方面。

2. 农村与小城镇教育地区差异较大

农村与小城镇教育不仅与城市教育有差距，而且农村与农村之间、农村与乡镇之间也存在差距。1995 年上海市的农民人均收入是甘肃省的 4.9 倍。农民收入排序在前 5 位的均在东部地区，排在后 5 位的均在西部地区。这种差异也影响到中西部农村的教育。经济较发达的东部农村地区全部普及了九年制义务教育，对农村与小城镇中小学教师的要求已提高了一个学历层次。而一些中西部地区普及初等教育仍困难重重，辍学率居高不下。甘肃的一些贫困县，在上学的孩子中，只有 1/4 能够升入四年级或五年级，一些农村学校每学期的教学用具预算只有 6 元人民币。东部地区人均受教育时间达 10.8 年，西部地区人均受教育时间为 3.6 年；东部地区平均每 100 人中有科技人员 18 名，西部地区平均每 100 人中有科技人员 2 名。

同一地区农村与小城镇内部教育的差距也不容忽视,县城和乡镇的教育条件明显好于农村。国家的扶贫政策多以县级行政单位为对象,农户受益不明显。富裕家庭也开始向乡镇、县城聚集,再加上县乡两级财政赤字向农民摊派,农民负担加重,在贫困地区,这种情况更为突出。这就造成同一地区农民生活水平差距悬殊,致使大批师范院校毕业生滞留县城和乡镇,导致了农村与小城镇之间的教育产生了更大的差距。

3. 农村与小城镇教育经费紧缺

我国农村与小城镇经济发展水平具有明显的不平衡性,所提供的教育资源也有很大的差异性。尤其是一些人均收入不足 200 元的地区,发展农村与小城镇教育的难度极大。一些地区连“无危房、有课桌、有凳子”都做不到,更谈不上提供充足的教学实验仪器、设备和尽快改善教师居住、工作条件等。总体上讲,我国农村与小城镇教育系统的财力是很不充足的,农村学校办公经费和国家投资于每个学生的教育经费数量极少。有的山区甚至靠向学生收取一些学杂费维持办学,有的甚至买不起粉笔,冬天烤不起火。我国目前农村与小城镇学校的办学经费主要来源于国家教育税收的再分配额,包括地方政府财政预算和群众集资办学额。由于我国农村与小城镇教育经费筹集渠道单一,有些地区各种侵吞、挪用教育经费现象严重,所以极大地阻碍了农村与小城镇教育的发展。

4. 农村与小城镇教育结构不当

我国农村与小城镇教育结构同农村经济、科技和社会发展不相协调,教育效益极低。农村地区各级教育之间的结构与农村日益增长的文化需要极不适应。在农村与小城镇,小学的升学率只有 60%～70%,中学则更低。农村与小城镇高等教育更是薄弱,在当前我国高中毕业生升学率不到 10%的情况下,农村所占的比例极低,大学毕业生分配到农村与小城镇的数量远远不能满足需要。尽管如此,在教育类型上,农村与小城镇仍以升学为主要目标的普通教育为主,专业技术教育和职业教育比重太小,中学毕业后进入各行各业的毕业生不能适应和推动农村生产和经济的发展。在专业结构方面,一方面长期存在重理轻文的现象;另一方面,农业院校专业划分过细过窄,同农村产业、技术结构不协调,在农村经济迅猛发展的情况下,不能培养学生的适应性,尤其是在第三产业日益发展的形势下,教育的专业结构更显得不合理。另外,在农村山区、牧区、边远省区及少数民族地区的教育布局也过于薄弱。

5. 农村与小城镇教育脱离实际需要

多年来,农村与小城镇教育在提高广大农村与小城镇青少年的文化素质方面的确发挥了一定作用,但并没有培养起一代有技能的农村劳动者。新中国成立以来我国农村与小城镇学校教育一直都没有围绕农村与小城镇的需要办,缺乏农村特色,至今基本上仍是升学教育。初、高中毕业生若不能继续升学,回乡后就会发现学到的用不上,要用的教师又没教。这种学校教学内容与社会现实需要严重脱离的现象目前仍极为突出,不仅普通教育如此,一些职业技术教育也受到了影响,不少学校挂着职业中学的牌子,传授的是普通中学的内容,严重影响了教育投资效益,也贻误了急需人才的培养。

总之,除上述五个问题外,当前高等教育收费和大学毕业生就业制度改革(由原来的"统一分配"到现在的"自主择业")也对农村与小城镇教育产生了消极的影响。

三、解决农村与小城镇教育问题的主要策略

1. 加强政策支持,突出政策的针对性

当前,重视农村与小城镇教育,多方面培养农村与小城镇建设人才确实需要摆到议事日程上来。首先,各级党政领导应立即改变那种认为农民种地不需要多少文化的陈旧观念,真正把经济工作转移到依靠科学技术和提高劳动者素质的轨道上来。其次,要树立依靠社会力量办教育的思想,改变那种认为教育只是教育部门的事的传统观念,农业部门、科技部门以及其他部门都要把农民教育工作放在重要位置。再次,要改变单纯依靠国家办教育的观念,把公办教育与民办教育结合起来,鼓励并支持集体、个人以及海外华侨兴办农村教育。政府在制定教育政策时,应当正视农村与小城镇教育发展所面临的诸多

问题,有针对性地突出农村与小城镇教育的地位。首先要树立城乡整体教育观念,在教育政策上向农村与小城镇倾斜,加快农村与小城镇教育发展速度;其次要规范农村教育体制,适当调整农村与小城镇义务教育下放给基层政府管理的做法,加大中央政府在普及义务教育中的责任。

2. 加强教育投入,突出投入的有效性

有人认为农村与小城镇教育不需要太多的投入,不应与城市教育相比,只能因陋就简地发展。他们无视农村与小城镇职业学校中比比皆是的"书本上养猪、黑板上种庄稼"的无奈现实,从某种程度上说,他们就是这一现实的始作俑者。以落后的教学方式培养先进的生产力,无异于痴人说梦。投入不足已成为制约农村与小城镇教育和经济发展的"瓶颈",增加农村与小城镇教育的投入仍是一项现实需求。长期以来,我国教育投入严重不足,离《中华人民共和国义务教育法》(2006年修订)规定的占 GDP 的 40% 的要求还有很大差距,从提高全民素质与维护国家稳定的需要出发,教育经费预算仍须向欠发达的农村与小城镇倾斜,建立起义务教育由公共资源负担的原则框架。这样才能杜绝义务教育普查中弄虚作假的现象,提高义务教育的质量。

3. 多种形式教育并举,突出教育的实用性

(1)在中小学进行综合性教育。在农村与小城镇中小学中推行一种综合性教育,目的在于使农村与小城镇青少年增长知识技能,并使这种训练更加符合农村与小城镇发展的需要。农村与小城镇中小学应全部开设劳动技术教育课,培养学生热爱劳动、热爱农村的思想感情,懂得农牧业生产的基础理论知识,并掌握一定的实用技术。同时,在各种文化课教学中有机地增加一些与当地农牧业生产相关的知识,从而理顺文化教育、科技传授和劳动锻炼的深层关系。

(2)大力发展农村与小城镇职业教育。我国的农村与小城镇职业技术教育近几年有了很大发展,但仍然存在不少问题,如专业狭窄、覆盖面小、适应性差,教学内容针对性、实用性不强,办学形式不灵活等,为适应加入 WTO 后的新形势要求,农村与小城镇职业教育不能仅仅局限于农业与小城镇职业教育,更不能局限于种植业、养殖业教育,既要为农业发展培养人才,又要为非农业发展培养技术人才和管理人才。同时,在教学层次上,建立区域性的初、中、高三级职业技术教育学校。在办学原则上应实现四个转变:办学方向由计划体制转向面向市场;劳动基地由实习型转向实业型;培养目标由单一型转向多维型;教学形式由传统的照本宣科转向教学、生产经营、科研、社会服务四结合。在此基础上,学制、课程安排要增加弹性,改学年制为学年制与学分制相结合,改单一学科课程为学科课程、活动课程、微型课程相结合。

(3)积极推进农村与小城镇成人教育。目前农村成人教育的规模、培养对象都较前有所扩大,现已初步形成了高等、中等、成人干校,科技人员继续教育和农民技术教育网络体系。在这一形势下,要积极研究成人教育如何为提高农村人口素质服务,如何为农村经济和社会发展服务。

(4)加强高等教育的农村化。我国高等教育大众化的难点在农村与小城镇。为此,政府和学校要统一招生标准,严格以能力与考分作为选择高校新生的依据,完善奖贷体系,提高补助标准,确保农村与小城镇家庭子女不因家庭贫困而无法接受高等教育或中途退学。此外,党和政府要创造条件,积极发展农村高等教育。1997年3月,自考委与农业部联合发出了《关于推进自学考试面向农村工作的意见》,此后,不少省市农村与小城镇考生已占相当大的比例。但自学考试无法独立承担农村与小城镇高等教育大众化的任务,党和政府应当鼓励企事业单位、社会团体和个人在有条件的农村地区设立高等教育机构或教学点。

四、城镇化进程中的教育制度创新

1. 政府职能的定位

政府的职能是维护和创设良好的制度环境,政府的作用应该表现在解决市场失灵和促进社会公平两个基本方面,政府管理教育的责任应该是追求教育领域的社会公平、保证教育领域的公共利益。在社会主义市场经济条件下政府应当明确定位,解决政府宏观管理的原则、范围、权责和程序等问题,努力实现已有模式向新模式的转换。实现"政校分开",政府成为秩序的提供者和行为的监管者,逐渐撤出学校内部管理;建立公共政策决策咨询论证制度、社会公众听证制度以及问责制度。建立弹性化的权力运行机制,保证各权力主体之间的均衡和互相制约。

2. 公共教育财政体制

教育作为一种准公共产品,市场经济不会改变它的性质,市场经济与政府提供教育是不互相排斥的。社会主义市场经济条件下,教育经费主要由政府提供,就全社会整体而言,教育的定价或消费主要由政府调控,而不是由市场供求决定,政府一方面依法承担义务教育的责任,提供义务教育经费,保证全体公民得到基本的教育;另一方面在非义务教育阶段,除承担一部分经费外,还应建立助学机制,使有才华又有受教育意愿的贫困阶层子女不会因为学费无法筹措而失学。法定的义务教育应当逐步实行免收学费的教育,政府应当担负起越来越大的责任乃至最终接近全额资助,而非义务教育可以采取政府资助和社会成本相结合的方式。义务教育的公共财政投入由县级政府负责,对其无力承担的缺口,根据不同情况具体规定地方、省、中央三级政府分担的比例;中央加大对困难省份和弱势群体的财政转移支持力度;依法建立高效、透明的财政预算、拨款、评估制度;对政府授予公共资源或在国家政策保护下获得垄断利益的行业或特许经营服务的企业,征收社会公益税用于教育;增加国债中用于教育支出的份额。建立全国性的个人信用系统,减少金融机构在助学贷款中的风险与成本。进一步完善教育经费多元筹资体制,条件允许还可以通过资本市场进行教育融资,包括助学贷款证券化、担保、租赁、保险、教育基金以及教育彩票等。实行相关的减免税优惠促进企业和个人对教育的捐赠。

3. 教育的微观主体——学校

为了从法律上保证学校具有完整的民事行为能力和民事责任能力,建立和完善学校法人制度是极其重要的制度选择。随着学校法人制度的进一步完善,学校作为具有独立法人资格的市场主体将会更加有效地利用市场机制的积极作用。

4. 城镇化中流动人口教育

在国家层面上,应当有一个协调、规划、领导和指导机构,以进行中、长期的宏观规划与管理,与之相适应,有必要建立一个全社会统筹协调的流动人口教育培训制度。这既是一项对未来发展的政策建议,同时也是相应培训任务设计的前提。在积极推进户籍制度改革的同时,实施"农村转移人口教育培训工程",在接收农村转移人口较多的城镇,设立专门面向农村转移进城人员的、灵活多样的、具有较强针对性的普及高中阶段教育和实用性的教育培训项目(包括中等、高等职业教育与技能培训),为农村转移进城人员(主要是初中和高中阶段)提供学习和培训机会,有效提高他们的学习能力、就业能力、工作转换能力和创业能力,为他们在城镇的生存和发展创造条件,使农村转移进城的初中以上文化程度人员拥有与城镇人口相对平等的发展机会和受教育水平。要贯彻学历教育与非学历教育并举、学历证书和职业资格证书并重的原则,推动国家劳动预备制度和职业资格证书制度的实施。国家根据务工人员的需要,开设全国通用的高中文化程度的模块课程和职业技术模块课程,利用学分制分阶段完成学业。学完课程的发给相应的高中毕业证书和全国通用的"教育护照","护照"将记录转移人员的学习情况,并在全国通用。接受农村初中转移人口的企业部门有义务按照国家普及高中教育的要求,提供并保证转移人员的学习期间和学习场地。工程实施采取先行试点、逐步推开、以市为主的做法,先在东部地区和经济相对发达的中部地区进行试点,然后逐步扩大到其他城市。

另外,对解决农民工子女就学问题:一是凡进行暂住登记、有合法职业和住所的进城民工,流入地人民政府应为其子女提供接受义务教育的机会,纳入其义务教育的统计之中。进城农民工为城市建设、发展、税收做出了贡献,也就有子女平等分享义务教育的权利。二是先解决流动儿童有学上的问题,后解决教学质量提高问题。三是公办、民办两条腿解决民工子女教育问题。公办学校应取消对农民工子女的额外收费。把民办教育纳入城镇教育的规划、管理、服务之中。我们要通过政府和社会的共同努力,给所有的孩子一所安定的学校。

第三节　教育资源公平配置

教育是民族振兴的基石,教育公平是社会公平的基础。2009 年 3 月 5 日,温家宝同志在政府工作报告中,强调要促进教育公平,落实好城乡免费义务教育政策,提高农村义务教育公用经费标准,提高义务教育阶段教师待遇和师资力量。党和政府针对我国教育发展不平衡问题十分重视,而教育资源配置公平是教育公平的前提和内在要求。

统筹城乡发展、加快城镇化进程是我国下一阶段改革发展的主导战略之一,也是"十二五"规划的重中之重。据预计,"十二五"期间,中国的城镇化率将超过 50%。而在接下去的几十年内,中国的城镇化水平仍有大幅度提高的潜力和空间。诚然,城镇化能为中国经济持续增长注入活力并提供动力,但迅速的城镇化过程已经在不断冲击着现有的体制,不仅给我国的土地、户籍、医疗、社会保障等体系造成了压力,还对我国的教育资源配置提出了重大挑战。

一、我国教育资源配置现状

由于我国客观经济条件的制约,对教育投入不足,加上教育资源配置不平衡,已经严重制约了教育事业的健康发展和社会公平的实现。我国教育资源配置不公平问题主要表现在以下几个方面:

1. 不同教育阶段不公平

由于历史的原因,我国政府将有限的教育资源过多地投向了高等教育,而对基础教育投入很少。按照国际通行标准,人均 GNP 600—2 000 美元的国家,小学、中学、大学三级教育经费的比例应为 40.5：29：17.9,生均经费为 1：2.5：9.2,而我国 1993 年上述相应比例分别是 32.25：36.12：23.41 和 1：2.23：25,到 2001 年为 102.40：91.40：66.60 和 1：1.27：10.56,教育资源配置明显多偏向高等教育。

2. 区域不公平

我国东、中、西部地区经济发展差距很大,导致在教育经费投入、办学条件、师资水平差异也很大,而高考录取中高校名额分配不公平进一步扩大了这种差距。据 2007 年的"两会"上，来自湖北的人大代表洪可柱的分析：在同等条件下，清华、北大如果在湖北有一个招生指标，那么在北京就有 25 个指标，造成"在北京能上清华北大的分数在一些地方上不了重点大学，在北京能上重点的，在一些地方无学可上。"这是多么的不公平。

3. 城乡不公平

我国是一个典型的城乡二元制结构社会，长期以来，在教育政策上以"城市为中心"，重城市轻农村。在办学条件、教育投入、师资水平、城乡人口受教育机会和受教育水平等方面实行两种配置标准，如在教育的投入上城市学校的教育经费全部由城市政府负责，农村学校的经费由乡镇负责，注定了农村义务教育在投入上由于制度原因而造成的弱势地位。

4. 校际不公平

近年来，政府将较多的教育资源投入到了城市的重点学校，导致了择校热，造成了重点学校与普通学校之间在生源、办学规模、教学设施、师资力量、教育质量方面的差距越来越大。

5. 不同阶层间教育的不公平

现阶段我国社会各阶层之间的家庭收入和生活方式的差异越来越大，各阶层所占有的经济资源、政治资源、文化资源和社会资源明显不同。反映在教育上，地位高，资源丰富的家长能为子女谋取较好的教育机会和资源，人们渐渐感觉到不同社会阶层的子女教育的差距明显增大。因社会分层导致的不同利益群体的形成，已成为影响教育公平的重要原因。

二、教育资源配置不公平的原因分析

1. 现行教育政策与体制不完善

没有深入全面考虑到广大农村地区和中西部省份的客观实际和教育需要。城乡二元、重点和非重点二元这种双重的二元结构，是影响我国教育公平的最基本的制度结构。

2. 政府对教育的投入严重不足

国家财政性教育支出占 GDP 的比重一直低于国际平均水平,也没有达到规定的 4% 的指标。

3. 分级管理体制的影响

"地方负责,分级管理"的体制明确了地方政府的责任,调动了地方政府办学积极性,但由于各地的社会经济发展不平衡,法律不健全,管理与监督体制不完善,一些地方政府对教育不重视,甚至挤占、挪用教育经费,从而拉大了各地教育发展的差距。

4. 国家对教育的投资不均衡

(1)人为地向城市特别是大城市倾斜,在城市中又向重点学校倾斜,过分重视高等教育而对基础教育投入不足。固定政府投资比例,并考虑到地区差异。

(2)合理分配义务教育资源,缩小校际差距,严格执行就近入学制度。

(3)关注弱势群体,实行补偿原则,全面实现义务教育公平。

三、教育资源公平配置的内涵

教育资源的公平配置是实现教育公平的前提和内在要求,目前,教育资源不公平分配问题已成为制约中国教育公平化发展和可持续前进的重要"瓶颈"。

公平、平等是人类的永恒追求,教育公平是社会公平的起点和核心,其实质是人们在教育领域中对全社会的教育权利和教育资源做出公平的分配,而教育资源配置公平与否直接关系到教育公平的实现程度。教育资源配置就是将有限的教育资源在各级各类教育之间,在各地区和各学校之间进行分配。教育资源公平配置的实质是在教育机会均等原则的支配下,资源配置主体通过制定与调整相关的教育政策和法律制度来进行教育资源调配,为教育系统内部各组成部分或不同子系统提供均衡的教育资源,使教育资源需求与供给达到相对公平的状态,并最终落实到受教育者个体对教育资源的使用上,实现教育资源效益最大化。

四、教育资源公平配置的三个合理性原则

教育公平是教育资源配置方面平等原则、差异原则、补偿原则的统一。追求平等、尊重差异、补偿差距都是教育公平的体现。

1. 平等原则

平等原则主要包括受教育权平等和教育机会平等两个方面。

(1)受教育权平等要求一切权利主体享有相同或者相等的权利。不受性别、身份、出身、地位、职业、财产、民族等附加条件的限制。

(2)机会平等是在权利平等的基础上所设立的制度要保证社会成员都始终均等。它包括教育起点平等和教育过程平等,实质上指获取教育资源机会的平等。

2. 差异原则

根据受教育者个人情况区别对待,表现为教育资源配置时的差异性,它反映的是"不同情况不同对待"原则,尊重学生的选择,提供多样的教育资源让学生能够选择,提供多样化的选择意味着差异与不同,但意味着公平。从终级意义上说,让每个学生的个性与禀赋得到充分发展是最公平的。

3. 补偿原则

关注受教育者的社会经济地位的差距,并对社会经济地位处境不利的受教育者在教育资源配置上予以补偿。这样配置教育资源是不平等的,但却是公平的,罗尔斯认为,只允许那种能给最少受惠者带来补偿利益的不平等分配,任何不平等的利益分配都要符合最少受惠者的最大利益。教育资源配置的补偿原则对于教育的均衡发展具有重要价值,根据补偿原则,教育资源要向弱势地区,弱势学校和弱势群体倾斜。

五、教育资源公平配置的对策

1. 牢固确立教育公平和社会公平的理念

加大宣传教育力度,在全国范围内,无论是政策制定者、学校管理

者,还是教学实施者都必须确立自觉维护教育公平的理念。

2. 强化政府责任,加大财政性教育经费的投入,合理分配有限的教育资源

(1)建立合理财政转移制度,向农村贫困地区和西部地区倾斜,缩小地区差异。转移支付要确定固定的政府投资比例,并考虑到地区差异。

(2)合理分配义务教育资源,缩小校际差距,严格执行就近入学制度。

(3)关注弱势群体,实行补偿原则,全面实现义务教育公平。

3. 加强和完善教育立法

目前的教育法律法规在教育公平问题上,主要集中在教育权利的平等上,对于教育机会均等的实现问题理论分析多,法律实践少,因此,应强调有关法律实践的研究,并在教育法律法规上体现出来。对学校乱收费、搞重点校(班)、高价择校、钱学交易、权学交易等行为,要从立法上加以限制。

4. 加快制度创新,改革现行不合理的教育制度,建立受教育群体的利益表达和利益协调机制

(1)我国应该建立可选择性的教育制度。赋予每个社会成员以更广泛的教育选择权利是教育公平的重要内涵,为此国家应改革现行学制,建立可选择的教育制度来体现教育的公平性。

(2)要加快建立现代学校制度,逐步形成政府依法管理、学校自主办学和自我发展的良性机制。学者们特别强调要创新农村教育制度,改革农村基础教育,提高农村劳动力的整体素质,为农业经济发展培养人才。

六、城镇化背景下的农村基础资源优化配置

城镇化过程中的人口转移造成的校舍、师资等农村教育资源的相对过剩,是我国农村教育发展的一大有利条件。我国应有效盘活存量资源,合理配置增量资源,在加强农村基础教育的同时,努力发展职业

技术教育,开展农业技术培训,强化农村人口思想素质教育,全面提高农村人口素质,满足城镇化的要求。

1. 充分发挥现有教育资源的作用,加强农村基础教育

20世纪90年代以来,我国把普及九年制义务教育的重点放在了农村,通过政府转移支付加大了对贫困农村地区基础教育发展的财政支持,农村基础教育,特别是农村九年制义务教育的发展取得了一定的成效。然而,目前我国农村基础教育依然薄弱,农村中小学教育经费和教师工资的拖欠问题没有得到彻底解决,农村学龄人口失学现象还很严重。其中,教育经费和教师工资的拖欠,一定程度地促成了农村基础教育收费相对较高的现状,而农村基础教育收费超出农村家庭的负担能力,又是导致农村学龄人口失学现象严重的主要根源。

城镇化带来的校舍、师资等农村基础教育资源的相对过剩,为我国农村基础教育的强化提供了一定的条件。首先,我国可通过撤销一些规模过小的中小学,合并一些分布较密集的中小学,进行农村基础教育资源的整合,实现存量基础教育资源的优化配置;其次,我国可通过加大政府对农村基础教育的投入,彻底解决农村中小学教育经费和教师工资的拖欠问题,降低农村基础教育的收费标准,为农村教育的发展提供必要的前提保障;另外,我国可通过宣传教育,强化农村人口对教育重要性的认识,增加农村人口的受教育热情,充分发挥现有教育资源的作用,实现农村基础教育的普及。

2. 利用闲置教育资源,发展职业技术教育,为农村劳动力向城镇转移服务

我国城乡劳动力受教育程度差别很大。据《中国劳动统计年鉴》(2005),2004年,我国乡村农、林、牧、渔劳动者中,初中及以下文化程度的占92.6%,高中及以上文化程度的占7.4%;城镇就业人员中,初中及以下文化程度的占26.0%,高中及以上文化程度的占74.0%。

城乡劳动力受教育程度的巨大差别,以及农村劳动力专业技能培训的短缺,使得我国城镇化过程中的劳动力转移出现了供求结构失衡的现状。一方面,现代工业部门新岗位的增加,需要大量有文化、有技能的劳动力的补充;另一方面,农村剩余劳动力缺乏向工业部门转移的基本素质,主要转向城镇的制造业、建筑业、批发零售贸易及餐饮业、社会服务业等劳动密集型产业。而城镇劳动密集型岗位不能满足农村剩余劳动力的大量需求。

农村劳动力转移这种供求结构失衡现状的改善,急需农村教育发展提供强有力的支持。我国应利用农村闲置教育资源,积极发展职业技术教育,为农村劳动力向城镇的转移服务。

3. 利用闲置教育资源,开展农业技术培训,为农村劳动生产率的提高服务

我国土地资源紧缺,农业劳动生产率的提高在我国尤为重要。然而,长期以来,由于农村劳动力资源的丰富,我国的农业生产普遍以劳动密集型的小农生产活动方式为主,劳动生产率提高缓慢,主要农产品生产成本高,产量低,品质差,进口增长压力巨大。

城镇化水平的快速提高,使得我国农业人口迅速减少,农村劳动力的过剩局面将逐步得以扭转。随着农村劳动力过剩这一制约农业劳动生产率提高的重要因素的消除,农村劳动力素质低下将成为制约农业劳动生产率提高的首要因素,需要农村教育发展为农业劳动生产率的提高提供强有力的前提保障。

据《中国劳动统计年鉴》(2005),截至 2004 年年底,在我国的乡村农、林、牧、渔劳动者中,不识字或识字很少的占 8.2%;小学文化程度的约占 34.9%;初中文化程度的约占 49.4%;高中文化程度的占 6.8%;大专及以上文化程度的约占 0.6%,很少有人接受过农业生产技术培训。

可见,我国发展农村教育、提高农村劳动力素质的任务十分迫切,也十分艰巨。我国应利用农村闲置教育资源,积极开展农业技术培训,为农村劳动生产率的提高服务。

4. 借助闲置教育资源,强化法制、道德教育,提高农村人口思想素质

由于我国农业生产和农村发展的落后,农村人口还没有摆脱小生产者的习惯和心理,农村人口素质的低下不仅仅在于其文化程度和劳动技能的低下,还在于其思想素质整体水平的低下。与城镇人口相比,农村人口思想素质的低下主要表现在公民意识的淡薄和自强自立

素质的缺乏。

(1)公民意识淡薄,存在严重的个人主义和无政府主义思想。一方面表现为只关心个人、家庭利益以及眼前利益,对集体事物和公共事物缺乏热情;另一方面表现为遇到问题想不到依靠政府,不懂得借助相关政策法规保护自己的合法权益。

(2)缺乏自强自立的思想素质。一方面表现为大多数农村人口因循守旧,安于现状,缺乏创业冲动和致富热情,甘于贫穷和碌碌无为。另一方面表现为转移到城镇的农村劳动力犯罪活动频繁。在我国的经济发达地区,流动人口犯罪案件占案件总数的比例已达到60%以上,个别地区高达80%~90%。

毫无疑问,农村人口思想素质的提高,需要农村教育发展的推动。我国应借助农村闲置教育资源,强化农村人口的法制、道德教育,努力提高农村人口的思想素质。

七、城镇化背景下的城镇基础资源优化配置

城市政治文明、精神文明和物质文明的建设主要依靠教育发展的推动,各级各类教育的发展,是城市精神的重要标志之一。伴随着快速城市化,我国的城市教育,特别是高等教育,得到了空前的发展。然而,从教育资源配置的角度看,我国城镇各级各类教育的发展较不均衡,出现了快速城市化背景下的城镇基础教育资源的相对紧缺,造成了城镇小学不能满足学龄儿童入学需求、城镇中学升学率的提高越来越受到教学资源不足的限制。

城镇中小学教育是城镇教育的重要基础,直接关系到我国城镇人口素质的提高,随着我国城市化进程的推进,城镇中小学教育对我国人口素质全面提高的作用也将越来越大。针对目前我国城镇基础教育的现状,可以通过扩大名校办学规模、加大对非"重点"学校的投入力度、发挥市场在教育资源配置中的作用等,实现城镇基础教育资源的优化配置。

1. 扩大名校办学规模,充分发挥名校的辐射作用

城镇中小学中的名校,是经过多年积累发展起来的城镇重点中小

学中的佼佼者,不仅拥有优越的办学条件、过硬的师资队伍,还拥有先进的教育理念、深厚的文化内涵。通过扩大名校办学规模,增加教育资源供给,可充分发挥名校的辐射作用,在短期内发育形成新的优质教育资源,使新增教育投入收到事半功倍的成效。

名校办学规模的扩大,既可依靠政府的力量,也可依靠企业组织、个人等民间投资;既可以在同城展开,也可以在异地进行;既可以是新建形式的规模的扩大,也可以是对原有薄弱学校的重组改造。

2. 加大对非"重点"中小学的投入力度,实现各级各类城镇基础教育学校的均衡发展

从学龄人口的受教育权利的角度看,所有中小学生享有平等的受教育的权利,理应享受同等质量的基础教育资源。然而,我国城镇基础教育资源的分配并不均等,政府对重点学校的投入明显高于普通学校,社会各界对重点学校的关注也明显多于对普通学校,导致重点学校与普通学校之间的差距越来越大。在目前城镇基础教育资源,特别是优质基础教育资源严重紧缺的情况下,我国应致力于全面提高各级各类城镇基础教育的质量,在基础教育资源的配置上给普通学校以优先考虑,最起码应做到公平合理,避免马太效应,实现各级各类城镇基础教育学校的均衡发展,力求从"质"和"量"两个方面为社会提供基础教育资源保障。

应当指出,加大对城镇非"重点"中小学的投入力度,主要依靠政府,政府不仅应对现有城镇基础教育资源的配置做出调整,还应在城镇新增基础教育资源的配置上给普通学校以倾斜,并应在制度上加以规范,保证各级各类城镇基础教育学校的均衡发展。

3. 发挥市场在教育资源配置中的调节功能,实现城镇基础教育的供需平衡

市场调节是引导资源向效益高、信誉好的部门流动,实现资源优化配置的最有效途径。多年来,政府有限财力对少数重点学校的支持,造成了我国城镇基础教育资源分布的不均衡。城市化则加剧了城镇基础教育资源的紧缺;并对城镇基础教育的发展提出新的更高的要求。想要尽快实现我国城镇基础教育资源的供求均衡与优化配置,发

挥市场对教育资源配置的调节功能,十分必要。

对于城镇基础教育资源配置中市场调节功能的发挥,首先应允许多种投资主体参与办学,鼓励非公立学校的创立与发展,在财力、物力的配置上发挥市场的调节功能。非公立学校的发育,既可以减轻政府兴办教育的压力,也可在城镇基础教育中引入竞争机制,促进城镇基础教育整体水平的提高。而且,在中心城市以及其他发达地区的城镇,家长承受能力较强,希望其独生子女享受高水平、高质量的基础教育资源的愿望较强烈,高水平、高质量的私立学校的发育具有较好的前景。其次,应改革中小学教师的人事管理制度,吸纳和聚集尽可能多的优秀师资从事城镇基础教育工作,在师资配置上发挥市场的调节功能。高素质的师资队伍是办学水平和质量提高的主要依靠,中小学教师人事管理制度的改革,可在实现城镇基础教育师资队伍优化配置的同时,强化在岗教师的竞争意识,督促在岗教师不断提高自己的知识水平和教学能力,有利于城镇基础教育质量的逐步改善。

第四节　义务教育下的特殊政策措施

一、城镇教育支援农村教育

面对建设社会主义新农村的新形势和全面实施素质教育的新要求,农村教育要在新的发展起点上,全面提高教育质量和水平。农村教育的关键在教师。近年来,我国中小学教师队伍建设取得重要进展,但是,农村师资力量总体薄弱的状况仍未得到根本改变。随着农村经济社会发展和农村义务教育经费保障机制的逐步建立,进一步加强农村师资力量成为发展农村教育的当务之急。为此,必须采取有效措施,不断推进制度创新,积极探索建立提高农村教师队伍整体水平的新机制、新办法,解决农村教师队伍建设面临的突出问题,逐步缩小城乡教师队伍差距。

城镇教师支援农村教育,是当前加强农村教师队伍建设的一项重要措施。为切实推进城镇教师支援农村教育工作,2006年2月6日,教育部颁布了教育部《关于大力推进城镇教师支援农村教育工作的意见》，相关规定如下所述。

1. 从建设社会主义新农村的战略高度，充分认识城镇教师支援农村教育工作的重要意义

（1）推进城镇教师支援农村教育工作，是贯彻落实"城市支持农村、工业反哺农业"重要方针的具体行动，是统筹城乡教育协调发展、优化教师资源配置、解决农村师资力量薄弱问题的重大举措，也是适应农村城镇化进程加快、农村学龄人口和教师供求关系变化的必然要求，对于提高农村教育质量、促进义务教育均衡发展、加快社会主义新农村建设具有重要的战略意义和现实意义。

（2）各级教育行政部门要充分认识组织城镇教师支援农村教育工作的重要意义，在当地党委、政府领导下，紧紧抓住当前有利时机，把这项工作纳入农村教育发展总体规划并摆在突出位置。要进一步强化政府对农村教育服务的重要责任，采取有力措施，建立长效扶持机制，探索有效途径，因地制宜、创造性地组织开展城镇教师支援农村教育工作，逐步形成制度，长期坚持，切实加强农村师资力量，为农村教育发展提供人才保障。

2. 以推进城镇教师支援农村教育为重点，不断优化和提高农村教师队伍的结构和素质

（1）积极做好大中城市中小学教师到农村支教工作。省级教育行政部门要加强统筹协调，根据农村学校实际需求，制订本地大中城市中小学教师到农村支教计划，并负责组织实施，重点充实边远贫困地区教师资源薄弱学校的师资力量。要加大对口支援工作力度，进一步建立和完善本行政区域内长期稳定的"校对校"对口支援关系，鼓励和支持城镇办学水平高的中小学与农村学校建立办学共同体，通过"结对子"、"手拉手"等多种有效形式，促进优质教育资源共享。继续实施"东部地区学校对口支援西部贫困地区学校工程"，支援省份和受援省份要不断总结经验，巩固支教成果，进一步加大东部对西部的教育支持力度。

（2）认真组织县域内城镇中小学教师定期到农村任教。县级教育行政部门要在县委、县政府的领导下，加强教师统筹管理工作，合理配置城乡教师资源，认真做好县域内城镇教师支援农村教育的规划；严格控制城镇中小学教师编制，适当提高农村中小学中、高级教师职务的结构比例，积极促进城镇学校教师向农村学校流动，定期选派城镇学校教师到农村学校交流任教，并统筹安排落实好其他城市的教师到当地农村支教的工作。各地要严把教师"入口关"，对急需补充的新教师，应坚持高标准、高起点的原则，严格实行公开招聘制度，优先满足农村中小学的需要。

二、特岗教师

特岗教师是中央实施的一项对西部地区农村义务教育的特殊政策，通过公开招聘高校毕业生到西部地区"两基"攻坚县县以下农村学校任教，引导和鼓励高校毕业生从事农村义务教育工作，创新农村学校教师的补充机制，逐步解决农村学校师资总量不足和结构不合理等问题，提高农村教师队伍的整体素质，促进城乡教育均衡发展。

1. 实施范围

2006 年，教育部、财政部、原人事部、中央编办下发《关于实施农村义务教育阶段学校教师特设岗位计划的通知》，联合启动实施"特岗计划"，公开招聘高校毕业生到"两基"攻坚县农村义务教育阶段学校任教。原则上安排在县以下农村初中，适当兼顾乡镇中心学校。从 2009 年起，实施范围进一步扩大。

2013 年中央特岗计划实施范围为：《中国农村扶贫开发纲要（2011—2020 年）》确定的 11 个集中连片特殊困难地区和四省藏区县、中西部地区国家扶贫开发工作重点县、西部地区原"两基"攻坚县（含新疆生产建设兵团的部分团场）、纳入国家西部开发计划的部分中部省份的少数民族自治州以及西部地区一些有特殊困难的边境县、少数民族自治县和少小民族县。

主要包括下列地方：河北、山西、内蒙古、辽宁、吉林、黑龙江、安徽、江西、河南、湖北、湖南、广西、海南、重庆、四川、贵州、云南、陕西、甘肃、宁夏、青海省。

2. 实施原则

(1)坚持范围,严格条件。纳入"特岗计划"的县(市、区),必须是教师总体缺编、结构性矛盾突出,财力比较困难,但工作基础好、积极性高的县(市、区),"特岗计划"实施期内原则上不得再以其他方式补充新教师。

各设岗县要在核定的编制总额内招聘聘期已满、考核合格、愿意继续留在当地任教的"特岗计划"教师。

(2)中央统筹,地方实施。教育部、财政部、中华人民共和国人力资源和社会保障部、中央编办制订总体规划和年度计划,提出"特岗计划"教师总量指导性意见。我省"特岗计划"的实施工作,在省政府领导下,建立省政府分管教育的秘书长和省教育厅、财政厅、人事厅、省编办分管负责人参加的联席会议制度,统筹组织,统一安排。

3. 资金安排

"特岗计划"教师在聘任期间,执行国家统一的事业单位工资制度和标准,津贴、补贴由各地根据当地同等条件公办教师年收入水平综合确定。"特岗计划"教师年收入水平原则上不低于当地同等条件公办教师年收入水平。

"特岗计划"所需资金由中央财政和地方财政共同承担,以中央财政为主。中央财政设立专项资金,用于"特岗计划"教师的工资性支出,从 2012 年起,中央财政特岗教师工资性补助标准提高为西部地区人均年 2.7 万元,中部地区人均年 2.4 万元,与地方财政据实结算。

设岗县财政负责落实用于解决特设岗位教师的地方性津补贴、必要的交通补助、体检费和按规定纳入当地社会保障体系,享受相应的社会保障待遇应缴纳的相关费用。省级财政在计算各地一般性转移支付资金时,将其纳入标准支出计算范围。月工资根据当地在编教师工资水平发放(比如湖南:专科 1 147 元/人,本科 1 247 元/人,女生加 20 元,仅供参考。)

4. 职责划分

(1)省教育厅:牵头起草 2008 年"特岗计划"的实施方案、招聘办法、招聘简章等,提交相关部门共同研究确定;负责收集各地对特设岗位教师的需求计划、提出各设岗县岗位设置计划方案,提交相关部门共同研究确定;负责特设岗位教师公开招聘的统筹管理和具体实施的相关协调工作;负责指导相关市(州)教育局对拟招聘特设岗位教师岗前培训;负责对特设岗位教师的跟踪了解和评估等宏观管理工作。

(2)省财政厅:负责统筹落实"特岗计划"应由地方负担的经费;对省级部门实施"特岗计划"安排专项资金;加强专项资金管理。

(3)省人事厅:深化中小学人事制度改革,按照事业单位人员公开招聘的规定,会同教育厅共同做好特设岗位教师的招聘工作。

(4)省编办:加强对全省中小学教职工编制使用及结构管理工作的监督、检查,指导全省中小学教职工的编制规范管理。

(5)相关市(州)教育、财政、人事、编制等部门按省里统一要求,协调组织本辖区各设岗县岗位设置及申报、特设岗位教师的招聘和管理工作,各设岗县教育、财政、人事、编制等相关部门具体负责本县(市、区)的岗位设置与申报、特设岗位教师的招聘及日常管理与考核等相关工作。

5. 特岗教师招聘

(1)招聘对象。

1)全日制普通高校师范类专业应届本、专科毕业生。

2)全日制普通高校具备教师资格条件的非师范类专业应届本科毕业生。

3)取得教师资格,同时具有一定教育教学实践经验、年龄在 30 岁以下且与原就业单位解除了劳动(聘用)合同或未就业的全日制普通高校往届本科毕业生。

(2)招聘程序。特设岗位教师的招聘遵循"公开、公平、自愿、择优"的原则。招聘工作按下列程序进行:

1)公布岗位、招聘人数等条件。

2)自愿报名。

3)资格审查。

4)考试和考核。

5)体检。

6)确定招聘人选。

7)岗前培训。

8)教师资格认定。

9)签订协议。

10)派遣上岗。

具体招聘工作按各地方的特设岗位教师招聘办法执行。

(3)条件要求。

1)政治素质好,热爱社会主义祖国,拥护党的各项方针、政策,热爱教育事业,有强烈的事业心和责任感,品行端正,遵纪守法,在校或工作(待业)期间表现良好,未受过任何纪律处分,为人师表,志愿服务农村基层教育。

2)符合教师资格条件要求和服务岗位要求(应聘初中教师的学历要求原则上为本科及以上,所学专业与申请服务的岗位学科一致或相近)。

3)身体条件。身体条件符合当地要求,并能适应设岗地区工作、生活环境条件。

(4)聘后管理。特设岗位教师聘用后的日常管理与考核主要由设岗学校和设岗县教育行政部门负责。每年度结束,各设岗学校要对本校特设岗位教师的政治思想表现和工作情况进行综合考核,评定考核等次,并报县教育行政部门审核后存入其工作档案。

特设岗位教师聘用期间,其户口根据本人自愿,可留在原籍,也可迁至工作学校所在地或工作学校所在地的县城;党(团)组织关系转至工作单位,并应积极主动参加工作单位的党(团)组织活动;特设岗位教师人事档案原则上由服务县政府人事行政部门人才服务机构免费管理。服务期满后,被国家机关、国有事业、企业单位正式录(聘)用的,在服务期间建立的工作档案和党团关系按规定转到具有人事管理权限的相关单位管理或由政府人事行政部门人才服务机构代理;其他人员的工作档案和党团组织关系按照中组部、原人事部人发〔1996〕118号文件规定,直接转到原生源所在地政府人事行政部门人才服务机构。

6. 相关政策

（1）为吸引更多优秀高校毕业生到农村学校任教，按照"自愿报名、择优选拔"的原则，对具备以下条件的报名者在面试成绩中给予适当加分：

1）少数民族学生加2分。

2）省级优秀毕业生、省级及以上"三好生"加4分，校级"三好生"加2分。

同时具备以上几个加分条件的学生，可以累计加分，最高加分不得超过6分。

3）参加"大学生志愿服务西部计划"、"三支一扶"计划支教服务且服务期满的志愿者和参加过半年以上实习支教的师范院校毕业生以及生源地考生在同等条件下优先招聘。

（2）特设岗位教师在聘期内，由县级有关部门对其进行跟踪评估。对成绩突出、表现优秀的，给予表彰；对工作不扎实、不按合同要求履行义务的，要及时进行批评教育，督促改正；对不履行合同要求的义务，经教育仍无转变，不适合在教师岗位继续工作的，应解除协议。

各设岗县（市）和学校，要为特设岗位教师提供必要的周转房，方便教师的工作和生活。

（3）特设岗位教师享受国家《关于引导和鼓励高校毕业生面向基层就业的意见》（中办发〔2005〕18号）、《关于组织开展高校毕业生到农村基层从事支教、支农、支医和扶贫工作的通知》（国人部发〔2006〕16号）和我省《关于引导和鼓励高校毕业生面向基层就业的实施意见》（川委办〔2005〕34号）、《关于进一步完善"三支一扶"计划志愿者有关政策的通知》（川人发〔2007〕16号）规定的有关优惠政策。

（4）"特岗计划"的实施可与"农村学校教育硕士师资培养计划"相结合。符合相应条件要求的特设岗位教师，可按规定推荐免试攻读教育硕士。特设岗位教师3年聘期视同"农村学校教育硕士师资培养计划"要求的3年基层教学实践。

（5）特设岗位教师3年聘期结束后，对考核合格，自愿留在本地学校的,经县级政府教育行政部门审核,县级政府人事行政部门批准,由县级教育行政部门办理事业单位人员聘用手续,按照有关规定办理上编制、核定工资基金等手续,并分别报省、市(州)人事、教育行政部门备案,同时将其工资发放纳入当地财政负担范围,保证其享受当地教师同等待遇。

三、深化农村义务教育经费保障

为促进农村义务教育持续健康发展,2005 年 10 月,党的十六届五中全会对深化农村义务教育经费保障机制改革做出决策。12 月,国务院发出《关于深化农村义务教育经费保障机制改革的通知》,决定从 2006 年开始,用 5 年时间,将农村义务教育全面纳入公共财政保障范围,建立中央和地方分项目、按比例分担的农村义务教育经费保障机制。2008 年,中央出台农村义务教育阶段学校公用经费基准定额。2009 年,农村义务教育阶段学校公用经费基准定额全部落实到位。2010 年、2011 年两次提高农村义务教育阶段学校生均公用经费基准定额,达到中西部地区小学生均每年 500 元、初中生均每年 700 元,东部地区小学生均每年 550 元、初中生均每年 750 元。

农村义务教育经费保障机制改革实施后,农村学校公用经费大幅提高,办学条件得到进一步改善,农村义务教育的普及水平得到进一步巩固提高,城乡之间义务教育发展水平的差距进一步缩小,为高质量、高水平地普及和巩固农村义务教育提供了有力保障。

第五节　城镇化进程中的职业教育

2002 年全国职业教育工作会议以来,各地区、各部门认真贯彻国务院《关于大力推进职业教育改革与发展的决定》加强了对职业教育工作的领导和支持,但从总体上看,职业教育仍然是我国教育事业的薄弱环节,发展不平衡,投入不足,办学条件比较差,办学机制以及人才培养的规模、结构、质量还不能适应经济社会发展的需要。为了进一步贯彻落实《中华人民共和国职业教育法》和《中华人民共和国劳动法》,适应全面建设小康社会对高素质劳动者和技能型人才的迫切要求,促进社会主义和谐社会建设,做出国务院《关于大力发展职业教育的决定》。

一、职业教育简介

职业教育是指让受教育者获得某种职业或生产劳动所需要的职业知识、技能和职业道德的教育。如对职工的就业前培训、对下岗职工的再就业培训等各种职业培训以及各种职业高中、中专、技校等职业学校教育等都属于职业教育。职业教育的目的是培养应用人才和具有一定文化水平和专业知识技能的劳动者,与普通教育和成人教育相比较,职业教育侧重于实践技能和实际工作能力的培养。

职业教育是社会发展的产物,是人类文明发展的产物,也可以说是人自身发展的产物,而且是发展到某个特殊时期的产物。职业教育受益于社会,社会也可受益于职业教育,促进社会发展是职业教育的应有之义和神圣职责。

二、职业教育在城镇化建设中的地位与作用

1. 发展职业教育是确保农村剩余劳动力有效转移的必要前提

城镇化过程的实质是生产力的发展引起人口与其他经济要素由乡村向城镇的转移,而作为城镇化主要特征之一的人口转移又会受到转移劳动力受教育程度的重要影响。托达罗人口流动模型认为,农村劳动力做出向城市迁移的决策取决于城乡预期的收入差异,而不是城乡实际的收入差异。农村居民的受教育程度越高,其向城市转移的预期收入也就越高,因此迁移的可能性也就越大。同样有其他研究表明,发展中国家的农村人口向城市迁移的倾向与其受教育水平之间存在着正相关关系,农村劳动力的受教育年限越长,程度越高,对职业身份意识和职业选择的非农化倾向就越强烈,城镇对他们的吸引力也更加明显,进入城镇以后的"回流率"也更低。由于我国农村劳动力的迁移是一种因为农村经济收益远低于城镇经济收益而促使农村人口向城镇的主动迁移行为,这与欧洲一些国家早期城镇化过程中依靠农民破

产而进入城镇有着很大的不同,在我国惠农政策陆续出台以及新农村建设稳步推进的大背景下,农业的生产效率与经济效益将逐步提高,这时农村对剩余劳动力所起的推动力必将逐渐减弱,而教育拉动农村劳动力转移的作用也将越发突出。但长期以来我国农村大部分地区的教育基础设施建设滞后,教育教学水平与质量不高,很多农民对教育问题仍然不够重视,这都使得农村人口接受教育的程度非常有限,很多进城农民除了一身力气之外根本不具备在城镇长期工作生活所必需的劳动素质与专业技能,因此他们的迁移行为是一种缺乏持续性与稳定性的"两栖式"迁移,一旦遇到经济衰退,就会有大量农民工"回流"现象的发生,这对我国城镇化建设的持续与稳定推进必将产生巨大的负面影响。而且,随着经济社会的不断进步与发展,各行各业对劳动力素质的要求也将越来越高。职业教育由于其具有专业性、实用性、多样性与可变性等特点,使得其针对性强、实用性高、覆盖面广,能够使更多的农村劳动力获得接受教育、提高素质、增强技能的机会。并且,随着我国政府对"三农"问题的重视程度不断加深,原来限制农村劳动力转移的土地政策、户籍制度等外部"瓶颈"也将被逐渐打破,这就为农村人口的顺利迁移创造了更为宽松的政策环境。因此,大力发展职业教育,通过职业教育有效增加广大农民受教育的机会,进而提高他们的劳动素质,提升他们的择业、就业与创业能力,就是破除制约农村劳动力转移的内部"瓶颈",实现他们快速有效转移的必要前提,同时更是提升我国城镇化水平与质量的重要保障。

2. 发展职业教育是改善就业状况的有效途径

在城镇化的进程中,职业教育除了能够提高农村劳动力的整体素质,赋予他们一定的劳动技能之外,还有一个容易被人们所忽视的功能,那就是延长农村转移劳动力进入就业市场的时间,降低农村低龄青少年的劳动参与率。经济的发展往往呈现出一定的周期性,那么在经济不景气的时候,职业教育就可以作为劳动力的存储器,通过吸收和培养农村适龄劳动力的方式,部分缓解农村劳动力转移给就业市场带来的巨大压力,而且通过对他们的教育培训可以提高他们的整体素质和职业能力,为经济的复苏提前储备高素质的专业技能人才。我国现阶段虽然面临经济增长放缓、农民工大量"回流"的问题,但在某种程度上也为我国政府对农民工进行多样化的教育与培训、全面提升他们的职业素质与就业能力创造了一个有利的契机。

3. 发展职业教育是优化产业结构的有效途径

根据产业结构理论中的配第一克拉克定理有关经济发展过程中产业结构变化的表述,我们可以得知,由于第一产业与第二、三产业之间存在着收入弹性差异和投资报酬差异,使得一国就业人口在三次产业中的分布结构会随着经济的不断发展而发生变化,即国民收入和劳动力分布将从第一产业逐渐向第二、第三产业转移,并且劳动力的转移呈现出一种首先由第一产业向第二产业转移,之后再由第二产业转向以现代服务业为主的第三产业的特点。而与第一产业不同的是,第二、三产业大多都属于现代经济部门,对从业人员的素质要求普遍较高。统计资料显示,2000 年我国第一产业、第二产业和第三产业在业人员的平均受教育年限分别为 6.79 年、9.44 年和 10.8 年,其中第三产业的金融和保险行业的从业人员人均受教育年限达到 13.19 年。从以上统计我们可以看出,在二、三产业就业的人员受教育年限明显高于第一产业的就业人员。因此,通过发展职业教育提高农村转移劳动力的文化素质,是满足二、三产业对劳动力能力素质的要求以适应国家产业结构升级需要的重要途径。

4. 发展职业教育是缓解教育供需矛盾、提高国民素质的重要手段

随着我国城镇化的快速推进以及社会主义新农村建设的逐步深化,不管是农村滞留人口还是已进入城镇的农村转移劳动力,他们大都由于经济发展和城镇化进程而使得其收入水平得以提高,而收入的增长必定会提高他们对教育的支付能力。特别是对于农村转移劳动力来说,为了获得更好的工作以及更稳定的城镇生活,他们主动接受教育的意识会逐渐加强,随着他们个人教育支付能力的提高,他们的教育需求也将逐步提高,但就我国目前的实际而言,普通中、高等教育的总供给历来就十分短缺,教育公共基础设施的承载能力明显不足,而城镇化过程中产生的大量农村劳动力及其子女的教育需求问题就使得我国这种教育供需之间的矛盾更加尖锐和突出。因此,我国城镇

特别是大中城市长期以来都是通过向农民工子女征收赞助费等价格手段来抑制他们对于教育的需求,从而缓解城镇之中的教育供需矛盾。但不管是从维护教育公平还是从促进经济发展的长远角度出发,这种做法都不可取。

有学者曾经指出:在我国,大部分个人和团体对教育的需求都是出于投资目的,是他们对教育的预期收益与其他投资利益作比较后而产生的投资需求行为。而职业教育作为一种专业性突出、目的性明确的教育形式,比普通教育更能使受教育者获得一种明确的教育预期,又因为职业教育对受教育者实施教育的总年限通常比普通中、高等教育要短,因而对于受教育者而言,其教育成本也相应降低。当人们对收益无法明确衡量之时,可以预见的成本就会成为一个决定性的考虑因素,对于收入相对较低的农民工群体来说就更是如此。因此,通过职业教育实现教育的合理分流既能在一定程度上满足人们特别是农村转移劳动力对教育的需求,进而缓解紧张的教育供需矛盾;又能提高国民的整体素质,满足国家经济发展的需要。

5. 发展职业教育是维护城镇社会稳定的得力措施

改革开放以来,我国城乡居民收入差距逐渐扩大,社会转型时期所出现的社会矛盾与冲突不断增加,这其中的很大一部分冲突就来自于转移农民与市民之间由于社会资源分配和经济地位的巨大悬殊所形成的矛盾。而在当代社会,个人的受教育程度日益成为影响其收入水平的一个关键因素,研究人员在对农业部在河北、陕西、安徽、湖南、四川和浙江6个省农村地区进行的住户调查数据做出分析研究之后得出结论:农民工多一年小学毕业后的教育,其收入会增加约8.13%,可见初中及以上程度的教育对农村转移人口的个人收入有明显的拉动作用。而职业教育通过提高人们的收入水平,增强其教育的支付能力,降低家庭经济收入对教育资源分配的影响,就很好地为教育公平的实现提供了有力的保障。因此,在我国现有的国情条件下,大力发展作为普通中等教育和普通高等教育有力补充的中高等职业教育,对扩大农村人口受教育机会,提高农民收入水平,维护我国城镇化进程中的社会稳定都将发挥至关重要的作用。

三、城镇化进程中农村职业教育发展的问题

在国家大力发展职业教育的政策下,农村职业教育呈现了发展的势头,成为我国职业教育的组成部分。但是农村中等职业教育在发展还存在许多困难。办学方向不太明晰,招生困难,实习设备欠缺,师资力量薄弱,就业不稳定等。

1. 生源不足,质量较差

职业学校要发展招生是关键问题。中等职业技术教育尽管同普通高中一样,是初中生进行再教育的平台。但是尽管初中毕业生较多,但由于家长受传统教育观念的影响对中等职业技术教育的偏见,以及中国人旧有的面子问题,许多家长宁愿让孩子复读,也不愿意将孩子送往中等职业技术学校进行教育,这就造成了普通高中的生源供大于需,而中等职业技术学校的生源则需大于供。同时,生源成绩较差也是中等职业技术学校在生源上面临的问题。对于诸多家长而言,能让自己的孩子接受更为正规的教育是每个家长的心愿,但是在现在多数家长的心目中,正规的教育仅仅指接受九年义务教育以及高中教育,以及接受更高一层的大学本科教育。但是,由于学生学习成绩较差,不能够接受所谓的正规的高中教育,甚至于即使复读也很难上普通高中,同时由于中等职业技术学院提供的中专——大专——本科的受教育方式,使得许多家长抱有侥幸心理,将自己的孩子送往中等职业技术学校进行教育。这样,在成绩优异的学生上普通高中,成绩中等的学生复读上普通高中,成绩差的同学上中等职业技术学校的模式下,越来越多的成绩差的同学被输送到中等职业技术学校,就造成了中等职业技术学校生源成绩较差的问题的出现。入校学生的平均成绩还不到 300 分。这是由于招生困难,中等学校为了维持办学,文化基础再差的学生只要愿意读职校,还得招收进来培养。

2. 学校办学模式封闭

学校的建设起点普遍较低,财政投入少,收费低,基础设施差,实验设备落后,现代化教学手段装备不足,实习基地科技含量和产业化水平较低。许多教师还是习惯于传统教学方法一支粉笔、一本书,这

对于适用性很强的职业教育以及经济发展对人才的需求来说,已经严重地不能适应当前市场经济对人才的需求。

3. 经费不足,发展困难

近年来,国家对职业教育的投入不断增加,但是投入方向主要还在国家级、省级重点职业学校,有些地方的职业教育在学校办学经费、教学实训设施等方面投入严重不足,成为制约中等职业教育发展的"瓶颈",尤其是"农"字开头的学校与专中等职业技术教育缺乏经费是办学中遇到的最大困难。目前各中等职业技术学院的经费来源大致有几种情况:第一种是上级采用包干方式下拨经费。第二种情况是上级部门按该校当年所招学生的人数下拨经费。第三种情况是上级部门只拨该校教职工的工资和大型房屋基建费。尽管如此,有的地方政府对所属的中等职业技术学校的经费还逐年递减。由于经费的缺乏,各中等职业技术学校在办学上遇到了极大的困难;缺乏资金——缺乏投入—缺乏活力——陷入困境,办学效益差成了恶性循环。

4. 专业师资缺乏,水平偏低

(1)教师专业结构不合理。职业学校的教学不是让学生掌握高深的理论知识去解决深奥的理论和尖端科学问题,而是运用基本的理论和基本的操作技能去从事一线生产。所以,在总体教师的比例中,应当是文化课教师占较小的比例,而专业课教师占较大的比例。而目前,各职业学校却是文化课教师较多,专业课教师较少,专业课与实习指导课专任教师比例偏低,与职业学校的办学目标相悖。另外,在有限的专业课教师队伍当中,有一部分教师所教的并非是他所学和所擅长的专业,这或者是因为从前所教的专业已经为社会所不需要,就"改行"教其他的专业;或者是因为学校开设了新的专业,却没有相应的教师,只有让与此专业毫不相干的教师来代课。而所教的是自己所学专业的教师中真正具有专业技能和实践经验的教师就更是凤毛麟角了。专业课教师力量太过薄弱,直接影响学生专业技能的学习,那么学生遭遇就业难也是理所当然。

(2)教师的年龄结构不合理。职业学校的教师队伍建设必须考虑到年龄结构的问题,教师的年龄大体上应该有一个匀称的结构,才有利于学校的持续发展。一般来说,在一所成熟的学校,年龄在 30 岁以下的青年教师所占比例一般在 15%～25% 左右,中青年教师的比例一般为 40%～60% 左右。在目前,大多职业院校中 30 周岁以下的青年教师不足 10%,中老年教师与青年教师比例很不协调,可见,职业院校的教师队伍正面临"断层"危机。

(3)教师的职称结构不合理。教师队伍的职称结构基本上能反映出教师总体的学术水平和教学工作能力,师资队伍在职称上要高、中、低相结合,并有合理的比例,这样才有利于保持师资队伍水平的稳定和提高,有利于青年教师的培养,从而带来教学管理和教学质量的稳定和提高。

(4)教学任务十分繁重。

1)专业教师的工作量超负荷,使一些专业课教师的任教课时数严重超标。一般来讲,为保证教学质量,职业学校教师适宜的周工作量一般为 10～12 课时,个别的每周 20 课时以上,有的甚至每周 24 课时。高职院校相对工作量要少些。如此繁重的教学工作量,教师已没有时间批改作业、学习提高,更不用说去搞教科研了。

2)乱点鸳鸯谱,如某学校开设营销物流专业已有三年,现在没有一个专业教师,全由计算机、语文老师替补。

(5)"双师型"教师紧缺,有相关工作经验的教师奇缺。"双师型"教师是指具有中学一级以上职称,又具有某职业资格证书或在企事业工作多年的教师。按教育部规定高技能"双委教师"还达不到"双师型"教师要求,这些未达到"双师型"的教师有的是因为操作技能不过关,有的是因为没有取得中学一级及以上的职称。

职业教育有别于普通教育:普通教育偏重于培养理论型人才,而职业教育培养的重点是应用型技术人才。但现有的职业学校严重缺乏培养应用型技术人才的高技术素质教师。这种师资现状,必然影响职业院校的特色发展,也必然影响到职业院校为社会输送初、中级应用型技术人才的功能。如果这一现状长期不改变,必然导致职业院校毕业生毫无自身的特色,而同一层次、同一类型人才过剩,以致影响我国的经济发展。专业课教师数量不足,专业理论水平和实践能力不高,有的教师不能适应现代职业教育教学的要求。据有关资料统计,2008 年,农林类中职学校专任教师 1.7 万人,生师比约 38:1,和国家制定的高中阶段教育生师比 16:1 标准相比差距巨大。这与中等职业教育人才培养模式的要求也不适应。且学校待遇较低,优质师资也留不住。

5. 缺乏政策扶持

在中共中央、国务院、教育部下达的各种关于职业技术教育的文件中虽强调中等职业技术教育在整个教育体系和结构中的重要性,但在现实中,中等职业技术教育却遭遇了难以想象的政策困惑。迄今为止,特别是地方的各级政府及教育行政部门对中等职业技术教育则没有明确的政策扶持和倾斜,在许多地方教育部门中,仍然存在着对于中等职业技术学校的错误认识,认为中等职业技术学校是不良少年进行改造的基地,认为中等职业技术学校的毕业生很难掌握较硬的专业知识,很难真正地做到为社会做贡献的社会责任和义务。于是,在政策上,地方教育部门对于中等职业技术学校容易忽视,许多有利于中等职业技术学校发展的措施不能够及时地应用于中等职业技术学校上来,不利于中等职业技术学校的发展。

6. 校方存在认识问题

由于生源的不足以及学生成绩差的影响,这就致使许多校方领导产生了稳定大于一切的教育理念,只要学生不出乱子。专业教师缺乏造成许多教师力不从心,对专业知识缺乏认识,许多学生咨询的问题都无法解决,导致不能适应未来的岗位要求。在课程设置上极其不合理,教学内容落后,不能与企业的发展与时俱进,有的学校虽然开的专业听起来很多,可是学生学的基本一样,还有的学校实习设备紧缺,学生在学校就是学一点文化课,根本没有实习的机会,进而影响到以后学生在工作中的实际操作,不能够正确地操纵设备,影响企业的生产活动。专业设置、人才培养与新农村建设需求脱节。

前些年,一些学校没有找准自己的办学方向和定位,不在服务本地支柱、特色产业上下功夫,而是不顾自身条件的限制,大量设置同当地经济的主导产业脱节的"趋城化""、趋工化"和"趋同化"专业。在围绕新农村建设需求方面,对农民短期技能培训方面为零,这与本地区经济社会发展的需要不适应,也严重影响了学校优势的发挥和发展。

四、农村职业教育改革与发展思路

国务院《关于大力推进职业教育改革与发展的决定》指出:扶持农村地区、西部地区、少数民族地区和贫困地区的职业教育发展,要把职业教育和成人学校办成人力资源开发、技术培训与推广、劳动力转移和扶贫开发服务的基地。这个决定,深刻把握了广大的农村地区和欠发达地区的特点,为这些地区职业教育的发展指明了方向,具有很强的针对性、指导性和可操作性。

1. 农村职业技术教育要进一步明确为农业和农村服务的办学方向

我国农村职业教育走过了艰难曲折的历程,也有过辉煌。经验证明,农村职业技术教育必须明确为农业和农村服务的办学方针,要彻底摆脱那种轻视职业技术教育、鄙薄职业技术教育、入学为了升学、升学是为了"跳出农门"的思想,农村职业技术教育的发展必须立足于自己的基础与优势,否则都将是盲目的甚至是失败的。农村职业技术教育的基础是面向农业、面向农村、面向农民的,优势是具有农村科技人员和农业生产实习基地。为此,农村职业技术学校在办学方向上,必须以农为本,为民服务,充分认识农业是国民经济的基础,高度重视第一产业。同时,要认识到农村经济的发展,不仅是农业的发展,随着农村产业结构及农业内部结构的调整,高产、优质、高效农业的出现,农村经济出现多元化的格局,农、林、牧、副、渔及各行业都将得到不同程度的发展。因此,在专业设施及培养目标上,必须坚持一、二、三产业协调发展,农村需要什么人才,就培养什么人才,并尽力开拓为产品加工和多种形式的农村社会化服务体系,更好地为农业和农村经济发展服务。

2. 农村职业技术教育要继续实践和完善"宽、实、活"办学模式,努力探索农村职业技术教育的内在规律

"宽、实、活"是指拓宽专业,各专业相互渗透,培养一专多能的人才,夯实基础,灵活的学制。这样,学生就不再受专业限制、基础限制、

学制限制。这种模式,揭示了农村职业技术教育的内在规律,展示了农村职业技术教育改革与发展的方向。在社会主义农村市场经济体制建设过程中,继续实践和完善"宽、活、实"办学模式,将有助于农村职业技术学校端正为农服务的办学方向。为此,农村职业技术学校在培养目标上要加强适应规模经营人才和技术人才的培养,进一步改革招生办法,可实行全年候招生,在办学形式上,学制、教学方法、教学管理等方面灵活多样,适度超前,以利于适应农村市场经济的发展,才能架起农业、农村、农民的桥梁,使之通向现代、文明、富裕之路。

3. 农村职业技术教育要积极探索产教合作、校企合一,走自我发展的道路

农村职业技术教育探索产教合作、校企合一的道路,其目的是为了使学生所学知识和基本技能,适应广泛就业的需要,促进学生的全面发展,并通过校企合一,创造物质财富,增强学校的经济实力,改善办学条件,逐步形成学校自我发展的机制。农村职业技术学校产教合作,主要通过专业课的教学、操作技能的训练、生产实习劳动途径来实现。在专业课教学中,要从实际出发,根据本地特点,自编乡土教材,增强教学内容的针对性,使学生在学校里就直接将所学专业技术知识运用于实践,并获得一定的实效。在操作技能的训练中,充分利用学校的专业实验室和生产实习基地,进行现场操作训练,通过加强管理和导向,变消耗性的操作技能训练为生产增值性的操作技能训练。生产实习劳动,是实现学校产教合作的重要途径,它使学生在接触实际的全程式全景生产劳动中,充分理解和运用已有知识,学会运用先进的生产工具,利用所学的经营管理方法,掌握生产劳动技术的重要保证。

农村职业中学实现校企合一,要根据学校的专业优势,利用学校的生产实习基地,确立项目,使基地或企业与专业相互促进、和谐发展。

4. 改革农村职业技术学校内部的管理运行机制,大力提高教学质量

农村职业技术学校要能适应市场经济体制的要求,除学校要主动进入市场、占领市场外,还要改革职业技术学校内部的管理运行机制,

建立强有力的激励机制和制约机制，使学校或专业骨干教师能积极发挥自己的所长，在教书育人或创办经济实体中做出贡献，并使这部分教师能先富起来。这就要求学校实行校长负责制，全员聘任制和结构工资制，通过调动教职工的积极性，加强教育教学管理，强化专业技能的训练，大力提高教学质量，培养出社会主义市场经济所需要的高质量的农业技术人才和农村建设人才，从而使学校在技术市场、劳务市场、经济市场中形成优势。

总之，加强农村职业技术教育，对促进农村经济社会发展，全面建设小康社会，具有十分重要的意义。尽管由于各种原因，目前农村职业教育处于低谷。但是，只要广大农村地区和教育主管部门从思想上高度重视，行动上主动关心，资金上加大投入，拓宽办学渠道，创新办学思路，农村地区的职业技术教育，一定大有可为。社会主义市场经济体制的建立是历史的必然，谁能正确认识市场经济的特点和发展规律，并以积极主动的态度适应新形势的需要，谁就掌握了生存与发展的主动权。作为直接服务于农村经济和社会发展的农村职业技术教育，只有在建立社会主义市场经济体制的过程中加快改革和发展步伐，才能更好地为建设社会主义新农村服务。

第九章 生态小城镇与环卫政策

党的十八大把生态文明建设纳入中国特色社会主义事业总体布局,这是我们党对人与自然关系再认识的重要成果,也是我国保持经济持续健康发展的必然要求。

中共中央《关于全面深化改革若干重大问题的决定》着重强调了生态文明制度。

第一节 概 述

一、生态小城镇建设政策的地位和作用

政策是政府行使管理社会职能的一种重要手段,生态小城镇建设相关政策的制定是政府职能在组织生态城镇建设中的集中体现。因此,它是生态小城镇建设的组织者、指挥者、保障者,在生态小城镇建设中具有龙头作用,具体职能包括:

1. 约束职能

生态小城镇建设政策具有约束职能,是政府进行生态管理的依据,是生态小城镇建设的前提。

(1)可以约束政府有关违反生态的行为。生态小城镇建设相关政策的制定,为约束政府违反生态的行为提供了保障。

(2)可以约束有关企业违反生态的行为。生态政策出台后,政府就有了对这些企业进行生态管理的依据。

2. 激励功能

生态小城镇建设政策具有激励功能,是生态小城镇建设的动力源泉。生态小城镇描绘的良好前景驱动着广大企业和个人去建设生态城镇。对企业来说,在政府制定的各种优惠政策刺激下,改进生产工

艺和生产原材料,减少污染的排放。对个人来说,可以调动建设生态小城镇的积极性,形成全社会合理建设生态小城镇的气氛。

3. 信息导向

生态小城镇建设政策的信息导向功能,包括以下两个方面:

(1)生态小城镇建设政策可以引领投资方向,引领各种资本投向环境保护、污水处理等与生态小城镇建设有关的领域和部门。

(2)生态小城镇建设政策可以引导产业的发展方向,要建设生态小城镇,就必须建立以循环经济为目标的经济体系,三大产业将向生态农业、生态工业、生态服务业转化。

4. 支持保障

生态小城镇建设政策具有支持保障职能,为生态小城镇建设提供了有力支撑。政府通过政策的制定,可以提供法律、资金、技术、人才方面的保障。通过相应的财政政策、税收优惠政策、投融资政策,可以为生态小城镇建设筹集所需的建设资金。可以通过制定各种法律法规,规范和约束企业和个人在生态小城镇建设中的行为。

二、生态小城镇建设政策的缺陷

2013 年 6 月 20 日在中国社科院举行发布会上发布了由中国社会科学院社会发展研究中心、甘肃省城市发展研究院、兰州城市学院共同研究编撰的《生态城市绿皮书:中国生态城市建设发展报告(2013)》。绿皮书指出,中国生态城市发展战略和政策法律建设的缺陷不容忽视。

1. 生态城市发展战略的研究缺乏高度

绿皮书认为,目前,中国对生态城市发展战略的研究还处于一个相对较低的水平。很多生态城市提出的发展战略基本雷同,没有特色。如不少生态城市都提出要大力发展信息技术、生物技术和新能源技术等高新技术,其结果只能是重复建设,造成资源的浪费和环境的破坏。

此外,一些城市的发展战略没有充分体现生态和环境优先的原则。有的则过分强调了某一个方面,如植树种草、环境保护或旅游开发,而忽视了社会、经济和人文等因素。

2. 系统的生态城市规划和政策体系尚未形成

绿皮书指出,目前,中国生态城市建设规划与生态城市建设的保障措施明显缺乏。实践中,中国大中城市各类开发区、大学城、科技园、软件园、旅游度假村等独立规划的现象,给城市的健康持续发展埋下了隐患。

绿皮书认为,当前中国建设低碳生态城市陷入了循环困境:一方面,地方政府没有经验,寄希望于中央的政策文件指导,以向中央取经;另一方面,国家发改委同样没有经验,寄希望于通过地方实施,以观地方试点经验。

绿皮书分析称:"中国政府尚没有提出关于'低碳生态城市'的专门政策,在中国'低碳生态城市'是归于'节能减排'政策和统计核算单位之中的,因此,中国低碳生态城市政策体系即可视同于节能减排政策框架。"受困于经验的缺乏导致城市低碳发展政策结构的零散性和尝试性。

基于此,绿皮书认为,从低碳发展政策来说,处于探索阶段的城市低碳发展政策实施出现了政策价值认定片面化、政策结构不合理、政策执行功利化及政策评估结果不透明等一系列误区。

3. 生态城市政策法律体系不够健全

绿皮书认为,尽管中国现已初步形成包括宪法、法律以及相应的行政法规、规章和地方性法规所构成的保障城市生态化建设的法律法规体系,但与国外较完善、成熟的规范城市生态化建设的法制相比,中国的相关立法还处于较低层次,某些法律、法规有待制定和颁布。

另外,国外立法将可持续发展、尊重生态规律、预防污染、污染者负担、污染物综合控制,尤其是公众参与、经济发展与生态保护综合决策等原则纳入立法中,而中国并没有完全纳入。

绿皮书指出,尽管中国绝大多数地级以上城市都把"生态城市"作为建设目标,但缺乏类似于《生态城市促进法》的生态城市建设综合立法。生态城市的建设只能按照现有法规进行,而现有的与生态城市建设有关的法律法规,只是针对一般城市建设所设,因此相对生态城市建设而言,这些原则性的法律条款难以操作。

值得注意的是,一些法律条款与生态城市建设的宗旨相背离,如中国《中华人民共和国循环经济促进法》明确规定,国家鼓励和支持农作物秸秆的综合利用,但从农田的可持续利用角度考虑,农作物秸秆应当尽可能还田,而不是利用。

4. 生态城市建设配套法规制度缺失

绿皮书指出,当前,开展生态城市实践的大部分城市没有就生态城市建设制定相关的配套法律法规,缺乏对生态城市建设的制度保障。国外生态城市的建设从国家层面到地方层面都对生态城市建设的立法工作极为重视。

绿皮书认为,通过立法,为生态城市建立了一套绿色(或生态)法律保障体系,包括绿色秩序制度、生态激励制度、绿色社会制度等。因此,中国生态城市建设过程中的法制建设亟待加强,从生态规划、生态投融资、生态城市建设和机制保障等方面进行相关法律法规制定。

5. 行政执法不力

绿皮书认为,中国生态城市建设在这方面存在三个"不健全":

(1)组织管理体制不健全。生态城市的建设工作涉及多个管理机构,应由各部门协同参与。因此,建立综合的生态城市建设管理部门,将有利于有效地保证国家、省、市政策法规的贯彻执行。

(2)行政执法制度不完善。中国对行政执法制度的规定散见于各单项的法律、法规之中,既不统一,也不明确,给执法造成了混乱。

(3)执法监督机制不健全。由于受以行政权力为中心的政治传统及其他因素的影响,在执法实践中,监督机构并不能完全起到作用。

可见,要确保生态城市建设顺利进行,光有目前这些法律法规还不够,还必须针对各地的特殊实际需要,完善健全相关的法律法规体系。

第二节　生态小城镇建设与管理

一、生态城市简介

生态城市是在可持续发展原则下,以生态原理为指导,应用现代科学技术,建立的自然和谐、社会公平和经济高效的复合系统,但更是具有自身人文特色的自然与人工协调、人与人之间和谐的理想人居环境。

生态城市是联合国教科文组织发起的"人与生物圈"计划研究过程中提出的一个概念,是城市生态化发展的结果,是社会和谐、经济高效、生态良性循环的人类居住形式,是自然、城市与人融合为一个有机整体所形成的互惠共生结构。简而言之,生态城市是一类生态健康的城市。虽然生态城市作为一种全新的城市发展方案,其发展的形式灵活,不拘一格,但是环境是其基础,生态文明是其灵魂。

生态城市作为一种和谐的人工生态系统,其实质就是人与自然的和谐。生态城市与传统城市比较,主要有以下几大特点:

(1)和谐性。生态城市的和谐性,不仅反映在人与自然的关系、自然与人共生、人回归自然、自然融于城市等方面,更重要的是反映在人与人的关系上。

(2)高效性。生态城市能提高一切资源的利用效率。物尽其用、地尽其利、人尽其才、各施其能、各得其所,使物质、能量得到多层次分级利用,废弃物循环再生,使各行业、各部门之间共生关系得以协调。

(3)可持续性。生态城市是以可持续发展思想为指导的。同时兼顾不同时间、空间,合理配置资源。既满足当代人的需要,又不对后代人满足其需要的能力构成危害,保证其健康、持续、协调的发展。

(4)整体性。生态城市不是单纯追求环境的优美或自身的繁荣,而是兼顾社会、经济和环境三者的整体效益,不仅重视经济发展与生态环境的协调,更注重对人类生活质量的提高,是在整体协调的秩序下寻求发展。

(5)区域性。生态城市作为城乡统一体,其本身即为一区域概念,是建立于区域平衡基础之上的。而城市之间是相互联系、相互制约的,只有平衡协调的区域才有平衡协调的生态城市。

二、生态型小城镇的概念及特征

"生态小城镇"是利用生态化原理,通过因地制宜的城镇规划,建设一种无污染、无公害、可持续发展、环境优美、居住舒适的环境,达到"自然融于城镇,城镇归于自然",最适合人类居住的场所。

生态型小城镇是一个适合人们生活和社会发展的良好空间,其特征包括:

(1)人与自然和谐相处。

(2)技术与自然充分融合。

(3)人的创造力和生产力使自然环境得到充分保护。

三、生态型小城镇现状分析

当前,我国小城镇的生态环境遭到破坏,生态型小城镇的建设面临着一系列的问题,主要包括以下几方面:

1. 指导思想和规划观念不合理

生态型小城镇建设过程中的指导思想和规划观念仿效或照搬大城市,建设过程中片面求大、求快、求洋,导致城镇建设杂乱无章或"千城一面,万屋一统";在功能分区、交通布局等方面参照大城市的路网及机动车交通模式,使一些小城镇浓缩了各种源于机动车的环境公害,既造成了噪声、尾气污染,同时也对居民的人身安全带来威胁。

2. 生态环境意识淡薄

生产建设中生态环境意识淡薄,环保基础设施不全。产业的发展还是以粗放型的增长方式为主,高投入、高污染、低效益,严重影响了小城镇经济发展的良性循环。

3. 自然景观严重破坏

自然山水的价值被忽略,甚至被严重破坏。城镇周围随意开厂建房,任意开山取矿,且一些有重要生态价值的山体、湿地被夷为平地,城乡之间的一些天然绿色屏障被人为不当的开发和破坏。

四、生态型小城镇建设的原则

生态型小城镇的建设不仅直接影响着小城镇规模的大小,也通过影响人们的生活环境,直接影响到小城镇发展的前景。随着小城镇人口的增加,工业化水平的不断提高,城市经济发展和生态环境保护之间的矛盾日趋复杂、尖锐。只有发展建设生态型小城镇才有可能避免走先污染后治理,先破坏后恢复的老路。

生态型小城镇建设的原则包括:

1. 以人为本,同时与环境相适应、平衡原则

作为小城镇主体的人,在积极努力改造改善自身赖以生存的环境的同时,又自觉不自觉地破坏了自身生存的环境,通过生产和生活将大量废弃物排向大气、水体和土壤中,直接破坏小城镇的生态系统结构。近年来,作为农村中心的小城镇人口增长很快,由此带来的小城镇环境污染日趋严重,往往超过小城镇的环境容量及自净能力,引起小城镇生态环境系统调节能力失控,反过来又直接影响到人的身体健康。故要特别注重人与环境系统协调一致的原则,乡镇的工业布局、人口规模,不能超越环境提供的保证程度。

2. 特色原则

特色是小城镇的灵魂,它可以树立小城镇良好形象,提高小城镇的知名度,促进小城镇的发展。小城镇如果有历史传承下来的特色固然很好,但即使没有我们也可以积极地去创造,特别是生态景观特色方面,由于小城镇规模小,形成特色的景观要素也少,故在小城镇的生态建设过程中,必须重视"个性与特色",小城镇景观要"小而精,小而特",要综合运用生态、文化的观点去创造组织这些景观,形成"以人为本"的各自特色,也将避免"千城一面,万屋一统"的尴尬。当然,我们所说的特色定要充分结合当地的实际情况而不能生搬硬套。

3. 合理布局乡镇工业

乡镇工业结构与布局实质上就决定了小城镇技术经济系统的组成与结构,同时又体现了小城镇的产业特色。因而乡镇工业的发展与布局直接关系到充分合理利用自然资源和社会经济资源,直接关系到小城镇的环境保护和优美环境创建,是小城镇生态系统良性循环的核心。

如今不少小城镇的乡镇工业发展带有一定的盲目性,规模较小还

布局分散,生产技术落后,资源利用率低,环保设施形同虚设,也有些乡镇工业原本办得挺好,产品甚至供不应求,却急功近利一下子把摊子扩大数倍,结果资金、技术、设备都跟不上,把老摊子也拆了。因此,把乡镇工业看作是一个完整的系统,合理的规划布局与引导发展,对于完善小城镇技术经济系统结构与增强小城镇技术经济系统对生态环境系统的良好循环都是极其重要的。

4. 对现有的自然资源、历史文化资源的节约保护与开发利用并重原则

水、土是人类的生命之源,生存之本,是小城镇居民赖以生存和从事生产活动的基础,对它的开发利用,直接关系到小城镇生态环境系统结构的演变与优化。目前许多小城镇土地利用粗放,摊大饼式扩张,有的是搞政府形象工程,有的是圈了地闲置几年不管。而对于日趋紧张的水资源,不仅因给排水设施简陋导致污染严重,而且从人为的节约意识上而言,造成的浪费也十分惊人。绝对不能把水土资源视为取之不尽用之不竭的。即使是土地扩展潜力大,水资源暂且充足的小城镇,随着经济的发展、规模的扩大,人均资源必然减少。

同样,各个历史时期遗留下来的古建筑和古村落等,其中有相当部分具有较高的历史文化价值,近年来也受到了不同程度的破坏。其实在保护好历史遗留的同时,它们也已经或将成为当地宝贵的旅游资源。

五、建设生态型小城镇的关键工作

对于生态型小城镇规划与建设的要求,首先要有良好的生态环境,对周围环境不造成大的破坏,而且内部生存条件不能恶化;其次要有雄厚的经济基础和文化内涵。

推进生态型城镇化进程,需要科学发展观的理论指导。对照生态型城镇建设的目标和要求,以鄱阳湖生态经济区为例关键要做好以下几个方面的工作。

1. 抓宣传,浓厚生态型小城镇建设的氛围

致力于抓好干群"生态发展"、"绿色观念"的理论学习活动。通过

开展讲座、宣讲、论坛和研讨活动，让广大干部群众更加深刻、准确、全面地领会和把握建设生态型小城镇的本质内涵，引导广大干部群众深入研究和探讨建设鄱阳湖生态经济区、探索科学发展新路子的思路、办法和举措，更加自觉地把科学发展与加速崛起、经济发展与环境保护有机统一起来，努力使"绿色 GDP"成为党委、政府的自觉追求，"绿色政绩观"成为各级领导干部的自觉追求，"绿色生产观"成为广大企业的自觉追求，"绿色消费观"成为全社会的自觉追求。

2. 抓民生，奠定生态型城镇建设的基础

民生民享和社会稳定是城镇建设和发展的基础。基础不牢，地动山摇。建设生态型城镇，首先要确保民心安定，社会稳定。作为乡镇街道，一是要贯彻落实好上级低保、医疗救助等各项民生民享政策，做到政策上清楚，操作上到位，把党和政府的温暖送到千家万户。二是继续帮助居民就业和再就业；配合宣传和落实促进就业再就业的各项优惠政策，组织技能培训，推荐就业岗位。三是大力发展社会事业。配合全市"三集中"改革，服务学校扩建改造，配合推进教师绩效工资工作，促进教育均衡发展。服务医药卫生体制改革，继续做好"光明微笑"工程。服务廉租房和经济适用房建设，逐步解决部分中低收入阶层家庭购房难问题；四是切实维护社会和谐稳定，强化社会治安综合治理，全面加强人口和计划生育工作，抓好精神文明创建活动等。

3. 抓发展，增强生态型城镇建设的后劲

一是坚持招商选资，发展低碳产业。充分依托工业园区平台，改进招商引资方式，抓住省、市鄱阳湖生态经济区建设开展重大项目招商的机遇，围绕现代农业、高新技术产业、现代服务业扩大对外开放，更好地承接发达地区产业梯度转移，实现"三个转变"，即由招商引资向招商选资转变、由招商数量向招商质量转变、由招商向安商转变；二是积极发展生态农业。立足资源优势，进一步优化产业布局，调整农业产业结构。要立足小城镇功能定位，发挥比较优势，形成一镇一品的产业布局和各具特色的城镇经济。如抓好荷湖、丽村的富硒农业，发展好白土的高油茶项目。三是精心打造生态旅游产业。积极策应环湖地区发展具有鄱湖风光、文化之邦、鱼米之乡、瓷文化等特色旅游

项目,做到对接长珠闽,呼应大南昌,接受客源辐射,成为发达地区的生态旅游休闲"后花园"。丰城素有"物华天宝、人杰地灵"之美誉,文化积淀深厚。有着灿烂的史前文化、优秀的传统文化、宝贵的革命文化和丰富多彩的民俗文化,如洪州窑所在地,剑的传说等,开发好白马寨、厚板塘古村等,要善于挖掘和利用,从而实现南昌市绿色、红色、古色旅游业联动发展,提高南昌市旅游产品吸引力。

4. 抓建设,提升生态型城镇建设的品位

一是科学合理规划,走集约式城镇化道路。市政府及相关部门要加强对城镇化建设的宏观规划与指导,从全市角度进行通盘考虑,坚持突出重点,打破均衡推进小城镇建设的发展模式,集中力量,梯次推进,有选择、有步骤地优先发展部分集镇,进而带动其他镇加快发展。二是加快城镇基础设施建设,城镇的道路、排水、电力、通信等配套要齐全,园林绿化、污水治理、垃圾整治要同步进行。同时,彻底转变"重建轻管"的观念,以创建卫生镇、环境优美镇为目标,大力整治环境"脏、乱、差",着力加强对建筑、市政、绿化、环卫、市场监督、交通等方面的管理。三是加强植树造林和绿化建设。在全面推进造林绿化"一大四小"工程建设的基础上,突出重点,抓住关键,高起点规划、高标准建设、高效益管理,着力建设一批造林绿化精品工程。重点服务沪昆高速公路丰城段、中国生态硒谷连接线、高速公路连接线、新 105 国道线和小袁线"一路四线"等通道绿化精品工程,并坚持"四季有景、三季有花、一街多景"的设计理念,服务以丰水湖文化公园、玉龙河城市湿地公园、龙津湖森林公园、剑邑广场、行政广场为重点的森林城市绿化,围绕新型小城镇建设,建设森林示范集镇,绿化面积 1160 亩,结合新农村建设,重点建设新塘村等森林示范村,绿围绕生态园区创建目标,服务丰源大道、丰源二路、丰源三路道路绿化、管理中心广场园林景观绿化以及华伍集团、唯美陶瓷等厂区绿化精品等。

5. 抓文化,挖掘生态型城镇建设的内涵

这里的文化主要是指社区文化。只有在发展社区文化、丰富居民群众精神文化生活基础上,才有利于共建社区和谐,建设生态型城镇。抓文化,要积极引领社区腰鼓、军鼓和西路社区民间舞龙舞狮队以及群众性音乐健身操队伍开展健康向上,丰富多彩的娱乐活动;要开展联谊文化娱乐活动。必要时,可首推"社区文化节"综合歌舞、交谊舞、象棋、扑克比赛、书法,等等,形成联谊连心,共建和谐,有益身心健康作品与节目,以"社区文化节"来带动社区文化活动蓬勃开展;要通过文化,提升群众的精神境界,提升群众的文明意识,最终提升城镇的品位和内涵。

六、生态建设示范区管理

为推进生态文明建设,进一步规范国家生态建设示范区创建工作,促进国家生态建设示范区建设规划、申报、评估、验收、公告及监督管理等工作科学化、规范化、制度化,2012 年 4 月 30 日,环境保护部制定了《国家生态建设示范区管理规程》,对生态建设示范区的管理做出了规定。

1. 生态建设示范区的申报和规划

(1)各市、县(含县级市)均可申报创建生态建设示范区。具备下列条件之一的直辖市或设区的市所属的区,可以申报创建国家生态建设示范区:

1)辖区内建制镇(涉农街道)、建制村。

2)生态功能用地。生态功能用地是指辖区内农用地面积与生态用地面积之和。生态用地包括自然保护区、饮用水源保护区、重要水源涵养区、风景名胜区、森林公园、城市绿化用地、基本草原、生态公益林、主干河流、水库、湿地、荒漠以及其他需要生态保护的区域。农用地指直接用于农业生产的土地,包括耕地、林地、草地、农田水利用地、养殖水面等。上述面积不得重复计算。占辖区国土面积的比例≥50%。

(2)环境保护部制定、发布国家生态市、生态县(市、区)建设规划编制指南。

开展国家生态市或生态县(市、区)创建的地方(以下简称"创建地区")人民政府,应当按照编制指南,组织编制国家生态市、生态县(市、区)建设规划。

(3)国家生态市、生态县(市、区)建设规划应当符合本行政区域国民经济与社会发展规划,并与相关部门的专项规划相衔接。

(4)国家生态市建设规划由环境保护部组织论证;国家生态县(市、区)建设规划由环境保护部委托创建地区所在地省级环境保护主管部门组织论证。

国家生态市、生态县(市、区)建设规划通过论证后,当地环境保护主管部门可以建议本级人民政府将建设规划草案提请同级人民代表大会或其常务委员会审议后颁布实施。

在国家生态市、生态县(市、区)建设规划颁布实施后3个月内,创建地区人民政府应将建设规划报所在地省级环境保护主管部门和环境保护部备案。

(5)创建地区人民政府应当设立专门的组织机构,建立监督考核和长效管理机制。

(6)创建地区人民政府应当依据建设规划,制定国家生态建设示范区创建工作实施方案和年度工作计划,将工作任务分解落实到部门、行政区和责任人,明确工作进度,落实专项资金。

(7)创建地区人民政府应当每年总结国家生态市、生态县(市、区)创建工作进展,包括项目实施、经费落实、建设成效等情况,并于次年3月1日前报送省级环境保护主管部门。

(8)创建地区人民政府应当加强档案管理,收集、整理和归档国家生态市、生态县(市、区)创建工作的相关资料和工作总结,作为技术评估、考核验收和复核的重要依据。

(9)创建地区人民政府应当自国家生态市、生态县(市、区)建设规划批准之日起,在政府门户网站及时发布或定期更新以下信息:

1)国家生态市或生态县(市、区)建设规划。

2)国家生态市或生态县(市、区)创建工作实施方案。

3)国家生态市或生态县(市、区)创建年度工作计划。

4)国家生态市或生态县(市、区)创建年度工作总结。

5)国家生态市或生态县(市、区)创建工作动态。

2. 生态建设示范区的技术评估

(1)符合下列条件的创建地区,可以向省级环境保护主管部门申请技术评估：

1)生态市建设规划经批准后实施 4 年(含)以上,或生态县(市、区)建设规划经批准后实施 2 年(含)以上的。

2)获省级生态市或生态县(市、区)称号 1 年以上的。

3)设市城市(包括县级市)通过国家环保模范城市考核并获称号的。

4)经自查达到国家生态建设示范区各项标准。

(2)创建地区申请技术评估时,应当提交下列材料:

1)技术评估申请书。

2)国家生态市或生态县(市、区)建设规划。

3)国家生态市或生态县(市、区)创建工作实施方案、年度工作计划、年度工作总结。

4)省级生态市或生态县(市、区)命名文件。

5)国家生态市或生态县(市、区)创建工作报告。

6)国家生态市或生态县(市、区)创建技术报告。

7)国家生态市或生态县(市、区)规划实施情况评估报告。

8)地方近 3 年年度环境质量报告(公报)、统计年鉴和突发环境事件统计分析报告。

(3)省级环境保护主管部门收到创建地区人民政府提交的申请书后,应及时进行预审;预审合格后,向环境保护部提交技术评估申请及相关附件。

环境保护部收到申请后,应当于 1 个月内组织进行初步审查。对经初步审查合格的创建地区,环境保护部应当于 6 个月内开展技术评估。

(4)技术评估组由环境保护部和省级环境保护主管部门相关人员及有关专家组成。

技术评估的主要工作内容包括:

1)听取创建地区的工作汇报。

2)评估国家生态市或生态县(市、区)建设规划实施情况。

3)审核国家生态市或生态县(市、区)基本条件和建设指标完成情况。

4)审核区域生态环境监察情况。

5)检查国家生态市或生态县(市、区)创建工作的档案资料。

6)开展现场考察。

7)开展民意调查。

8)形成并通报技术评估意见。

(5)创建地区人民政府应当在技术评估组抵达前 3 天,在主要媒体上向社会公布技术评估组工作时间、联系方式、举报电话和信箱等相关信息。

(6)技术评估的现场考察采取随机抽查的方式进行。抽查线路及内容由技术评估组确定。

(7)环境保护部应当在技术评估结束后 15 个工作日内,向省级环境保护主管部门和创建地区反馈书面评估意见;发现问题的,应当要求创建地区进行整改。

创建地区人民政府应当按照评估意见和环境保护部的要求,及时进行整改,并提交整改报告。

3. 生态建设示范区的考核验收

(1)技术评估合格,或已按照环境保护部的要求对发现的问题进行整改的创建地区,可以向省级环境保护主管部门申请考核验收。

(2)省级环境保护主管部门收到创建地区人民政府提交的考核验收申请和整改报告后,应当及时进行预审,提出预审意见;预审合格后,向环境保护部提交考核验收申请及相关附件。

(3)环境保护部收到申请后,应当于 1 个月内,组织对创建地区提交的整改报告以及其他国家生态市、生态县(市、区)建设指标落实情况进行初步审查。对经初步审查合格的创建地区,环境保护部应当于 3 个月内开展考核验收。

(4)考核验收组由环境保护部和省级环境保护行政主管部门相关人员及有关专家组成。

考核验收主要工作内容包括:

1)听取创建工作及整改情况汇报。

2)检查评估和整改意见的落实情况。

3)开展现场考察。

4)形成并通报考核验收意见。

4. 生态建设示范区的公示公告

(1)对通过考核验收、拟授予国家生态建设示范区称号的地区,环境保护部在政府网站及中国环境报上予以公示。公示期为 7 个工作日。

公众可以通过登录政府网站、来信来访、"12369"环保举报热线等方式反映公示地区存在的问题。

对公示期间收到的投诉和举报问题,环境保护部应当进行现场调查,也可以委托省级环境保护主管部门进行现场调查。

(2)公示期间未收到投诉和举报,或投诉和举报问题经调查核实、整改完善的地区,环境保护部按程序审议通过后发布公告,授予创建地区国家生态市或生态县(市、区)称号。

5. 生态建设示范区的监督管理

(1)获得国家生态市或生态县(市、区)称号的地区应当在每年 3 月 1 日前,向省级环境保护主管部门报送后续工作年度报告。

省级环境保护主管部门应当每两年向环境保护部报送本地区国家生态建设示范区后续工作汇总报告。

(2)环境保护部对已经获得称号的国家生态市或生态县(市、区)实行动态监督管理,并根据情况进行抽查。对抽查中发现问题的,环境保护部应当要求当地人民政府在 6 个月内完成整改,并将整改结果报送环境保护部审查;未通过环境保护部审查的,环境保护部应当撤销其国家生态市或生态县(市、区)称号。

(3)已经获得国家生态市或生态县(市、区)称号的地区发生行政区划变更、重组、撤销、分立或合并等情形的,国家生态市或生态县(市、区)称号自行终止。

(4)国家生态市或生态县(市、区)称号每 5 年复核一次。

已经获得国家生态市或生态县(市、区)称号地区的人民政府,应当按照以下程序申请复核:

1)向省级环境保护主管部门提交复核申请。

2)省级环境保护主管部门进行初核。

3)省级环境保护主管部门向环境保护部提交复核申请和初核意见。

(5)环境保护部自收到复核申请之日起 6 个月内,按照以下要求组织复核:

1)听取地方人民政府工作汇报。

2)检查国家生态市或生态县(市、区)指标达标情况。如考核指标或考核标准发生调整,按调整后指标进行复核。

3)向省级环境保护主管部门和地方人民政府通报复核意见。

(6)环境保护部对复核合格的地区,经公示和审议程序,将其国家生态市或生态县(市、区)称号延续 5 年。

(7)对出现以下 1)至 6)情形之一的创建地区,环境保护部应当终止其国家生态市或生态县(市、区)审查;对出现以下情形之一的,已获得国家生态市、生态县(市、区)称号的地区,环境保护部应当撤销其国家生态市或生态县(市、区)称号,并暂停该地区申报资格两年:

1)发生重、特大突发环境事件或生态破坏事件的。

2)发生由环境保护部通报的重大违反环境保护法律法规案件的。

3)年度主要污染物总量减排指标未完成的。

4)环境质量出现明显下降或未完成环境质量目标的。

5)在国家生态市或生态县(市、区)创建、技术评估、考核验收过程中存在弄虚作假行为的。

6)违法违规影响技术评估和考核验收结果科学性、客观性和公正性的。

7)复核过程中存在弄虚作假行为的。

8)未按期办理复核或未通过复核的。

9)国家环境保护模范城市未通过复核或国家环境保护模范城市(区)称号被撤销的。

(8)环境保护部建立国家生态市、生态县(市、区)技术专家库。专家采用个人申请和单位推荐相结合的办法,经环境保护部遴选纳入专家库。专家库实行动态管理,适时更新。

(9)参与国家生态市、生态县(市、区)管理的工作人员和专家,在国家生态市或生态县(市、区)技术评估、考核验收等工作中,必须严格落实廉洁要求和责任,坚持科学、务实、高效的工作作风,严格遵守相关工作程序和规范;构成违法行为或犯罪的,依法追究法律责任。

第三节　小城镇生态文明建设

2010 年 10 月中共中央第十七届五中全会通过了《关于制定国民经济和社会发展第十二个五年规划的建议》,指出:"十二五"时期,是我国全面建成小康社会的关键时期,强调了社会及生态因素在经济发展中的重要意义,社会发展要从单一追求"GDP"增长转向经济、社会、生态发展的全面协调。对于小城镇来说,以往的城镇建设过度追求经济利益,对社会、生态的考虑不多,造成了很多问题。反思"唯 GDP",以生态文明视角重新审视小城镇规划建设,具有重要的现实意义。

一、生态文明的内涵

生态文明,是人类遵循人与自然和谐发展规律,推进社会、经济和文化发展所取得的物质与精神成果的总和;是指以人与自然、人与人和谐共生、全面发展、持续繁荣为基本宗旨的文化伦理形态。它是对人类长期以来主导人类社会的物质文明的反思,是对人与自然关系历史的总结和升华。其内涵具体包括以下几个方面:

(1)人与自然和谐的文化价值观。树立符合自然生态法则的文化价值需求,体悟自然是人类生命的依托,自然的消亡必然导致人类生命系统的消亡,尊重生命、爱护生命并不是人类对其他生命存在物的施舍,而是人类自身进步的需要,把对自然的爱护提升为一种不同于人类中心主义的宇宙情怀和内在精神信念。

(2)生态系统可持续前提下的生产观。遵循生态系统是有限的、有弹性的和不可完全预测的原则,人类的生产劳动要节约和综合利用自然资源,形成生态化的产业体系,使生态产业成为经济增长的主要源泉。物质产品的生产,在原料开采、制造、使用至废弃的整个生命周期中,对资源和能源的消耗最少、对环境影响最小、再生循环利用率最高。

(3)满足自身需要又不损害自然的消费观。提倡"有限福祉"的生活方式。人们的追求不再是对物质财富的过度享受,而是一种既满足自身需要、又不损害自然,既满足当代人的需要、又不损害后代人需要的生活。这种公平和共享的道德,成为人与自然、人与人之间和谐发展的规范。

二、生态文明建设

2012年11月,党的十八大从新的历史起点出发,做出"大力推进生态文明建设"的战略决策,从10个方面绘出生态文明建设的宏伟蓝图。十八大报告不仅在第一、第二、第三部分分别论述了生态文明建设的重大成就、重要地位、重要目标,而且在第八部分用整整一部分的宏大篇幅,全面深刻论述了生态文明建设的各方面内容,从而完整描绘了今后相当长一个时期我国生态文明建设的宏伟蓝图。我们要深入学习领会、认真贯彻落实,为实现社会主义现代化和中华民族伟大复兴而努力奋斗。

十八大报告指出:

建设生态文明,是关系人民福祉、关乎民族未来的长远大计。面对资源约束趋紧、环境污染严重、生态系统退化的严峻形势,必须树立尊重自然、顺应自然、保护自然的生态文明理念,把生态文明建设放在突出地位,融入经济建设、政治建设、文化建设、社会建设各方面和全过程,努力建设美丽中国,实现中华民族永续发展。

坚持节约资源和保护环境的基本国策,坚持节约优先、保护优先、自然恢复为主的方针,着力推进绿色发展、循环发展、低碳发展,形成节约资源和保护环境的空间格局、产业结构、生产方式、生活方式,从源头上扭转生态环境恶化趋势,为人民创造良好生产生活环境,为全球生态安全做出贡献。

(一)优化国土空间开发格局。国土是生态文明建设的空间载体,必须珍惜每一寸国土。发展海洋经济,保护海洋生态环境,坚决维护国家海洋权益,建设海洋强国。

（二）全面促进资源节约。节约资源是保护生态环境的根本之策。要节约集约利用资源，控制能源消费总量，加强节能降耗，推进水循环利用。

（三）加大自然生态系统和环境保护力度。良好生态环境是人和社会持续发展的根本基础。扩大森林、湖泊、湿地面积，保护生物多样性。加快水利建设，增强城乡防洪抗旱排涝能力。加强防灾减灾体系建设，提高气象、地质、地震灾害防御能力。

（四）加强生态文明制度建设。保护生态环境必须依靠制度。积极开展节能量、碳排放权、排污权、水权交易试点。

我们一定要更加自觉地珍爱自然，更加积极地保护生态，努力走向社会主义生态文明新时代。

十八届三中全会指出：

建设生态文明，必须建立系统完整的生态文明制度体系，用制度保护生态环境。要健全自然资源资产产权制度和用途管制制度，划定生态保护红线，实行资源有偿使用制度和生态补偿制度，改革生态环境保护管理体制。

1. 生态文明建设的国家意义

党的十八大以来，党中央站在战略和全局的高度，对生态文明建设和生态环境保护提出一系列新思想新论断新要求，为努力建设美丽中国，实现中华民族永续发展，走向社会主义生态文明新时代，指明了前进方向和实现路径。

习近平同志指出，建设生态文明，关系人民福祉，关乎民族未来。他强调，生态环境保护是功在当代、利在千秋的事业。要清醒认识保护生态环境、治理环境污染的紧迫性和艰巨性，清醒认识加强生态文明建设的重要性和必要性，以对人民群众、对子孙后代高度负责的态度和责任，真正下决心把环境污染治理好、把生态环境建设好。这些重要论断，深刻阐释了推进生态文明建设的重大意义，表明了我们党加强生态文明建设的坚定意志和坚强决心。生态文明建设是经济持续健康发展的关键保障。生态文明建设是民意所在民心所向。生态文明建设是党提高执政能力的重要体现。

当前,我国经济总量已跃升为全球第 2 位,人均 GDP 超过 5000 美元,面对生态问题日益突出的严峻形势,十八大又把生态文明建设提到与经济建设、政治建设、文化建设、社会建设并列的位置,形成了中国特色社会主义"五位一体"的总体布局。这标志着我国开始走向社会主义生态文明新时代,也标志着中国特色社会主义理论体系更加成熟,中国特色社会主义事业总体布局更加完善。生态文明建设对于国家而言,有四方面的意义:

(1)建设生态文明是实现中华民族伟大复兴的根本保障。历史的教训告诉我们,一个国家、一个民族的崛起必须有良好的自然生态作保障。随着生态问题的日趋严峻,生存与生态从来没有像今天这样联系紧密。大力推进生态文明建设,实现人与自然和谐发展,已成为中华民族伟大复兴的基本支撑和根本保障。

(2)建设生态文明是发展中国特色社会主义的战略选择。90 多年来,我们党的理论创新发生了两次历史性飞跃。第一次是在新民主主义革命时期,形成了毛泽东思想。第二次是在党的十一届三中全会以后,形成了中国特色社会主义理论体系。马克思曾经指出,问题是时代的口号。这两次理论上的飞跃,都是为了解决时代面临的突出问题。在这两大理论成果的指导下,我们党取得了新民主主义革命胜利,确立了社会主义基本制度,开创了中国特色社会主义道路。

(3)建设生态文明是推动经济社会科学发展的必由之路。随着我国经济快速发展,资源约束趋紧、环境污染严重、生态系统退化的现象十分严峻,经济发展不平衡、不协调、不可持续的问题日益突出,要求我们必须树立尊重自然、顺应自然、保护自然的生态文明理念,把生态文明建设融合贯穿到经济、政治、文化、社会建设的各方面和全过程,大力保护和修复自然生态系统,建立科学合理的生态补偿机制,形成节约资源和保护环境的空间格局、产业结构、生产方式、生活方式,从源头上扭转生态环境恶化的趋势。

(4)建设生态文明是顺应人民群众新期待的迫切需要。随着人们生活质量的不断提升,人们不仅期待安居、乐业、增收,更期待天蓝、地绿、水净;不仅期待殷实富庶的幸福生活,更期待山清水秀的美好家园。生态文明发展理念,强调尊重自然、顺应自然、保护自然;生态文明发展模式,注重绿色发展、循环发展、低碳发展。大力推进生态文明建设,正是为顺应人民群众新期待而做出的战略决策,也为子孙后代永享优美宜居的生活空间、山清水秀的生态空间提供了科学的世界观和方法论,顺应时代潮流,契合人民期待。

建设生态文明,昭示着人与自然的和谐相处,意味着生产方式、生活方式的根本改变,是关系人民福祉、关乎民族未来的长远大计,也是全党全国的一项重大战略任务。

2. 生态文明建设的根本要求

习近平同志结合新的实践需要,对推进生态文明建设提出了更加丰富、更加系统、更加明确的指导思想和总体要求,深刻回答了生态文明建设的若干重大理论和实践问题。

(1)做出生态文明建设总体部署。

(2)正确处理经济发展与环境保护关系。

(3)牢固树立生态红线观念。

(4)探索环境保护新路。

(5)着力解决损害群众健康的突出环境问题。

(6)完善生态文明建设制度体系。

3. 生态文明建设的本质特征

关于生态文明建设的本质特征,十八大报告强调:"把生态文明建设放在突出地位,融入经济建设、政治建设、文化建设、社会建设各方面和全过程",由此,生态文明建设不但要做好其本身的生态建设、环境保护、资源节约等,更重要的是要放在突出地位,融入经济建设、政治建设、文化建设、社会建设各方面和全过程,这就意味着生态文明建设既与经济建设、政治建设、文化建设、社会建设相并列从而形成五大建设,又要在经济建设、政治建设、文化建设、社会建设过程中融入生态文明理念、观点、方法。

4. 生态文明建设的政策方针

关于生态文明建设的政策方针,十八大报告要求:"坚持节约资源和保护环境的基本国策,坚持节约优先、保护优先、自然恢复为主的方针。"

5. 生态文明建设的途径方式

关于生态文明建设的途径方式,十八大报告强调:"着力推进绿色发展、循环发展、低碳发展。"

6. 生态文明建设的重要目标

关于生态文明建设的重要目标,十八大报告第三部分"全面建成小康社会和全面深化改革开放的目标"中指出:"资源节约型、环境友好型社会建设取得重大进展。主体功能区布局基本形成,资源循环利用体系初步建立。单位国内生产总值能源消耗和二氧化碳排放大幅下降,主要污染物排放总量显著减少。森林覆盖率提高,生态系统稳定性增强,人居环境明显改善。"十八大报告第八部分强调:"形成节约资源和保护环境的空间格局、产业结构、生产方式、生活方式。"

7. 生态文明建设的战略任务

关于生态文明建设的战略任务,十八大报告第八部分提出了优、节、保、建四大战略任务。

(1)优。即优化国土空间开发格局。要按照人口资源环境相均衡、经济社会生态效益相统一的原则,控制开发强度,调整空间结构,促进生产空间集约高效、生活空间宜居适度、生态空间山清水秀,给自然留下更多修复空间,给农业留下更多良田,给子孙后代留下天蓝、地绿、水净的美好家园。加快实施主体功能区战略,推动各地区严格按照主体功能定位发展,构建科学合理的城镇化格局、农业发展格局、生态安全格局。提高海洋资源开发能力,坚决维护国家海洋权益,建设海洋强国。

(2)节。即全面促进资源节约。要节约集中利用资源,推动资源利用方式根本转变,加强全过程节约管理,大幅降低能源、水、土地消耗强度,提高利用效率和效益。推动能源生产和消费革命,支持节能低碳产业和新能源、可再生能源发展,确保国家能源安全。加强水源地保护和用水总量管理,建设节水型社会。严守耕地保护红线,严格土地用途管制。加强矿产资源勘查、保护、合理开发。发展循环经济,促进生产、流通、消费过程的减量化、再利用、资源化。

（3）保。加大自然生态系统和环境保护力度。要实施重大生态修复工程，增强生态产品生产能力，推进荒漠化、石漠化、水土流失综合治理。加快水利建设，加强防灾减灾体系建设。坚持预防为主、综合治理，以解决损害群众健康突出环境问题为重点，强化水、大气、土壤等污染防治。坚持共同但有区别的责任原则、公平原则、各自能力原则，同国际社会一道积极应对全球气候变化。

（4）建。加强生态文明制度建设。要把资源消耗、环境损害、生态效益纳入经济社会发展评价体系，建立体现生态文明要求的目标体系、考核办法、奖惩机制。建立国土空间开发保护制度，完善最严格的耕地保护制度、水资源管理制度、环境保护制度。深化资源性产品价格和税费改革，建立反映市场供求和资源稀缺程度、体现生态价值和代际补偿的资源有偿使用制度和生态补偿制度。加强环境监管，健全生态环境保护责任追究制度和环境损害赔偿制度。加强生态文明宣传教育，增强全民节约意识、环保意识、生态意识，形成合理消费的社会风尚，营造爱护生态环境的良好风气。

8. 生态文明建设的根本目的

关于生态文明建设的根本目的，十八大报告强调"努力建设美丽中国，实现中华民族永续发展"。"从源头上扭转生态环境恶化趋势，为人民创造良好生产生活环境，为全球生态安全做出贡献"。"更加自觉地珍爱自然，更加积极地保护生态，努力走向社会主义生态文明新时代"。

三、林业推进生态文明建设

2013 年 9 月 6 日，国家林业局发布了《推进生态文明建设规划纲要（2013—2020 年）》（以下简称《纲要》）的通知。《纲要》明确，林业推进生态文明建设要紧紧围绕建设美丽中国、实现中华民族永续发展的宏伟目标，按照中央提出的"要把发展林业作为建设生态文明的首要任务"的要求，到 2020 年森林覆盖率达到 23% 以上，森林蓄积量达到 150 亿立方米以上，湿地保有量达到 8 亿亩以上，自然湿地保护率达到

60%,新增沙化土地治理面积达到 20 万平方公里,林业产业总产值达到 10 万亿元,义务植树尽责率达到 70%,构筑坚实的生态安全体系、高效的生态经济体系和繁荣的生态文化体系,切实担当起生态文明建设赋予林业的历史使命。

《纲要》说,党的十八大对建设生态文明做出了全面部署,强调把生态文明建设放在突出地位,融入经济建设、政治建设、文化建设、社会建设各方面和全过程。生态文明建设,开辟了人类文明建设的新境界,开启了中华民族永续发展的新征程。生态文明建设对新时期林业发展提出了更高要求,赋予了林业前所未有的历史使命。林业必须主动服从服务于国家战略大局,牢固树立尊重自然、顺应自然、保护自然的生态文明理念,为建设生态文明和美丽中国,实现中华民族永续发展做出新贡献。

《纲要》明确,林业推进生态文明建设的指导思想是高举中国特色社会主义伟大旗帜,以邓小平理论、“三个代表”重要思想、科学发展观为指导,全面落实党的十八大精神,以建设生态文明为总目标,以改善生态、改善民生为总任务,深入实施以生态建设为主的林业发展战略,加快发展现代林业,切实履行六大职责,着力构建六大体系,努力建设美丽中国,推动我国走向社会主义生态文明新时代。基本原则是坚持保护优先、坚持空间优化、坚持生态修复、坚持改善民生、坚持绿色发展、坚持科技支撑。

《纲要》说,综合考虑《全国主体功能区规划》、《中国可持续发展林业战略研究》和《全国林业发展区划》成果,在“两屏三带多点”的国土生态安全战略框架下,着力构建东北森林屏障、北方防风固沙屏障、东部沿海防护林屏障、西部高原生态屏障、长江流域生态屏障、黄河流域生态屏障、珠江流域生态屏障、中小河流及库区生态屏障、平原农区生态屏障和城市森林生态屏障十大国土生态安全屏障,稳固生态基础、丰富生态内涵、增加生态容量,为生态文明建设提供安全保障。以林业资源优势为基础,以市场需求为导向,优化配置林业生产力布局,重点培育和发展木材及其他原料林培育、木本粮油和特色经济林产业、森林旅游、林下经济、竹产业、花卉苗木产业、林产工业、林业生物产业、野生动植物繁育利用产业、沙产业等十大绿色富民产业,构建惠民、富民的绿色产业经济发展框架,为生态文明建设提供经济活力。

《纲要》明确,推进生态文明建设的战略任务是紧紧围绕生态林业和民生林业两条主线,着力构建国土生态空间规划体系、重大生态修复工程体系、生态产品生产体系、维护生态安全的制度体系和生态文化体系,全面推进生态文明建设。

一是着力构建国土生态空间规划体系,完善森林保护空间规划、湿地保护空间规划、荒漠治理空间规划、生物多样性保育空间规划,进一步提升林业在生态保护与建设中的主体地位;二是着力构建重大生态修复工程体系,继续以大工程推动全国自然生态系统的修复与恢复,重点实施天然林资源保护,退耕还林,三北防护林体系建设五期,沿海防护林体系建设,长江、珠江流域及农田防护林体系建设,湿地保护与恢复,京津风沙源治理二期,岩溶地区石漠化综合治理,全国野生动植物保护及自然保护区建设,全国极小种群野生动植物拯救保护十大生态修复工程;三是着力构建生态产品生产体系,增加生态产品的有效供给,发展绿色富民产业,增强林业碳汇功能;四是着力构建维护生态安全的制度体系,完善生态安全法制体系,健全生态文明制度体系;五是着力构建生态文化体系,培育生态文明价值体系,强化生态文化传承创新和宣传实践。

《纲要》提出了林业推进生态文明建设的十项重大行动:一是生态红线保护行动,科学划定并严格守住生态红线,推进生态用地可持续增长。二是重点生态功能区建设行动,加快编制重点生态功能区生态保护与建设规划,加快推进生态功能区生态保护和修复,加强林业禁止开发区保护和管理,开展生态监测评估,使重点生态功能区成为保障国家生态安全的主体和人与自然和谐相处的示范区域。三是森林保育和木材储备行动,加强重点林木良种基地建设和种质资源保护,加强森林经营,加快国家木材战略储备基地建设,强化森林保护,确保实现森林面积和森林蓄积增长目标,维护国家木材安全。四是湿地修复行动,加强湿地保护与恢复,科学构建湿地保护网络体系,积极推进湿地保护法制建设,全面深化湿地保护国际交流与合作,提高湿地保护、管理和合理利用能力,逐步恢复湿地生态功能。五是沙化土地封禁行动,划建沙化土地封禁保护区,开展封禁设施建设和监管能力建设,妥善安置农牧民生产生活,促进荒漠植被自然修复。六是物种拯救行动,加强极小种群野生植物拯救保护,加强重点野生动物保护和野生动物疫源疫病防控,使95%以上的极小种群野生动植物和国家级自然保护区以外80%的重要生境得到保护。七是城市林业建设行动,大力开展森林城市创建活动,积极推进绿色城镇化,通过创建增加城市绿色元素,绿化、美化、净化城市环境,打造宜居城市,提升人民生活品质,保障城镇化绿色发展。八是美丽乡村建设行动,大力开展村庄绿化美化活动,积极推进兴林惠民,发挥林业生态、经济、社会综合效益,绿化美化乡村环境,促进农民就业增收,维护农村社会稳定。九是木本粮油发展行动,培育和推广优良品种,实行标准化生产和管理,推进加工体系建设和强化产品质量安全。十是生态文明宣教和林业信息化行动,开展生态文明宣教活动,夯实生态文明建设基础,加快构建智慧林业管理体系,努力提升林业信息化服务水平。

第四节　小城镇市容与环境卫生管理

为实现示范小城镇城镇管理的精细化、标准化、规范化,提高示范小城镇管理水平,小城镇市容与环境卫生管理应遵循《城市市容和环境卫生管理条例》等有关法律、法规、规章的规定。

一、小城镇管理职责

(1)小城镇管理相关部门,按照下列职责分工履行示范小城镇管理职责:

1)区县市容园林管理部门负责小城镇的镇容镇貌、环境卫生和园林绿化方面的监督管理工作。

2)区县镇区道路管理部门负责小城镇的道路设施的监督管理工作。

(2)镇容镇貌和环境卫生养护工作由乡镇政府(街办事处)按照职责分工,明确责任单位,并主要履行下列职责:

1)对镇容镇貌和环境卫生工作进行组织、协调、监督和检查。

2)开展有关镇容镇貌和环境卫生法律、法规的宣传教育活动。

3)督促单位和个人履行镇容镇貌和环境卫生义务,组织镇区单位开展环境卫生清整活动。

4)监督责任单位保持本责任区内镇容环境的清洁和公共设施的完好。

5)负责生产和生活垃圾的集中有偿清运。

二、小城镇市容管理

市容指的是城市的面貌,包括街道、房屋、建筑、商店陈列等。

根据中华人民共和国国务院令第 101 号《城市市容和环境卫生管理条例》的规定,城市市容管理应遵循下列规定:

(1)城市中的建筑物和设施,应当符合国家规定的城市容貌标准。对外开放城市、风景旅游城市和有条件的其他城市,可以结合本地具体情况,制定严于国家规定的城市容貌标准;建制镇可以参照国家规定的城市容貌标准执行。

(2)一切单位和个人都应当保持建筑物的整洁、美观。在城市人民政府规定的街道的临街建筑物的阳台和窗外,不得堆放、吊挂有碍市容的物品。搭建或封闭阳台必须符合城市人民政府市容环境卫生行政主管部门的有关规定。

(3)在城市中设置户外广告、标语牌、画廊、橱窗等,应当内容健康、外形美观,并定期维修、油饰或者拆除。

大型户外广告的设置必须征得城市人民政府市容环境卫生行政主管部门同意后,按照有关规定办理审批手续。

(4)城市中的市政公用设施,应当与周围环境相协调,并维护和保持设施完好、整洁。

(5)主要街道两侧的建筑物前,应当根据需要与可能,选用透景、半透景的围墙、栅栏或者绿篱、花坛(池)、草坪等作为分界。

临街树木、绿篱、花坛(池)、草坪等,应当保持整洁、美观。栽培、整修或者其他作业留下的渣土、枝叶等,管理单位、个人或者作业者应当及时清除。

（6）任何单位和个人都不得在街道两侧和公共场地堆放物料，搭建建筑物、构筑物或者其他设施。因建设等特殊需要，在街道两侧和公共场地临时堆放物料，搭建非永久性建筑物、构筑物或者其他设施的，必须征得城市人民政府市容环境卫生行政主管部门同意后，按照有关规定办理审批手续。

（7）在市区运行的交通运输工具，应当保持外形完好、整洁，货运车辆运输的液体、散装货物，应当密封、包扎、覆盖，避免泄漏、遗撒。

（8）城市的工程施工现场材料、机具应当堆放整齐，渣土应当及时清运；临街工地应当设置护栏或者围布遮挡；停工场地应当及时整理并作必要的覆盖；竣工后，应当及时清理和平整场地。

（9）一切单位和个人都不得在城市建筑物、设施以及树木上涂写、刻画。

单位和个人在城市建筑物、设施上张挂、张贴宣传品等，须经城市人民政府市容环境卫生行政主管部门或者其他有关部门批准。

三、小城镇环境卫生管理

环境卫生是指城市空间环境的卫生。主要包括城市街巷、道路、公共场所、水域等区域的环境整洁，城市垃圾、粪便等生活废弃物收集、清除、运输、中转、处理、处置、综合利用，城市环境卫生设施规划、建设等。

小城镇环境卫生作业应做到文明、清洁、卫生和有序，最大限度地减少对环境的污染和对城镇居民生活的影响。小城镇环境卫生管理部门应负责对辖区内从事环境卫生工作的单位和个人进行指导和监督。

为了建设清洁、优美、文明的现代化城市，提高城市环境卫生水平，统一全国城市环境卫生质量标准，住房和城乡建设部制定了《城市环境卫生质量标准》和《城市市容和环境卫生管理条例》（国务院令第101号）。

（一）道路清扫和保洁管理

根据《城市市容和环境卫生管理条例》（国务院令第101号）的规定：

按国家行政建制设立的市的主要街道、广场和公共水域的环境卫生,由环境卫生专业单位负责。居住区、街巷等地方,由街道办事处负责组织专人清扫保洁。

《城市环境卫生质量标准》对道路清扫和保洁管理做了如下规定。

1. 道路保洁范围及等级

(1)道路保洁范围应为车行道、人行道、车行隧道、人行过街地下通道、地铁站、高架路、人行过街天桥、立交桥及其他设施等。

(2)道路保洁等级划分应符合表 9-1 的规定。

表 9-1　道路保洁等级划分

序号	保洁等级	道路保洁等级划分条件
1	一级	(1)商业网点集中,道路旁商业店铺占道路长度不小于70%的繁华闹市地段; (2)主要旅游点和进出机场、车站、港口的主干路及其所在地路段; (3)大型文化娱乐、展览等主要公共场所所在路段; (4)平均人流量为100人次/分钟以上和公共交通线路较多的路段; (5)主要领导机关、外事机构所在地
2	二级	(1)城市主、次干路及其附近路段; (2)商业网点较集中、占道路长度60%~70%的路段; (3)公共文化娱乐活动场所所在路段; (4)平均人流量为50~100人次/分钟的路段; (5)有固定公共交通线路的路段
3	三级	(1)商业网点较少的路段; (2)居民区和单位相间的路段; (3)城郊结合部的主要交通路段;人流量、车流量一般的路段
4	四级	(1)城郊结合部的支路; (2)居住区街巷道路; (3)人流量、车流量较少的路段

注:1. 人流量指单位时间内通过道路某一断面的行人数量;

　　2. 车流量指单位时间内通过道路某一断面的机动车辆数量。

2. 道路清扫和保洁

(1)道路清扫、保洁的通用质量要求:

1)一至四级道路路面废弃物控制指标应符合表 9-2 规定。但在同一单位长度内,不得超过各单项废弃物总数的 50%。

表 9-2　路面废弃物控制指标

保洁等级	果皮 (片/1000m²)	纸屑、塑膜 (片/1000m²)	烟蒂 (个/1000m²)	痰迹 (处/1000m²)	污水 (m²/1000m²)	其他 (处/1000m²)
一级	≤4	≤4	≤4	≤4	无	无
二级	≤6	≤6	≤8	≤8	≤0.5	≤2
三级	≤8	≤10	≤10	≤10	≤1.5	≤6
四级	≤10	≤12	≤15	≤15	≤2.0	≤8

2)道路融雪后,路面煤渣、灰沙及其他废弃物应及时清扫干净。

3)路面冲洗、洒水作业时应鸣报信号;冲洗后路面应干净,下水口不应堵塞。没有下水口的道路可不冲洗。结冰期不宜冲洗。干旱、严重缺水城市的路面冲洗,可根据具体情况决定。

4)每日的清扫作业应在清晨前结束,人行道、路面、边沟、下水口、树穴等应整洁。

(2)一级道路保洁质量要求:

1)对人流量大的繁华路段,应全天巡回保洁,路面应见本色。

2)大城市、特大城市的路面冲洗,每日应不少于 1 次,其他城市,每周可冲洗 3~5 次。

3)气温 30 ℃以上时,大城市、特大城市平均每天洒水应不少于 3 次,其他城市可按实际情况决定。

(3)二级道路保洁质量要求:

1)主要路段应巡回保洁,路面基本见本色。

2)大城市、特大城市的路面冲洗,每周应不少于 3 次,其他城市每周应不少于 1 次。

3)气温 30 ℃以上时,大城市、特大城市平均每天洒水应不少于 2 次,其他城市可按实际情况决定。

(4)三级道路保洁质量要求:

1)应定时保洁,各地可按实际情况决定路面是否需要冲洗以及冲洗次数。

2)气温 30 ℃以上时,大城市、特大城市每天洒水应不少于 1 次,其他城市可根据实际情况决定。

(5)四级道路保洁质量要求:

1)每天应清扫 1～2 次。

2)部分路段应实行定时保洁。

(6)桥面的保洁质量应与所连接的道路保洁质量标准相同。桥栏杆应整洁,无乱贴、乱画。

(7)人行天桥桥面保洁质量应与一级道路保洁质量标准相同。阶梯、扶手、栏杆应干净。

(8)车行隧道的路面应干净,无积存污水和垃圾;隧道两壁应无明显污物;隧道进出口保洁质量应与所连接路段保洁质量标准相同。

(9)人行地道的地面保洁质量,应与所连接的道路保洁质量标准相同。阶梯、扶手应干净,两侧墙面应无乱贴、乱画。

(10)地铁站台保洁应符合下列规定:

1)站台应清洁,无痰迹,无瓜皮、果壳、纸屑、烟蒂等散落垃圾。地面应每天擦洗,无积尘。

2)过道、阶梯、扶手、墙面、天花板应干净,无污物。

3)站台的列车运行路段应干净,无散落、存留垃圾。

4)站台应无陈旧、破损的广告或其他张贴。

5)保洁时间应与地铁营运时间一致。

3. 其他设施的保洁

(1)废物箱应美观、适用,与周围环境协调,完好率应不低于 98%;箱周围地面应无抛撒、存留垃圾。

(2)路旁绿地、绿化隔离带(由树木、花草组成的沿道路纵向设置,用以分隔行车道或非机动车道与行车道的带状屏障)、行道树穴内应无积存垃圾和人畜粪便。

(3)道路两侧的建筑物外墙应无明显污迹,无乱贴、乱挂和过时破损标语。

(4)道路两侧广告牌、路牌、邮筒、读报栏等设施应保持完好,无污迹、积尘。

(5)雕塑应无明显污迹。

(6)公交候车站应整洁,其保洁质量应与所在道路保洁质量标准相同。

(二)生活垃圾收集、运输和处理

根据《城市市容和环境卫生管理条例》(国务院令第 101 号)的规定:

(1)城市人民政府在进行城市新区开发或者旧区改造时,应当依照国家有关规定,建设生活废弃物的清扫、收集、运输和处理等环境卫生设施,所需经费应当纳入建设工程概算。

(2)多层和高层建筑应当设置封闭式垃圾通道或者垃圾贮存设施,并修建清运车辆通道。

城市街道两侧,居住区或者人流密集地区,应当设置封闭式垃圾容器、果皮箱等设施。

(3)城市人民政府市容环境卫生行政主管部门对城市生活废弃物的收集、运输和处理实施监督管理。

一切单位和个人,都应当依照城市人民政府市容环境卫生行政主管部门规定的时间、地点、方式,倾倒垃圾、粪便。

对垃圾、粪便应当及时清运,并逐步做到垃圾、粪便的无害化处理和综合利用。

对城市生活废弃物应当逐步做到分类收集、运输和处理。

《城市环境卫生质量标准》对生活垃圾收集、运输和处理做了如下规定。

1. 垃圾收集

垃圾收集应符合下列质量要求:

(1)垃圾收集容器应定位设置,摆放整齐。设置点及周围 2～3 m 内应整洁,无散落、存留垃圾和污水。

(2)垃圾收集容器应无残缺、破损,封闭性好,外体干净。构筑物内外墙面不得有明显积灰、污物。

(3)特种垃圾的收集,必须用设有明显标志、能防止污染扩散的密封容器。

(4)蝇、蚊滋生季节,垃圾收集站(点),应定时喷洒消毒、灭蚊蝇药物。在可视范围内,苍蝇应少于3只/次。

(5)楼房垃圾管道的底层垃圾间应整洁,无散落垃圾和积留污水,无恶臭,基本无蝇。

(6)生活垃圾应全部实行容器收集,有条件的地区,可实行分类收集。

(7)居民应按规定将生活垃圾倒入垃圾收集容器内。实行分类、袋装收集的地区,居民应将垃圾分类、袋装封闭后,定时投入收集容器内或放置于指定的收集点。

(8)企、事业等单位应将所产生的生活垃圾投放于自设的收集容器内,不得裸露堆放。

(9)特种垃圾、工业垃圾和建筑垃圾,必须与生活垃圾分开存放,分别收集。

(10)居民的生活垃圾应每日清除,无堆积;单位的生活垃圾应按时清除,无积压,不腐烂发臭;废旧家具、家用电器等粗大垃圾应按指定地点存放,定期清除。

(11)收集作业完成后,应及时清理场地,将可移动式垃圾收集容器复位,车走地净。垃圾应直接送至指定的转运站或处置场。

(12)废物箱内的垃圾应及时清除、无满溢和散落,并定时清洗箱体。

(13)地面(含天桥、地道)清扫的垃圾应及时收集和运输,不遗漏,不得堆放在路边。

(14)公交车、长途汽车、飞机、火车上的垃圾,应由营运单位自行袋装收集,按规定处置,严禁任意排放。

(15)水域沿岸的码头、趸船、单位所产生的垃圾应定时收集。严禁向水域倾倒或抛撒垃圾。

(16)行驶、停泊在市区水域的各类船舶产生的生活垃圾,应按规定分类袋装,定时收集,统一处置;扫舱垃圾及特种垃圾应分类存放,按规定处置,严禁任意排放。

(17)市内水域漂浮垃圾应有专人负责打捞,及时清除;主要河段、湖区应每天清除,在可视范围内水面不得有单个面积在 0.5 m² 以上的漂浮垃圾和动物尸体。

2. 垃圾运输

(1)垃圾转运应符合下列质量要求:

1)转运站应有防尘、防污染扩散及污水处置等设施。

2)转运站内外场地应整洁,无撒落垃圾和堆积杂物,无积留污水。

3)室内通风应良好,无恶臭,墙壁、窗户应无积尘、蛛网。

4)进入站内的垃圾应当日转运,有贮存设施的,应加盖封闭,定时转运。

5)站内垃圾装运容器应整洁,无积垢,无吊挂垃圾。

6)蚊蝇滋生季节,应每天喷药灭蚊蝇。在可视范围内,站内苍蝇应少于 3 只/次。

7)除急用,有条件的地区应建设密闭转运站,不宜长期采用露天临时转运点(为了应急而临时集中存放生活垃圾的室外垃圾转运场地)转运垃圾。

8)垃圾临时转运点距离居民住地不得小于 300 m。场地周围应设置不低于 2.5 m 的防护围栏和污水排放渠道。

9)装卸垃圾应有降尘措施,地面应无散落垃圾和污水。

10)垃圾应及时转运,蚊蝇滋生季节应定时喷药灭蚊蝇,在可视范围内苍蝇应少于 6 只/次,无恶臭。

11)场地应有专人管理,工具、物品置放应有序整洁。

12)通过码头转运垃圾时,应逐步采用密闭方式集装,除特殊情况外,不得在转运码头堆放垃圾。

13)垃圾转运码头应设置防散落、防飞扬和降尘设施,垃圾不得散落于水体。作业场地应有污水收集管道或收集池,有条件的,应把污水处理后排入城市污水管网。

14)转运码头及周围环境应整洁,装卸作业完毕,应及时清扫场地。

15)蝇蚊滋生季节应定时喷洒药物,在可视范围内,转运码头的苍蝇应少于 6 只/次,无恶臭。

(2)车辆(包括机动车辆和非机动车辆)运输垃圾应符合下列质量

要求：

　　1)车容应整洁,车体外部无污物、灰垢,标志应清晰。

　　2)运输垃圾应密闭,在运输过程中无垃圾扬、撒、拖挂和污水滴漏。

　　3)垃圾装运量应以车辆的额定荷载和有效容积为限,不得超重、超高运输。

　　4)装卸垃圾应符合作业要求,不得乱倒、乱卸、乱抛垃圾。

　　5)运输作业结束,应将车辆清洗干净(结冰期除外),清洗污水符合《污水排入城镇下水道水质标准》(CJ 343)、现行国家标准《皂素工业水污染物排放标准》(GB 20425)或《煤炭工业污染物排放标准》(GB 20426)后,方可排入城市污水管网或附近水体。

　　(3)船舶运输垃圾应符合下列质量要求：

　　1)船容应整洁,垃圾舱外应无散落垃圾和其他污物,无蝇蛆。生活舱与垃圾舱之间应有隔离装置。

　　2)装运垃圾应密闭,垃圾不裸露、不散落。

　　3)蚊蝇滋生季节,垃圾舱应定时喷洒灭蚊蝇药物。

　　3. 垃圾处理

　　(1)垃圾处理厂(场)管理的通用质量要求：

　　1)厂(场)四周应有绿化隔离带或防护围墙;围墙高度不得低于2.5 m。

　　2)应有防止粉尘飘散和垃圾飞扬的措施。

　　3)应有污水(包括渗沥液)收集和处理系统,防止污水污染地表水和地下水。

　　4)在建设前应对厂(场)区及周围地区的大气、地表水、地下水和土壤环境质量进行本底调查;使用期间,应定期监测。

　　5)厂(场)区环境应整洁,地面和通道无散乱垃圾和溢流污水。

　　6)厂(场)内绿化面积应不小于厂(场)区面积的10%。

　　(2)垃圾堆肥处理厂的管理除应符合上述(1)的要求外,还应符合下列质量要求：

　　1)垃圾堆放期间,应采取封闭措施,不裸露。

　　2)经分拣、筛选后的残渣应进行卫生填埋或焚烧处理,不得露天堆放。

3)厂内应有相应的除臭和灭蝇措施,无恶臭,在蚊蝇滋生季节,在可视范围内,苍蝇应少于 6 只/次。

4)堆肥处理应符合现行国家《粪便无害化卫生标准》(GB 7959)中的高温堆肥卫生要求;堆肥制品应符合现行国家《城镇垃圾农用控制标准》(GB 8172)的有关规定。

(3)垃圾卫生填埋场的管理除应符合上述(1)的要求外,还应符合下列质量要求:

1)填埋场区应有符合现行行业标准《生活垃圾卫生填埋处理技术规范》(GB 50869)规定和环境质量评价要求的防渗设施。

2)填埋作业时,应及时压实、覆盖垃圾。覆盖材料应符合《生活垃圾卫生填埋处理技术规范》(GB 50869)的规定。场区应无恶臭。

3)填埋场区应有气体收集、处理设施和监测报警装置。

4)处理后的垃圾渗沥液在排入地表水体时,其水质应符合现行国家标准《皂素工业水污染物排放标准》(GB 20425)或《煤炭工业污染物排放标准》(GB 20426)规定的相应水体的排放指标。

5)填埋场应有灭蝇、灭鼠措施。在蚊蝇滋生季节,可视范围内,苍蝇应少于 6 只/次。

(4)垃圾焚烧处理厂的管理除应符合上述(1)的要求外,还应符合下列质量要求:

1)应对焚烧过程中排放的飞灰、污水、烟气和炉渣进行经常性监测和分析,并有完整记录。

2)焚烧过程产生的烟气、飞灰和污水在排放前必须经过处理,其污染物排放浓度应符合现行国家《火电厂大气污染物排放标准》(GB 13223)、《煤炭工业污染物排放标准》(GB 20426)及《恶臭污染物排放标准》(GB 14554)的有关规定。

3)焚烧后的残渣应作无害化处理。

4)厂内生产区臭气应不超过 3 级,在可视范围内,苍蝇不超过 3 只/次。

(三)粪便的收集、运输和处理

根据《城市市容和环境卫生管理条例》(国务院令第 101 号)的规定:

　　城市人民政府市容环境卫生行政主管部门,应当根据城市居住人口密度和流动人口数量以及公共场所等特定地区的需要,制定公共厕所建设规划,并按照规定的标准,建设、改造或者支持有关单位建设、改造公共厕所。

　　城市人民政府市容环境卫生行政主管部门,应当配备专业人员或者委托有关单位和个人负责公共厕所的保洁和管理;有关单位和个人也可以承包公共厕所的保洁和管理。公共厕所的管理者可以适当收费,具体办法由省、自治区、直辖市人民政府制定。

　　对不符合规定标准的公共厕所,城市人民政府应当责令有关单位限期改造。

　　公共厕所的粪便应当排入贮(化)粪池或者城市污水系统。

　　《城市环境卫生质量标准》对粪便的收集、运输和处理做了如下规定。

1. 粪便收集

　　(1)居民粪便的收集应符合下列质量要求:

　　1)在规定时间内,居民应将粪便倒入专门设置的粪便收集设施内,不得随意倾倒。

　　2)粪便收集设施应外形清洁、美观,密闭性好,粪便不应暴露,臭气不扩散。沟、管不应堵塞。

　　3)地下贮粪池应无渗、无漏、无溢,并设有防火、防爆安全设施。

　　4)收集设施应有专人管理和保洁。倒粪口、取粪口应清洁,地面应无粪迹、垃圾和污水。

　　5)收集设施应有防蝇、防臭措施,环境整洁,无恶臭。在可视范围内,收集站苍蝇应少于 3 只/次。

　　6)收集居民粪便的容器应完好、密闭,无粪水洒漏。

　　(2)公共厕所(以下简称"公厕")的卫生应符合下列质量要求:

　　1)水冲式公厕粪污水不得直接排入雨水管道、河流和水沟。有污水管网和污水处理厂的地区,应将粪污水纳入污水管网集中处理;没有污水管网的地区,应建造符合卫生要求的化粪池或其他处理设施。

　　2)公厕内地面应保持整洁,粪槽、便槽(斗)和管道应无破损,内外墙应无剥落。

3）一类公厕应有防蝇、防蚊和除臭设施或措施。

4）有条件的地区,公厕四周应绿化。

5）公厕保洁标准应符合下列规定:

①公厕内采光、照明和通风应良好,无明显臭味。

②公厕内墙面、天花板、门窗和隔离板应无积灰、污迹、蛛网,无乱涂乱画,墙面应光洁,公厕外墙面应整洁。

③公厕内地面应光洁,无积水。

④蹲位应整洁,大便槽两侧应无粪便污物,槽内无积粪,洁净见底。

⑤小便槽(斗)应无水锈、尿垢、垃圾,基本无臭;沟眼、管道保持畅通。

⑥公厕内照明灯具、洗手器具、镜子、挂衣钩、烘手器、冲水设备等应完好,无积灰、污物。

⑦公厕外环境应整洁,无乱堆杂物,保洁工具应放置整齐。公厕四周 3~5 m 范围内,应无垃圾、粪便、污水等污物。

⑧蝇蚊滋生季节,应定时喷洒灭蚊蝇药物,有效控制蝇蛆滋生。

⑨公厕内卫生保洁质量控制指标应符合表 9-3 的规定。

表 9-3　公厕内卫生保洁质量控制指标

项目	一类公厕	二类公厕	三类公厕
纸片(块)	无	≤1	≤2
烟蒂(个)	无	≤1	≤2
粪迹(处)	无	无	无
痰迹(处)	无	≤1	≤2
窗格积灰	无	无	微
臭味(级)	≤0	水厕,≤1 非水厕,≤2	水厕,≤1 非水厕,≤3
苍蝇(只)	无	水厕,无 非水厕,<3	水厕,<3 非水厕,≤5
蛛网	无	无	无

（3）公厕粪便清除作业应符合下列质量要求：

1）应定期清除公厕贮（化）粪池粪便，粪水不溢。

2）收集和运输容器应密闭性好，无滴漏。收运粪便时，容器应加盖密闭。

3）严寒地区在结冰期前，应将所有公厕贮粪池深淘见底。结冰期清淘的冰冻粪便，应及时清运、处理，不得堆在院内和路旁。

4）应保持作业场地清洁卫生，无遗撒粪便。清淘作业结束后，应盖严粪口，并及时清洗场地和清淘工具。

（4）水域船舶粪污水收集应符合下列质量要求：

1）行驶、停泊在市区水域内各类船舶，应按规定设置足够容量的收集粪污水的容器，不得将粪污水排入水域。

2）市区水域船舶粪污水应及时收集，统一处理。

3）收集粪污水的容器和船舶应密闭，无渗漏，船容整洁。

（5）飞机、火车上和流动厕所的粪污水应统一收集，不得随意排放。

2. 粪便运输

（1）粪便转运应符合下列质量要求：

1）粪便转运站（场、码头）设施应完好、整洁。转运的粪污水应密闭贮存于贮粪池内。贮粪池应符合防渗漏、防臭气扩散和防蝇的要求，并设置防火、防爆安全设施。

2）贮粪池内的粪便应及时转运，不得外溢。

3）输粪管道应完好、畅通，闸阀应严密，无破损、滴漏。

4）转运作业时，粪便不得污染水体和作业场地。冲洗作业场地的污水应经适当处理，排入污水管网或收集池，不得直接排入附近水体。

5）将人力收集车的粪便转运到机动车时，应保持转运作业的紧密衔接，不得任意将粪罐、粪桶、手推粪车停放在主要道路上。

6）卸粪时应谨慎操作，不得将粪便泼洒在卸粪口周围地面。作业结束，应及时清洗卸粪口及作业场地。

7）粪便转运站（场、码头）应有灭蝇措施。在可视范围内，苍蝇不超过 3 只/次，无蛆，臭味不超过 4 级。

（2）车辆运输粪便应符合下列质量要求：

1）车辆应完好、整洁，车体无粪迹污物。

2）装载容器应密闭性好。放粪闸阀、进粪口应严实，并有防滴漏措施；运输过程中应无滴漏、洒落，车走后场地应清理干净。

3）装载应适量，无外溢；装载的粪便，应及时卸清，不得将粪便长时间存留在车罐内。

4）应按指定地点及时卸粪，不得任意排放。

5）运输作业结束后，应及时清洗车辆和辅助设施，不得留有粪迹污物。

（3）船舶运输粪便应符合下列质量要求：

1）船舶应完好、整洁。贮粪舱与工作室、生活舱之间应有隔离装置和安全防护设施。

2）贮粪舱应密闭，有良好防漏性能。

3）装载量不得超过船舶的核定荷载。运输途中，粪水不得外泼。

4）应有符合要求的密闭装卸容器和装卸设施；装卸作业时，粪水不得外泄。

5）应定时向贮粪舱喷洒灭蝇药物，做到无蝇无蛆。

3. 粪便处理

（1）粪便处理的通用质量要求：

1）未经无害化处理的粪便不得直接用作农肥。经无害化处理的粪便，应符合现行国家《粪便无害化卫生要求》（GB 7959）的有关规定。

2）应有完备的监测、检验设备和制度，对处理过的粪便应定期检验，不符合标准的，应重新进行处理，直至符合标准要求。

3）粪便处理应在密闭状态下进行，粪便不裸露，臭气不扩散。

4）对粪便处理过程中产生的残渣，以及浓缩或脱水后的粪污泥，应进行无害化处理；对浓缩脱出的粪水应进行无害化处理或经预处理后排入污水管网，由污水处理厂集中处理。

5）经处理的粪污水，在排入地表水前，其排放水质应符合现行国家《皂素工业水污染物排放标准》（GB 20425）或《煤炭工业污染物排放标准》（GB 20426）的有关规定。

6)医院粪污水的处理,应符合现行国家《医疗机构水污染排放标准》(GB 18466)、《皂素工业水污染物排放标准》(GB 20425)或《煤炭工业污染物排放标准》(GB 20426)的规定。

(2)粪便处理厂除应符合上述(1)的要求外,还应符合下列质量要求:

1)进厂粪便应直接经粪槽卸入粪池,进粪口及粪槽外应无粪便残留物。卸粪后,应及时盖严粪口、粪槽。

2)应将预处理的残留物收集于密闭的容器内,并进行无害化处理,不得裸露堆放。

3)经消化处理的污泥应稳定性好,无臭味、不滋生苍蝇。

4)厂区环境应整洁,设有绿化隔离带等防护设施,基本无蝇、无恶臭。

(3)与垃圾混合堆肥处理的粪便,应符合现行国家《粪便无害化卫生要求》(GB 7959)中高温堆肥卫生标准的规定。

(4)处理粪污水的化粪池,除应符合上述(1)的要求外,还应符合下列质量要求:

1)化粪池应密闭性好,检查井、吸粪口应有防雨水、防臭气外溢装置,应无渗漏、无溢,并有防火、防爆设施。

2)粪污水在化粪池内停留时间,应根据粪污水量的多少,以 12~24 为宜。对采用化粪池进行预处理的医院粪污水,其停留时间应不小于 36。

3)化粪池应定期清理,但池底应保留 20%的污泥量。

4)化粪池周围场地应保持整洁,基本无蝇、无恶臭。

(5)处理粪便的贮粪池除应符合上述(1)的要求外,还应符合下列要求:

1)贮粪池周围应有绿化隔离带等隔离防护设施。

2)贮粪池应密闭,无渗漏,臭气不外溢,并有防火、防爆设施。

3)场地及周围环境应整洁,基本无蝇、无恶臭。

(四)主要公共场所环境卫生管理

根据《城市市容和环境卫生管理条例》(国务院令第 101 号)的

规定：

（1）城市中的环境卫生设施，应当符合国家规定城市环境卫生标准。

（2）一切单位和个人都不得擅拆除环境卫生设施；因建设需要必须拆除的，建设单位必须事先提出拆迁方案，报城市人民政府市容环境卫生行政主管部门批准。

（3）飞机场、火车站、公共汽车始末站、港口、影剧院、博物馆、展览馆、纪念馆、体育馆（场）和公园等公共场所，由本单位负责清扫保洁。

（4）机关、团体、部队、企事业单位，应当按照城市人民政府市容环境卫生行政主管部门划分的卫生责任区负责清扫保洁。

（5）城市集贸市场，由主管部门负责组织专人清扫保洁。

各种摊点，由从业者负责清扫保洁。

（6）城市港口客货码头作业范围内的水面，由港口客货码头经营单位责成作业者清理保洁。

在市区水域行驶或者停泊的各类船舶上的垃圾、粪便，由船上负责人依照规定处理。

（7）环境卫生管理应当逐步实行社会化服务。有条件的城市，可以成立环境卫生服务公司。

凡委托环境卫生专业单位清扫、收集、运输和处理废弃物的，应当交纳服务费。具体办法由省、自治区、直辖市人民政府制定。

（8）城市人民政府应当有计划地发展城市煤气、天然气、液化气，改变燃料结构；鼓励和支持有关部门组织净菜进城和回收利用废旧物资，减少城市垃圾。

（9）医院、疗养院、屠宰场、生物制品厂产生的废弃物，必须依照有关规定处理。

（10）公民应当爱护公共卫生环境，不随地吐痰、便溺、不乱扔果皮、纸屑和烟头等废弃物。

（11）按国家行政建制设立的市的市区内，禁止饲养鸡、鸭、鹅、兔、羊、猪等家畜家禽；因教学、科研以及其他特殊需要饲养的，须经其所在城市人民政府市容环境卫生行政主管部门批准。

《城市环境卫生质量标准》对主要公共场所环境卫生管理做了如下规定。

1. 公共卫生设施

（1）公共场所包括下列范围：

1）文化、娱乐活动场所：影剧院、文化宫、大型图书馆、展览馆、纪念馆、游乐场、大型广场等。

2）游览活动场所：公园、景区、景点等。

3）公共交通集散场所：民航机场、客运火车站、客运码头、长途汽车站等。

4）体育活动场所：体育馆、体育场及主要体育比赛场地等。

5）购物、贸易活动场所：菜市场、农贸集市、购物展销场所、商场等。

（2）公共场所的经营或管理单位，必须在公共场所人流集中的地方设置废物箱。废物箱及周围环境的保洁应符合下列要求：

1）废物箱应干净、美观，与周围环境协调。

2）废物箱置放点及周围应整洁，无蝇、无臭。

（3）公共场所垃圾箱（桶）等收集容器和设施应符合上述（1）的规定。

（4）文化娱乐场所、主要景区、景点、机场、车站、客运码头、体育馆、商场的公厕等级，不得低于现行行业标准《城市公共厕所设计标准》(CJJ 14—2005)中的一类标准；一般景区、体育场的公厕，不得低于二类标准；农贸集市的公厕，不得低于三类标准。

（5）公共场所的公厕环境卫生质量应符合上述（2）的规定。

2. 垃圾收集、运输和处理

（1）公共场所的生活垃圾，应集中贮存于密闭的垃圾箱（桶）内，或袋装，每天定时收集和清运。

（2）机场、车站、码头、停车场、体育场馆、游乐场、文化娱乐场所、商场的垃圾，应实行袋装收集。收集、清运作业中，应无垃圾暴露和污水滴漏。

（3）在饲养、展出、销售动物时，各种动物的粪便、饲料残渣应及时清除。动物尸体和其他特种垃圾应按规定进行无害化处理。

（4）公共场所的垃圾应按上述"（二）3.垃圾处理"的规定处理和处置，不得随意倾倒。

3. 粪便收集、运输和处理

公共场所的粪便收集、运输和处理应分别符合上述"（三）粪便的收集、运输和处理"的规定。

4. 公共场所清扫和保洁

（1）公共场所的清扫和保洁应符合下列质量要求：

1）主要文化、娱乐、游览区，大型比赛场地，主要交通集散地，大型购物、展销商场，应按一级道路保洁标准保洁。

2）一般性的娱乐、游览、比赛、交通集散场地等，以及室内的菜场、农贸集市的清扫、保洁，不得低于二级道路保洁标准。

3）露天菜场和农贸集市周围的清扫和保洁，不得低于三级保洁标准。

4）售货摊点的设置不应影响环境卫生。经营饮食、果品、农产品等易产生垃圾的摊位，应自备容器。摊点及周围 2 m 范围内应无垃圾杂物和其他污物污迹，摊位应整洁。

（2）公共场所周围环境应整洁，无乱堆杂物、存留垃圾、人畜粪便和污水。

（3）公共场所的绿地、花坛、亭阁、假山、喷泉、水池等，应经常保持整洁、美观，无垃圾、杂物、腐叶和悬挂污物。

（4）游览风景点内的河、湖、溪流等水域，水面应清洁明净，无漂浮垃圾和动物尸体。

（5）公共广场保洁应符合下列质量要求：

1）广场、停车场、停机坪、火车站前广场等地面应干净，无明显灰沙和污物，无人畜粪便。

2）夏秋季节，应定时洒水降温、除尘。

3）公共广场地面废弃物控制指标应符合表 9-4 的规定。

表 9-4　公共广场地面废弃物控制指标

广场类型	瓜果皮壳 (片/100 m²)	纸片塑膜 (片/100 m²)	烟蒂 (片/100 m²)	痰迹 (片/100 m²)	其他杂物 (片/100 m²)
文化娱乐展览	≤1	≤1	无	无	≤1
机场	≤1	≤1	无	无	≤1
火车站、码头	≤1	≤1	≤1	≤2	≤1
体育场馆	≤1	≤1	≤1	≤2	≤1
长途车站	≤1	≤2	≤2	≤3	≤2
大型公共广场	≤1	≤3	≤3	≤3	≤3

　　4)广场雕塑、广告、宣传画廊、围栏等设施应保持完好清洁,无明显污迹。

　　(6)公共场所的室内保洁应符合下列质量要求:

　　1)室内地面应清洁,候机室、候车(船)室、文化娱乐场馆和商场等室内地面废弃物控制指标,应符合表 9-5 的规定。

表 9-5　公共场所室内地面废弃物控制指标

广场类型	瓜果皮壳 (片/100 m²)	纸片塑膜 (片/100 m²)	烟蒂 (片/100 m²)	痰迹 (片/100 m²)	其他杂物 (片/100 m²)
文化娱乐活动室	无	≤2	无	无	≤1
候机室	无	≤2	无	无	无
候车船室	≤2	≤3	无	无	≤3

　　2)室内门窗、墙壁棚顶应无积灰、污迹和蛛网。玻璃窗应光洁明亮。

　　3)室内灯具、沙发、椅凳、栏杆扶手、指示牌、娱乐体育活动用具等设备和设施应完好,干净卫生。

　　4)室内工作台、商品柜应干净卫生,表面无积灰、污物。

参 考 文 献

[1] 李延荣,周珂. 房地产法[M]. 北京:中国人民大学出版社,2000.

[2] 葛恒美,李延荣. 土地法教程[M]. 北京:中国大地出版社,1996.

[3] 符启林. 房地产法[M]. 北京:法律出版社,1997.

[4] 温世扬,宁立志. 房地产发教程[M]. 武汉:武汉大学出版社,1998.

[5] 俞兆平. 房地产法与律师实务[M]. 北京:人民法院出版社,1998.